품질경영시스템

QUALITY MANAGEMENT SYSTEM

ISO 9001: 2015 Plus IATF 16949: 2016
제조업 중심의 품질경영시스템 해설서

PRIMER

이 재 수 지음

QUALITY MANAGEMENT SYSTEM

품질경영시스템

QUALITY MANAGEMENT SYSTEM

발 행 | 2023년 12월 25일
저 자 | 이재수
펴낸이 | 한건희
펴낸곳 | 주식회사 부크크
출판사등록 | 2014년 07월 15일(제 2014-16호)
주 소 | 서울특별시 금천구 가산디지털1로 119 SK트윈타워 A동 305호
전 화 | 1670-8316
이메일 | info@bookk.co.kr
ISBN | 979-11-410-6180-7
www.bookk.co.kr

값 50,000원

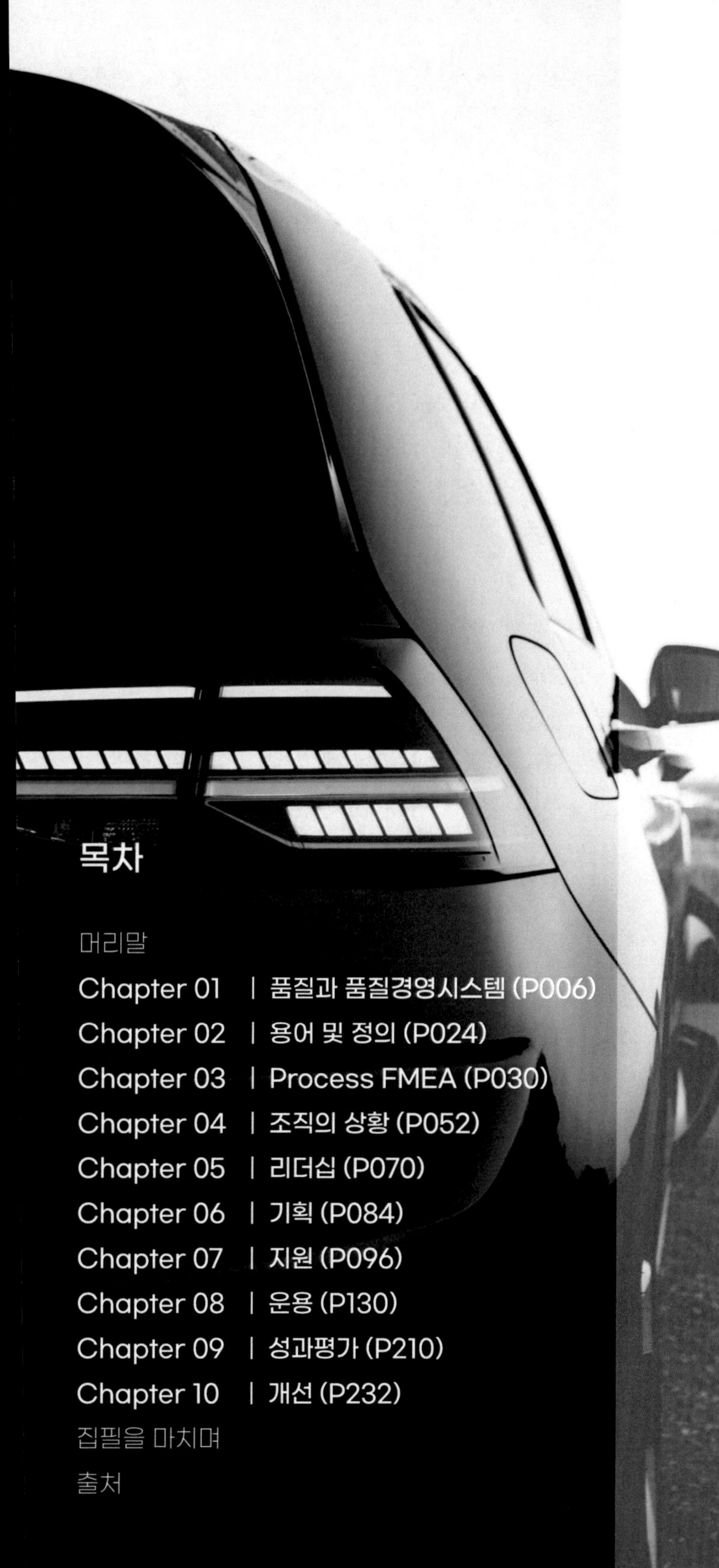

목차

머리말

1990년대 대한민국의 눈부신 산업 발전과 경제 성장, 그리고 세계화가 본격화되면서 국내에도 국제표준화기구(ISO, International Organization for Standardization)에서 제정한 'ISO 9001'이라는 국제 '품질경영시스템'이 도입되었다. 우리는 국제 품질경영시스템을 거부할 수 없는 상황에 놓인 지 오래다. 전 세계가 하나가 되어 국제 품질경영시스템을 받아들였고, 다양한 고객층에서 이를 요구하고 있기 때문이다. 1990년대 이후 국내에서도 많은 기업이 ISO 9001을 기반으로 조직의 품질경영시스템을 수립하였고, 이를 기반으로 생산한 제품과 서비스를 우리 사회에 공급하고 있다. 자동차 산업에서는 ISO 9001 요구사항과 더불어 IATF 16949라는 단체 표준을 추가로 요구하고 있다. 모든 자동차 산업에 종사하는 기업은 이를 충족시키기 위해 두배 이상의 노력을 해야 한다.

그렇다면 품질경영시스템 표준은 국내 제조업에서 어떤 영향을 미치고 있을까? 결론적으로 말하자면, 표준으로 인한 반복적인 작업은 자동화를 가능하게 하였고, 자동화는 생산성을 향상시켰으며, 생산성 향상은 품질 안정화라는 결과를 만들어냈다. 품질이 안정화됨에 따라 대량 생산을 할 수 있었고, 그에 따라 제품과 서비스의 가격이 저렴해지면서 시장 경쟁력이 높아졌다. 따라서 불과 몇 년 전까지만 해도 여기저기에 붙어 있던 ISO 9001 인증 마크는 기업의 제품이나 서비스가 우수하다는 것을 증명하는 지표였다.

그러나 이제는 그 인식이 예전과 같지 않다. 이러한 인식의 변화는 왜 생긴 것일까? 여기에는 여러 가지 복합적인 이유가 존재한다. 필자가 생각하는 원인은 어느 기업이나 쉽게 ISO 9001 인증을 받을 수 있다는 데 있다. 인증기관(Certification Body)의 입장에선 인증을 받는 기업이 고객이다 보니 품질경영시스템이 제대로 수립, 운용, 관리되지 않아도 인증을 해줄 수밖에 없는 구조적 환경에 놓여 있는 것이다. 즉 인증기관이 인증을 해주지 않으면 기업은 인증기관을 바꾸면 그만이다. 이러한 비즈니스 구조의 영향 때문일까, 국내 제조 기업의 표준 활용도와 이해 수준이 독일, 미국, 중국, 일본과 비교했을 때 매우 떨어지는 것이 현실이다. 국내 제조 기업은 기업 간의 경쟁도 중요하지만 국가 간의 경쟁도 매우 중요하다는 것을 인식해야 한다. 이는 조직의 최고경영자(CEO)가 얼마나 품질경영시스템에 관심을 가지고, 구성원들과 함께 품질 중심의 조직 문화를 만들어 가느냐에 달려 있다. 그래야 조직의 구성원들도 그 필요성을 느끼고 끊임없이 개선을 지속해 나갈 것이다.

이 책에서는 ISO 9001과 IATF 16949 요구사항을 소개하고, 각 조항이 무엇을 의미하는지,

또 제조 기업에서는 어떻게 활용되어야 하는지 필자의 모든 비결을 담았다. 각종 저작권과 회사의 정보 보안 문제로 본 책에 많은 정보를 담아내는 데 어려움이 있었다. 그럼에도 독자들을 위해 많은 설명과 사례, 그리고 예시 중심으로 집필하려고 노력했다. 본 책은 ISO 9001: 2015와 IATF 16949: 2016 초판을 기본으로 작성되었다. 따라서 일부 개정된 부분은 본 책에 반영되어 있지 않으므로 원본과 함께 보는 것을 추천한다.

필자는 본 책을 2023년 4월에 첫 출간 하였고, 이후 많은 독자 여러분들의 관심과 의견을 수렴하여 PRIMER 버전을 다시 출간하기로 하였다. 본 PRIMER 버전에서는 부자연스러운 번역본을 이해할 수 있도록 좀 더 많은 사례를 제시하였고, 가독성을 높이기 위한 보정 작업도 진행하였다. 또 AIAG-VDA의 FMEA 내용이 추가된 것이 가장 큰 변화라고 할 수 있겠다.

마지막으로 집필을 위해 응원해 주신 김국향 님, 모리 님께 지면을 빌려 감사드린다. 이 책이 국내의 모든 제조업에서 품질경영시스템을 구축하고, 개선하는 데 많은 도움이 되었으면 한다.

2023년 12월 겨울

저자 이재수

품질과 품질경영시스템

좋은 제품과 서비스는
모든 임직원의 품질 마인드에서 나온다.

1. 품질과 품질경영시스템

1.1. 품질의 정의

필자는 외국계 제조 기업에 근무하면서 이제 막 졸업한 신입사원부터 십수 년의 품질관리 경력을 가진 선배님들까지 다양한 사람들을 만나왔다. 이들을 교육 장소에서 만나면 항상 물어보는 질문이 있다. 바로 품질의 정의이다. 그러나 안타깝게도 상당수가 품질의 정의를 모르고 있는 것이 아닌가? 사실 필자도 산업공학을 전공하였고, 관련 수업을 들은 바가 있지만 품질의 정의를 제대로 모르는 상태에서 외국계 제조 기업에 지원하였다. 품질은 ISO, 학계, 그리고 산업마다 모두 다르게 정의하고 있다. 본 책에서는 품질의 정의를 'ISO 9000: 2015'을 기초로 삼고자 한다. 참고로 Chapter 2에서는 자동차 산업에서 주로 사용하는 용어를 소개하였다.

'대상의 고유 특성의 집합이 요구사항을 충족시키는 정도'

ISO 9000의 품질의 정의를 풀어보면 대상이란 제품, 서비스, 프로세스, 사람, 조직, 시스템, 자원 등을 말한다. 이러한 대상의 고유 특성에 대한 집합, 즉 대상에 존재하는 물리적, 관능적, 행동적, 시간적, 인간공학적, 기능적 특성(제품, 공정)의 집합이 요구사항을 충족하는 정도를 품질(Quality)로 정의하였다. 예를 들어 조직의 제품이 전기전도성이라는 제품 특성을 가지고 있다면 전기전도성이 얼마나 좋은지 그 저항에 대한 규격이 있을 것이고, 이를 충족하는 정도(Min 또는 Max 값)를 말하는 것이다.

ISO 9000에서 정의한 '경영 또는 관리(Management)'란 조직을 지휘하고 관리하는 조정 활동을 말한다. 경영에는 방침과 목표의 수립, 그리고 이러한 목표를 달성하기 위한 프로세스의 수립이 포함된다. 따라서 '경영시스템'은 경영을 위해 수립한 프로세스가 상호 관련되거나 상호 작용할 수 있도록 하는 유기적인 활동의 집합이라고 할 수 있다. 우리가 쉽게 접하는 교통시스템 역시 자동차, 사람, 신호등, 표지판 등이 유기적인 활동을 통해 교통질서라는 목표를 달성하고 있는 것이다.

'품질경영시스템'은 교통시스템과 같이 품질에 관여된 경영시스템을 말한다. 즉 조직이 생산하는 제품과 서비스의 고유 특성을 일련의 요구사항에 만족시키기 위한 유기적인 활동이다.

조직은 비즈니스와 관련된 모든 품질 활동은 수립된 품질경영시스템의 범위 내에서 수행되어야 한다는 것을 잊어서는 안 된다. 예를 들어 조직의 생산라인에 부적합품이 발생되었다고 하자. 품질경영시스템이 수립된 조직이 아니라면 일련의 처리 과정 없이 재작업이나 폐기 처리를 할 것이다. 이 과정에서 부적합품이 양품에 혼입되어 고객에게 유출이 되는 위험도 얼마든지 낳을 수 있다.

품질경영시스템이 수립된 조직이라면 부적합품 발생 시 규정된 식별 방법에 따라 식별을 하고, 지정된 장소에 격리시키며 고객에게 유출되지 않도록 물리적인 방법으로 봉쇄할 것이다. 이처럼 품질경영시스템은 다양한 품질 활동을 면밀히 관리함으로써 제품과 서비스의 품질을 보장할 수 있다.

1.2. 품질의 기능

품질은 그 기능에 따라 크게 3가지로 분류할 수 있다. 설계 품질, 공정 품질, 시장 품질이 그것이다. 조직은 시장의 품질 요구사항을 제품과 서비스에 반영해야 한다. 시장의 요구사항을 제품과 서비스에 반영하게 되면 비용이 늘어남과 동시에 품질의 가치 또한 상승하게 된다. 이때 품질의 비용과 가치를 고려하여 결정된 품질 수준을 '설계 품질'이라 한다. 조직은 적정한 타협선을 찾아 제품의 기능, 성능, 외관, 치수, 재질 등의 품질 특성을 결정해야 한다. 결정된 품질 특성은 기본적으로 시방서(Specification) 에 반영되어 명시된다.

설계 품질을 충족하는 수준을 '공정 품질'이라 한다. 제조 과정에서 발생한 부적합품과 그에 따른 선별, 폐기, 재작업, 재가공 등을 최소화하는 것이 목적이다. 부적합품을 예방하기 위해서는 작업자의 숙련도 강화, 공정의 PokaYoke 설계, 검사 공정을 확대하는 등의 투자가 필요하다. 조직은 투자 비용과 공정 품질 비용의 타협선을 결정하여 관리해야 한다. 마지막으로 시장 품질은 제품과 서비스가 고객에게 인도되어 사용될 때 고객이 느끼는 만족수준이라고 이해

3.6.2 품질	대상의 고유 특성의 집합이 요구사항을 충족시키는 정도
3.3.3 경영	조직을 지휘하고 관리하는 조정 활동
3.5.3 경영시스템	방침과 목표를 수립하고 그 목표를 달성하기 위한 프로세스를 수립하기 위한, 상호 관련되거나 상호 작용하는 조직 요소의 집합
3.5.4 품질경영시스템	품질에 관련 경영시스템의 일부

하면 된다. 우리가 마트에서 어떤 제품을 구매하고, '품질이 매우 좋다', '품질이 매우 나쁘다'라고 평가하는 것이 시장 품질('필드' 품질이라고도 함)이다. 조직의 규모에 따라 품질의 기능을 선행 품질, 입고 품질, 공정 품질, 출하 품질, 시장 품질 등으로 나누기도 하는데 모두 3가지 범주 내에 있는 품질의 기능이다.

1.3. 품질 마인드

과거와 달리 국가 경쟁력이 높아지면서 대한민국에서 생산되는 제품과 서비스가 국제 사회에서 인정받고 있다. 중국의 국가 경쟁력은 한국을 압도적으로 뛰어넘는 수준이지만 아직도 국제 사회에서는 중국의 제품이나 서비스를 인정하지 않는다. 저가, 저품질이라는 인식이 뿌리 깊게 박혀 있기 때문이다. 반대로 독일이나 일본에서 생산되는 제품이나 서비스는 과거보다는 못하지만 여전히 고가, 고품질이라는 인식이 강해 오늘날까지도 제조업 강국의 위상을 지키고 있다. 과연 이러한 인식은 어떻게 시작된 것일까?

필자는 좋은 제품이나 서비스는 모든 임직원의 '품질 마인드(Quality Mind)'에서 나온다고 믿는다. 조직이 수립한 품질목표를 달성하기 위해서는 개개인의 품질 마인드가 매우 중요하다. 품질관리와 관련한 광범위한 지식과 경험을 가진 리더와 구성원만이 회사의 품질을 책임질 수 있다. 이들의 품질 마인드는 품질관리 업무를 시작한 그 순간부터 수년간 누적되어 쌓여있기 때문이다. 누구나 공감하는 말일 것이다.

그러나 필자가 수년간 여러 제조 기업을 방문하고, 재직했던 경험을 되돌아보면 현실은 그렇지 않았다. 대기업부터 중소기업까지 품질관리에 대한 지식과 경험이 부족한 사람이 품질을 책임지고 있는 것이 아닌가? 이러한 구조적인 문제의 시작은 경영진의 탁상행정에서 왔는지도 모른다. 경영진이 실무에 대한 경험이 없어 그럴듯한 비현실적인 이론만으로 의사결정을 내리기 때문이다. 이는 상명하복의 기업 문화를 가진 조직에서 주로 나타난다. 현재까지 남아있는 연공서열과 권위주의 기반의 조직에서 소통이 안 되는 리더와 일한다면 어떻게 좋은 품질을 기대할 수 있겠는가? 또 무능력한 리더만을 탓하며 하루하루 근무 태만의 연속인 구성원은 어떠한가? 현실을 직시하면 지금 당장 무엇을 해야 하는지 보일 것이다.

ISO 9001: 2015 품질경영시스템은 '품질경영 7원칙'을 기반으로 한다. 모든 임직원이 품질경영 7원칙에 기반한 품질 마인드를 갖추고, 양질의 제품과 서비스를 통해 고객만족을 실현할 때 비로소 대한민국의 제품과 서비스가 국제 사회에서 인정받을 수 있을 것이다.

2. 표준과 표준화

2.1. 표준의 정의

우리는 품질경영시스템을 이해하기 전에 '표준(Standards)'이란 무엇인지 그 정의를 먼저 이해해야 한다. 표준국어대사전에서는 표준을 사물의 정도나 성격 따위를 알기 위한 근거나 기준이라고 정의하였다. 이 정의를 좀 더 쉽게 풀어보면 어떤 명확한 근거나 기준을 통해 사물의 수준을 측정하고, 평가하는 지표라고 할 수 있다. 뒤에서 설명하겠지만 국제표준, 단체표준, 사내표준 모두가 표준에 해당한다. 국제표준화기구인 ISO와 IEC의 규정 ISO/IEC Guide2에 따르면 표준은 합의에 따라 작성되고, 공인된 기관에 의해 승인된 것으로서 주어진 범위 내에서 최적 수준의 성취를 목적으로 공통적이고 반복적인 사용을 위한 규칙, 지침 또는 특성을 제공하는 문서를 말한다. 여기에서 합의에 따라 제정한다는 것은 '제정 원칙'을 의미하고, 인정 기관이 제정하고 승인한다는 것은 '제정 주체'를 의미하며 공통적이고, 반복적인 사용을 위한다는 것은 표준의 '기능(용도)과 특성'을 의미한다고 할 수 있다.

3.2 Standard	document, established by consensus and approved by a recognized body, that provides, for common and repeated use, rules, guidelines or characteristics for activities or their results, aimed at the achievement of the optimum degree of order in a given context. NOTE Standards should be based on the consolidated results of science, technology and experience, and aimed at the promotion of optimum community benefits.
1.1 Standardization	activity of establishing, with regard to actual or potential problems, provisions for common and repeated use, aimed at the achievement of the optimum degree of order in a given context NOTE 1: In particular, the activity consists of the processes of formulating, issuing and implementing standards. NOTE 2: Important benefits of standardization are improvement of the suitability of products, processes and services for their intended purposes, prevention of barriers to trade and facilitation of technological cooperation.

ISO/IEC Guide 2 Standardization and related activities General vocabulary

'표준화(Standardization)'의 의미는 다르다. ISO/IEC Guide2에 따르면 표준화는 실제적이거나 잠재적인 문제들에 대하여 주어진 범위 내에서 최적의 수준을 성취할 목적으로 공통적이고 반복적인 사용을 위한 규정을 만드는 활동이다. 조직에서 제품과 서비스를 설계 및 개발하고, 생산하는 데 필요한 기능, 성능, 치수, 재질, 외관, 방법 등을 통일화하기 위해 규정(기준)을 만드는 활동으로 이해하면 된다.

조직의 제품과 서비스에 대해 균일한 품질을 유지하면서 대량 생산을 실현하기 위해서는 표준화가 반드시 필요하다. 고객의 생산라인과 동기화되어 있는 조직의 제품과 서비스가 어제와 오늘이 다르다면 어떻게 되겠는가? 고객의 생산 라인이 빈번히 멈출 것이고, 이는 생산량에 영향을 끼쳐 영리를 추구하는 조직의 비즈니스에 부정적인 영향을 미칠 것이다.

2.2. 표준화의 목적

그럼 조직에서 제품과 서비스를 개발하고 생산하는 데 표준화 활동이 왜 필요한지, 그 목적에 대해 살펴보자. 필자가 품질경영시스템 업무를 담당했을 당시 주변으로부터 가장 많이 들었던 질문 중의 하나가 표준화의 목적이었다.

'이거 하면 우리 회사에 무엇이 좋아지나요?'

품질관리 또는 품질경영시스템을 주관하는 조직으로부터 이러한 질문을 받으면 당황하지 않을 수 없다. 그러나 우리는 왜 해야 하는지를 관련 이해관계자나 경영진에게 설명하지 못하면 충분한 시간적, 금전적 투자를 확보할 수 없어 조직의 품질경영시스템은 후퇴된다. 우리는 조직마다 품질경영시스템의 수준(정도) 차이가 있을 뿐 다양한 방법으로 품질경영시스템의 틀 안에서 비즈니스 활동이 전개되고 있음을 알아야 한다. 물론 모든 비즈니스 활동이 품질경영시스템과 관련된 것은 아니다.

표준화가 조직에 가져다주는 이점은 상당히 많다. 첫째, 표준화는 제품, 공정, 서비스의 품질을 향상시킨다. 2차 산업 혁명 시기인 19세기 초, 전기 에너지 기반의 대량생산 혁명이 일어나면서 기업들은 균일한 품질의 제품과 서비스를 개발하고, 생산하기 시작하였다. 균일한 품질의 제품과 서비스를 대량생산하기 위해서는 시장에서 요구하는 기능, 성능, 치수, 재질, 외관, 방법 등을 정의한 표준이 필요했다. 당시 표준은 변동을 최소화하기 위한 목적으로 사용되었고 이는 오늘날까지도 많은 기업에서 제품, 공정, 서비스의 품질을 유지하고, 또 향상시키기 위해 관련 표준, 예를 들면 작업 방법, 검사 방법, 측정 방법, 시험 방법 등을 제정하고 활용하는 것으로 이어지고 있다.

둘째, 표준화는 우리의 안전, 보건, 환경을 보호하게 해준다. 표준을 준수하는 것은 의무가 아니다. 그러나 국내외 관련 법규를 제정하는 데 다양한 방법으로 인용된다. 특히 안전, 보건, 환경과 관련된 표준은 우리가 기업 활동을 하면서 직면하는 다양한 위험으로부터 최소한의 안전장치를 마련하는 토대가 된다.

셋째, 표준화는 물적 자원을 효율적, 효과적으로 사용할 수 있게 해준다. 한 예로 조직에서는 특정 제품 개발 시 IMDS(International Material Data System) 라는 데이터베이스를 통해 제품과 하위 부품(자재)의 재질 성분을 표준화하여 등록하고, 관리한다.

IMDS의 탄생 배경에 대해 좀 더 살펴보자. 조직은 내수 시장뿐만 아니라 전 세계 시장을 대상으로 비즈니스 활동을 전개한다. 조직이 개발하고, 생산하는 제품을 세계 각국에 수출하거나 수입하려면 해당 국가에서 정한 법규(규제)를 만족시켜야 한다. 여기서 제품 개발에 필요한 모든 협력사와 고객사, 즉 모든 Supply Chain으로부터 해당 국가의 법규를 만족하는 제품 또는 서비스를 공급받기 위해서는 재질, 성분, 함량 등을 표준화하여 관리해야 한다.

이에 아우디, 다임러, 포드, 포르쉐, 오펠, 폭스바겐, 볼보 7개의 자동차 제조사와 IT 업체인 DXC Technology는 최소한의 비용으로 법적 요구사항을 만족시킬 수 있는 IMDS 시스템을 개발했다. 현재 모든 자동차 산업에서는 화학물질의 정보 수집을 IMDS로 하고 있으며 향후 유럽의 규제뿐만 아니라 모든 국가와 지역별 화학물질 법규를 확인하고, 관리하는 데 있어서 IMDS를 필수적으로 활용하게 될 것이다.

2 Aims of standardization	Standardization may have one or more specific aims, to make a product, process or service fit for its purpose. Such aims can be, but are not restricted to, variety control, usability, compatibility, interchangeability, health, safety, protection of the environment, product protection, mutual understanding, economic performance, trade. They can be overlapping.
ISO/IEC Guide 2 Standardization and related activities General vocabulary	

넷째, 표준화는 다양성을 조절하여 산업의 효율성을 증진한다. 한 예로 과거 자동차 표준의 패권국가인 미국, 독일, 프랑스, 이탈리아 등은 저마다 다른 품질경영시스템 표준을 보유하고 있었다. 미국의 QS 9000, 독일의 VDA 6.1, 프랑스의 EAQF, 이탈리아의 AVSQ가 그것이다.

각 자동차 제조사에서는 부품 생산에 필요한 표준을 세계 각국의 협력사에 통보하여 자국 또는 자사의 표준을 준수해 줄 것을 요구하였다. 이는 서로 다른 국가의 자동차 제조사로부터 주문을 받는 협력사에게는 부담이 아닐 수 없었다. 이에 따라 전 세계의 주요 자동차 제조사와 협회(Association)가 국가별 품질경영시스템을 정비하여 통합한 것이 ISO/TS 16949: 1999로 이는 자동차 산업의 효율성을 증진했다.

2.3. 표준의 분류

표준은 제정 주체(Actor), 제정 대상(Entity), 적용 범위(Applicability)에 따라 크게 3개의 범주로 분류할 수 있다. 우리에게 가장 익숙한 방법은 적용 범위에 따라 분류하는 것이다. 특히 조직은 ISO, IEC 등과 같은 국제 표준과 IATF, JEDEC, VDA 등과 같은 단체 표준에 대한 관심과 이해하려는 노력이 필요하다.

ISO(International Organization for Standardization, 국제 표준화 기구)는 1947년 발족하였다. 이후 국가 간의 제품과 서비스를 교환하고, 유통을 지원하기 위해 표준화 활동을 촉진하고 있다. ISO의 가입국은 170여 개국이고, 우리나라의 경우, 1963년 상공부 표준국이 ISO에 최초 가입하여 1996년 이후 현재의 국가기술표준원이 정회원으로 활동 중이다. 대표적인 ISO 표준으로는 ISO 9001 품질경영시스템, ISO 45001 안전보건경영시스템, ISO 22301 비즈니스연속성경영시스템, ISO 27001 정보보호경영시스템 등이 있다. IEC(Internation Electrotechnical Commission, 국제전기기술위원회)는 1906년 발족

국제 표준	국제 조직에서 제정한 표준(ISO, IEC, ITU…)
지역 표준	유럽 등의 지역에서 제정한 표준(CEN, ETSI...)
국가 표준	국가에서 제정한 표준(한국 KS, 독일 DIN, 미국 ANSI, 영국 BSI 등)
단체 표준	단체(산업)에서 제정한 표준(IATF, JEDEC, VDA, ASTM…)
사내 표준	조직의 사내에서 제정한 표준

적용 범위에 따른 표준의 분류

하여 전기 및 전자 기술 분야에서 표준화 활동을 촉진하고 있고, 마지막 ITU(International Telecommunication Uniton, 국제전기통신연합)는 1865년에 발족하여 전 세계 전기통신, 전파통신, 위성통신, 방송 등과 관련된 표준화 활동을 촉진하고 있다.

2.4. 표준의 제정 절차(국가기술표준원 > 국제표준화기구 소개 > ISO 내용 직접 인용)

국가기술표준원의 <ISO 표준 제정 절차>를 보면 다음과 같다. "ISO 표준 제정 절차는 일반적으로 제안부터 발행까지 6단계로 구성되며, ISO/IEC 기술작업지침서를 준수한다. 신규표준 제안은 ISO 국가회원기관, TC/SC 간사기관, 기술관리이사회 등에 의해 이루어질 수 있다.

단계 1 제안단계(Proposal stage): 신규작업항목 제안(NP): 신규작업항목 제안은 NP제안서식에 작성하여 제출하며, 이 항목을 작업프로그램에 추가할 것인지는 서신 또는 회의를 통해 결정한다. 적어도 5개 이상의 P멤버가 적극적으로 참여하겠다는 의사를 표명해야 한다.

단계 2 준비단계(Preparatory stage): 작업초안(WD): 이 단계에서는 ISO/IEC Directive, Part 2에 따라 작업초안(WD)을 작성한다. 완성된 작업초안을 위원회안(CD)이라 하며, 위원회안이 기술위원회 또는 분과위원회의 멤버들에게 회람되고 중앙사무국에 등록되면 준비단계는 종료된다.

단계 3 위원회단계(Committee stage): 위원회안(CD): 위원회 단계는 국가 회원기관들의 의견을 검토하는 단계이다. 따라서 이 단계에서 국가 회원기관들은 위원회안의 내용을 검토하여 관련된 모든 의견, 특히 기술적인 의견을 제출하게 되며 국제회의의 대표자들은 자국의 입장에 대해 보고하게 된다.

단계 4 질의단계(Enquiry stage): 질의안(DIS): 질의단계 기간 동안 중앙사무국은 질의안을 모든 회원기관들에 배포하여 찬반투표를 하도록 하며 이는 다음 조건에서 승인된다.

단계 5 승인단계(Approval stage): 최종국제표준안(FDIS)을 중앙사무국에서 회원국에 배포 후 8주동안 투표한다.

단계 6 출판단계(Publication stage): 4주 안에 중앙사무국 기술위원회 또는 분과위원회 간사기관은 지적된 인쇄상 오류들을 수정하여 국제표준으로 인쇄하고 배포한다."

3. 품질경영시스템 입문

3.1. ISO 9000 Series

먼저 'ISO 9001'은 국제표준화기구(ISO, International Organization for Standardization)에서 제정한 품질경영시스템의 요구사항을 담은 국제 표준이다. 가장 기본이 되는 요구사항으로 대부분의 산업 분야에서 활용(적용)되고 있다. ISO 9001은 국제 사회와 산업의 변화에 따라 그 패러다임 또한 다음과 같이 변화되어 왔다.

현재의 ISO 9001: 2015에는 'HLS(High Level Structure)' 개념이 적용되었다. HLS는 가장 상위 수준의 조항(Clause)을 말한다. HLS는 ISO 관련 표준들 간에 일관된 구조를 제공함으로써 조직에서 서로 다른 표준을 보다 쉽게 이해하고 적용할 수 있도록 도움을 준다.

> 기본 조항: 1. 범위, 2. 참조 자료, 3. 용어 및 정의
> 요구 조항: 4. 조직의 상황, 5. 리더십, 6. 기획, 7. 지원, 8. 운용, 9. 성과평가, 10. 개선

또 가장 큰 변화라고 할 수 있는 요소는 'RBT(Risk based thinking: 리스크 기반 사고)'이다. RBT는 조직이 혹시 일어날지 모르는 위험을 인식하고 이에 대응하기 위한 적절한 조치를 취하도록 돕는 Proactive 한 접근법이다. 리스크 기반 사고는 제품과 서비스의 품질과 조직의 성과를 향상하는 데 도움을 준다.

BS 5750: 1979	영국표준협회(BSI)에서 BS 5750 제정
ISO 9001: 1987(1판)	BS 5750을 통한 영국의 성과로 인해 연방국들의 지원을 받아 ISO 국제 규격으로 등재. ISO 9001, ISO 9002, ISO 9003으로 구분됨
ISO 9001: 1994(2판)	제품의 검사, 예방조치를 통한 품질보증 활동을 강조. 문서화된 절차서를 매우 강조하고 실행의 증거로 기록을 중시
ISO 9001: 2000(3판)	ISO 9001, ISO 9002, ISO 9003을 통합하였고, 고객만족과 프로세스 접근법(Process Approaches)을 강조함
ISO 9001: 2008(4판)	ISO 14001: 2004와 병용을 위해 개정됨
ISO 9001: 2015(5판)	HLS(High Level Structure)에 따라 개정되었고, 리스크 기반 사고(RBT, Risk Based Thinking)을 강조함.

ISO 9001 변천사

ISO 9001은 ISO 9000 패밀리 규격(Familiy of QMS) 중 하나이다. 품질경영시스템에 관한 국제 표준은 핵심 표준과 보조 표준으로 나누는데, 품질경영시스템 담당자라면 최소 핵심 표준 4가지(ISO 9000, ISO 9001, ISO 9004, ISO 19011) 정도는 알아야 한다. 이 중 ISO 9000은 품질경영시스템의 용어 및 정의를 소개하는 가장 기본이 되는 표준이다. 용어 및 정의를 먼저 이해하고 나머지 핵심과 보조 표준에 접근하는 것이 좋다.

핵심 표준	ISO 9000	품질경영시스템 - 기본사항 및 용어
	ISO 9001	품질경영시스템 - 요구사항
	ISO 9004	조직의 지속적 성공을 위한 경영방식 - 품질경영접근법
	ISO 19011	경영시스템 심사 지침
보조 표준	ISO 10001	품질경영 - 고객만족 - 조직의 행동규범 지침
	ISO 10002	품질경영 - 고객만족 - 조직의 불만처리 지침
	ISO 10003	품질경영 - 고객만족 - 조직의 외부분쟁해결 지침
	ISO 10004	품질경영 - 고객만족 - 모니터링 및 측정 지침
	ISO 10005	품질경영시스템 - 품질계획서에 대한 지침
	ISO 10006	품질경영시스템 - 프로젝트의 품질경영에 대한 지침
	ISO 10007	품질경영시스템 - 구성관리를 위한 지침
	ISO 10012	품질경영시스템 - 측정프로세스 및 측정장비 요구사항
	ISO 10014	품질경영 - 재정 및 이익의 실현에 대한 지침
	ISO 10015	품질경영 - 교육훈련 지침
	ISO 10019	컨설턴트 선택 및 컨설턴트 서비스 이용에 대한 지침

ISO 9000 패밀리 규격 - 핵심 표준과 보조 표준

3.2. IATF 16949

IATF 16949는 국제 자동차 태스크 포스(International Automotive Task Force)로 글로벌 자동차 제조사인 GM, Ford, BMW, Daimler AG, Volkswagen AG 등과 국제 표준화 기구인 ISO에 의해 공동 개발된 자동차 산업 분야에 특화된 품질경영시스템 표준이다. 1990년대만 하더라도 주요 자동차 생산국과 제조사들은 자동차 패권 전쟁이라도 하듯 제각각의 품질경영시스템 규격을 가지고 있었다. 앞서 말한 미국의 QS 9000, 독일의 VDA 6.1, 프랑스의 EAQF, 이탈리아의 AVSQ가 그것이다.

협력사의 입장에서는 저마다 다른 고객의 품질경영시스템을 적용하여 부품을 생산하기가 상당한 부담이었을 것이다. 그래서 미국의 Big 3인 GM, Ford, Chrysler와 유럽의 Daimler, BMW, Fiat, Volkswagen 등이 IATF라는 조직을 결성하였고, ISO 9001 조항을 기반으로 추가적인 요구사항이 담긴 단일화된 표준을 개발하였다.

1996년 ISO/TS 16949: 1999 탄생이 바로 그것이다. 이후 ISO/TS 16949: 2002로 1차 개정, ISO/TS 16949: 2009로 2차 개정을 지나 ISO 9001: 2015의 HLS 프레임과 동기화된 IATF 16949: 2016이 현재의 표준이다. 차기 표준은 2025년으로 예상한다. IATF 16949 표준은 자동차 산업 분야에 특화된 품질경영시스템 표준이지만 대부분의 일반 제조업에서도 경쟁력 있는 품질의 제품을 개발하고, 생산하기 위해 채택하고 있다.

IATF 16949 표준을 만족하기 위해서는 'AIAG 5 Core Tool' 사용이 필수적이다. 이는 1982년 미국 미시간 주 사우스 필드에 기반을 둔 AIAG(Automotive Industry Action Group)가 자동차 제조사와 공동으로 개발한 체계적이고 고도화된 품질관리 도구이다. AIAG의 5 Core Tool은 APQP(Advanced Product Quality Planning), SPC(Statistical Process Control), FMEA(Potential Failure Mode and Effects Analysis), PPAP(Production Part Approval Process), MSA(Measurement System Analysis)로 구성되어 있고 IATF 16949의 요구사항을 운용하는 방법론의 일부이다.

국내의 Plexus Korea(플렉서스 코리아)는 1998년 설립되어 미국의 Plexus International과 IPP(International Plexus Partnership)에 대한 계약을 체결하였다. 그 결과 미국의 자동차 BIG 3사와 AIAG로 부터 IATF 16949에 대한 교육훈련 프로그램을 승인받은 국내 유일의 교육 기관이 되었다. 이후 국내의 IATF 16949 심사원 양성 교육 프로그램을 운용하고, IATF 16949 표준은 물론 AIAG 5 Core Tool도 한국어 버전으로 출판하고 있다.

AIAG	APQP(Advanced Product Quality Planning, 사전제품 품질기획)	2판
	PPAP(Production Part Approval Process, 양산부품 승인절차)	4판
	FMEA(Failure Mode and Effects Analysis)	4판
	SPC(Statistical Process Control, 통계적 공정관리)	2판
	MSA(Measurement System Analysis, 측정시스템분석)	4판
AIAG VDA	FMEA(Failure Mode and Effects Analysis)	1판

AIAG (VDA) 5 Core Tool

최근 5 Core tool 중 FMEA가 전면 개정되었다. 지금까지 자동차 산업에서 사용된 FMEA는 미국의 AIAG FMEA 4판과 독일의 VDA FMEA 4판이었다. 앞서 설명했지만 협력사의 입장에서는 저마다 다른 고객의 표준을 적용하여 부품을 생산하기가 상당한 부담이었을 것이다. 따라서 IATF는 지난 2015년부터 FMEA를 통합하기 위해 TFT 활동을 추진해왔다. 그리고 지난 2019년 6월, 마침에 AIAG-VDA FMEA 1판이 공식 발간되었다. 향후 자동차 OEM은 제품과 공정의 설계 및 개발 시 본 표준의 적용을 요구할 것이므로 조직은 이에 대비해야 한다.

3.3. 품질경영 7원칙

ISO 9001: 2015에서는 품질경영시스템의 효과적인 수립, 운용, 관리를 위해 다음의 7가지 원칙을 제시하고 있다. 품질경영시스템의 효과적인 운용을 위해 반드시 전제되어야 하는 사항, 즉 Baseline의 역할을 하므로 이를 잊어서는 안 된다. ISO 9001: 2008에서는 품질경영 8원칙을 제시하고 있으나 ISO 9001: 2015에서는 '경영에 대한 시스템적 접근방법' 항목이 삭제되어 품질경영 7원칙을 제시하고 있다. 그렇다고 2008에서 경영에 대한 시스템적 접근방법이 불필요하다는 것이 아니다. 이는 '프로세스 접근법'과 비슷하면서도 경계가 모호한 의미 때문에 삭제된 것으로 보여진다.

ISO 9001: 2008	ISO 9001: 2015
고객 중심	고객 중시
리더십	리더십
전원 참여	인원의 적극참여
프로세스 접근법	프로세스 접근법
지속적 개선	개선
의사결정에 대한 사실적 접근방법	증거 기반의 의사결정
상호 유익한 공급자 관계	관계 경영
경영에 대한 시스템적 접근방법	-

품질경영 7원칙

3.4. 프로세스 접근법

프로세스란 '의도된 결과를 만들어 내기 위해 입력을 사용하여 상호 관련되거나 상호 작용하는 활동의 집합'을 말한다. 의도된 결과는 출력, 제품, 그리고 서비스를 말하는데, 이를 실현하기 위해 다양한 입력물이 사용되고, 서로 다른 기능이 모여 상호 작용을 통해 원하는 결과를 만들어 내는 것이다. 예를 들어 제품 개발 프로세스의 의도된 결과에는 도면, 제품과 자재의 시방서, 시작품, 시작품 관리계획서 등이 있다. 이를 위해서는 고객의 요구사항, 과거에 발생한 품질 정보, 사업성 검토, 마케팅 전략, 벤치마킹 정보, 품질과 설계 목표, 예비 BOM(Bill Of Material), 예비 공정흐름도 등의 입력물이 필요하다.

중요한 것은 설계 및 개발 부서가 제품 개발에 필요한 모든 입출력물을 책임지는 것이 아니다. 자재를 검토하는 구매 또는 자재관리 부서, 개발 품질을 검토하는 개발 품질 부서, 조립성을 확인하는 생산기술 부서, 신뢰성 시험을 하는 시험 부서 등이 유기적으로 상호 협력하여 최종 산출물을 도출해 내는 것이다. 이것이 프로세스의 본질이다. 참고로 공동의 목표 달성을 위해 각 기능의 전문가들이 모인 집단을 'MDT(Multi-Disciplinary Team)'라고 한다.

프로세스를 수립하는 방법에는 여러 가지가 있으나 가장 보편적으로 사용하는 것은 '계층적 접근법(Hierarchical approach)'이다. 이는 조직에서 운용하고자 하는 프로세스를 Mega 단위, Main 단위, Sub 단위로 계층화하여 운용하는 것이다. Mega 단위는 다시 COP(Customer Oriented Process), SP(Support Process), MP(Management Process)로 구분한다. 사업부가 여러 개인 조직의 경우, 통합 또는 분리하여 운용할 수 있기 때문에 매우 편리하다는 장점이 있다.

한 가지 더 중요한 것은 프로세스(Process)는 '절차서(Procedure)'가 아니다. 절차서는 '활동 또는 프로세스를 수행하기 위하여 규정된 방식'이다. 즉 프로세스를 운용하기 위한 기능 중심, 과업 중심의 약속된 규정이라는 것이다. ISO 9000에서 절차서는 문서화될 수도 있고, 문서화되지 않을 수도 있다고 규정하였다. 그러나 필자는 절차서는 반드시 문서

3.4.1 프로세스	프로세스(Process)의도된 결과를 만들어 내기 위해 입력을 사용하여 상호 관련되거나 상호 작용하는 활동의 집합을 말한다.
3.4.5 절차	절차(Procedure)는 활동 또는 프로세스를 수행하기 위하여 규정된 방식을 말한다. 비고: 절차는 문서화될 수도 있고 문서화되지 않을 수도 있다.

화가 필요하다고 주장한다. 문서화가 되어 있지 않으면 개발부터 양산에 이르기까지 각 기능마다 서로 다른 이해관계로 인해 수많은 갈등에 부딪히게 된다. 따라서 기능 간 절차상의 갈등을 최소화하고, 프로세스의 목적 달성을 위해서는 문서화된 절차서가 반드시 필요하다.

인증기관이나 고객사에서 방문하여 조직의 품질경영시스템을 심사한다고 했을 때 프로세스 접근법이 자주 활용된다. 제품 개발 프로세스를 평가할 때는 이와 관련된 계약검토, 제품기획, 제품설계, 변경관리 조직이 모여 인증기관이나 고객의 요구사항에 적극적으로 대응해야 한다. 만약 제품 개발 프로세스를 평가한다고 해서 설계 및 개발 부서가 이 모두를 대응하고 있다면 프로세스가 아닌 기능 중심의 접근법을 채택하고 있는 것이다. 심사의 결과 또한 대응의 한계로 인해 좋을 리가 없으므로 관련 모든 기능이 참여해야 한다.

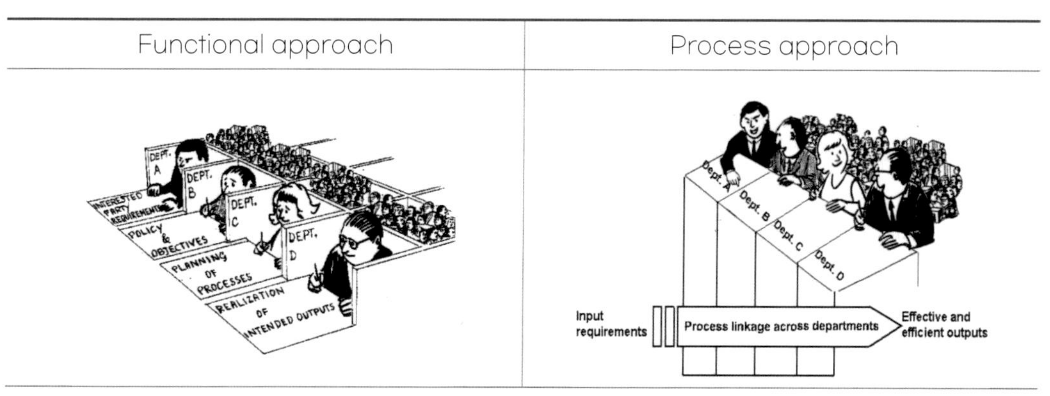

ISO 9000 Introduction and Support Package: Guidance

3.5. PDCA 사이클

이제 표준에서 말하는 'PDCA(Plan-Do-Check-Action)' 사이클에 대해 살펴보자. 먼저 Plan(계획) 활동은 4항, 5항, 6항, 7항에 해당한다. 여기에서는 고객 요구사항, 조직의 상황, 이해관계자의 니즈와 기대, 품질방침, 품질목표, 지원 등 품질경영시스템의 운용과 관리에 필요한 프로세스의 수립에 대해서 주로 다룰 것이다. Do(실행) 활동은 8항에 해당한다. 계획한 프로세스의 실행 단계라고 보면 된다. 여기에서는 실제 고객의 요구사항에 따라 제품 및 공정을 개발하고, 외부에서 제공되는 프로세스, 제품과 서비스의 관리, 부적합품 처리 프로세스 등에 대해서 주로 다룰 것이다. Check(검토) 활동은 9항에 해당한다. 수립한 품질목표를 제대로 달성했는지 모니터링, 측정, 분석 및 평가를 통해 확인하는 단계이다. 마지막으로 Action(조치) 활동은 10항에 해당한다. 프로세스를 개선하기 위한 시정 및 예방 조치에 대해 주로 다룰 것이다.

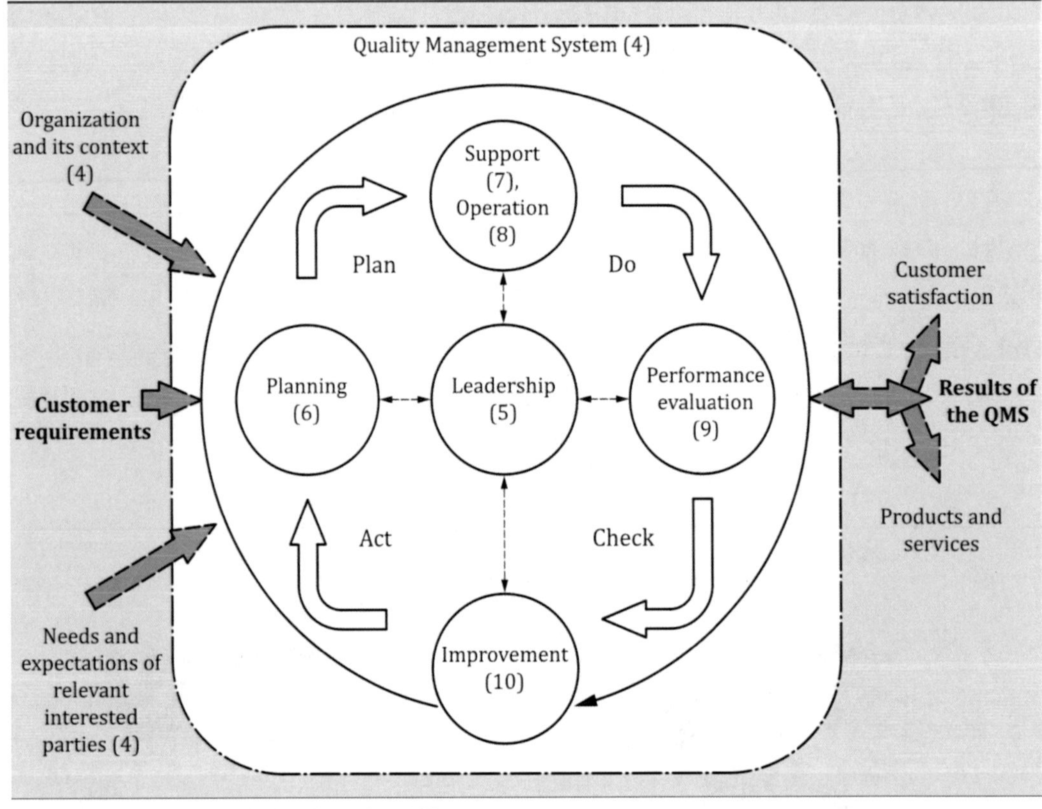

ISO 9001: 2015 품질경영시스템 PDCA 모델

3.6. 조동사와 판정 기준

ISO 9001: 2015에서는 조동사를 사용하여 각 조항의 관리 수준을 정의하고 있다. 먼저 shall은 '해야 한다' 로 '요구사항'을 의미하고 should는 '해야 할 것이다'로 '권고사항'을 의미한다. may는 '해도 좋다'로 '허용'을 의미하고 can은 '할 수 있다'로 '능력'을 의미한다. 본 책의 목적은 각 요구사항을 해석하며 그 의미를 전달하는 것이므로 이를 고려하지 않았다.

'shall' indicates a requirement	'~해야 한다' 로 요구사항을 의미
'should' indicates a recommendation	'~해야 할 것이다' 로 권고사항을 의미
'may' indicates a permission	'~해도 좋다' 로 허용을 의미
'can' indicates a possibility or a capability	'~할 수 있다' 로 능력을 의미

ISO 9001: 2015 조동사의 의미

심사 시에 발행하는 부적합 사항은 경부적합과 중부적합으로 구분한다. 중부적합과 경부적합의 기준은 명확하지만 실제 심사 시에는 조직의 상황을 고려하기 때문에 이를 적용(발행)하는 것이 쉽지 않다. 조직은 중부적합과 경부적합의 발행 건수가 조직의 KPI가 될 수 없음을 인식해야 한다. 품질경영시스템 인증의 목적은 1) 조직이 고객 요구사항과 적용되는 법적, 규제적 요구사항을 충족하는 제품 및 서비스를 일관성 있게 제공할 능력을 실증하고 2) 고객 만족을 증진시키고자 하는 것이다. 따라서 조직의 부족함을 인정하고 노출시켜야 조직의 품질경영시스템을 지속적으로 개선할 수 있다. (샘플링 심사에서 나온 부적합 사항임)

중부적합은 ISO 9001 또는 기타 표준의 요구사항을 충족하는 시스템이 없거나 총체적으로 문제인 경우, 하나의 요구사항에 대하여 여러 경부적합이 발행된 경우 시스템 전체의 문제를 야기시키므로 중부적합으로 간주한다. 경부적합은 ISO 9001 또는 기타 표준의 요구사항을 충족하는 시스템의 일부에서 오류가 발생한 경우, 조직의 품질경영시스템 중 하나의 요구사항에 대하여 결여 사항이 관찰된 경우 경부적합으로 간주한다. 인증기관별로 중부적합과 경부적합의 판정 기준은 조금씩 달리 정하여 운영하고 있다. 추가로 관찰사항은 현재 부적합은 아니지만 향후 부적합으로 진전될 수 있는 경우, 현재 부적합은 아니지만 피심사 조직에 도움이 될 수 있는 경우에는 관찰사항(OFI, Opportunity For Improvement)으로 간주한다.

3.7. 인정과 인증

'인정(Accreditation)'이란 적합성 평가 기관인 인증 기관이 규정된 요구사항에 대하여 적격성을 갖추고 공평하게 적합성 평가 활동을 수행할 수 있음을 공식적으로 실증하는 활동을 말한다. '인증(Certification)'이란 적합성 평가 기관인 인증 기관이 제품, 프로세스, 시스템 또는 개인을 대상으로 규정된 요구사항에 대하여 적합 여부를 공식적으로 실증하는 활동을 말한다. 따라서 인정기관은 인증기관의 상위 조직이라고 할 수 있다.

국내의 대표적인 인정기관은 시험 및 교정과 관련된 한국인정기구(KOLAS, Korea Laboratory Accreditation Scheme), 제품과 관련된 한국제품인증인정기구(KAS, Korea Accreditation System), 그리고 경영시스템과 관련된 한국경영인증인정기구(KAB, Korea Accreditation Board)가 있다. 한국경영인증인정기구에 등록된 인증기관은 홈페이지를 통해 확인할 수 있으며 대표적으로는 한국품질재단, 한국생산성본부인증원, 로이드인증원, 한국표준협회, DQS, TUV, DNV 등이 있다. 인증 심사는 신청서 제출, 최초 인증, 사후관리 심사, 갱신 심사 순으로 진행하며 최초 인증 후 3년마다 인증 갱신 여부를 결정해야 한다.

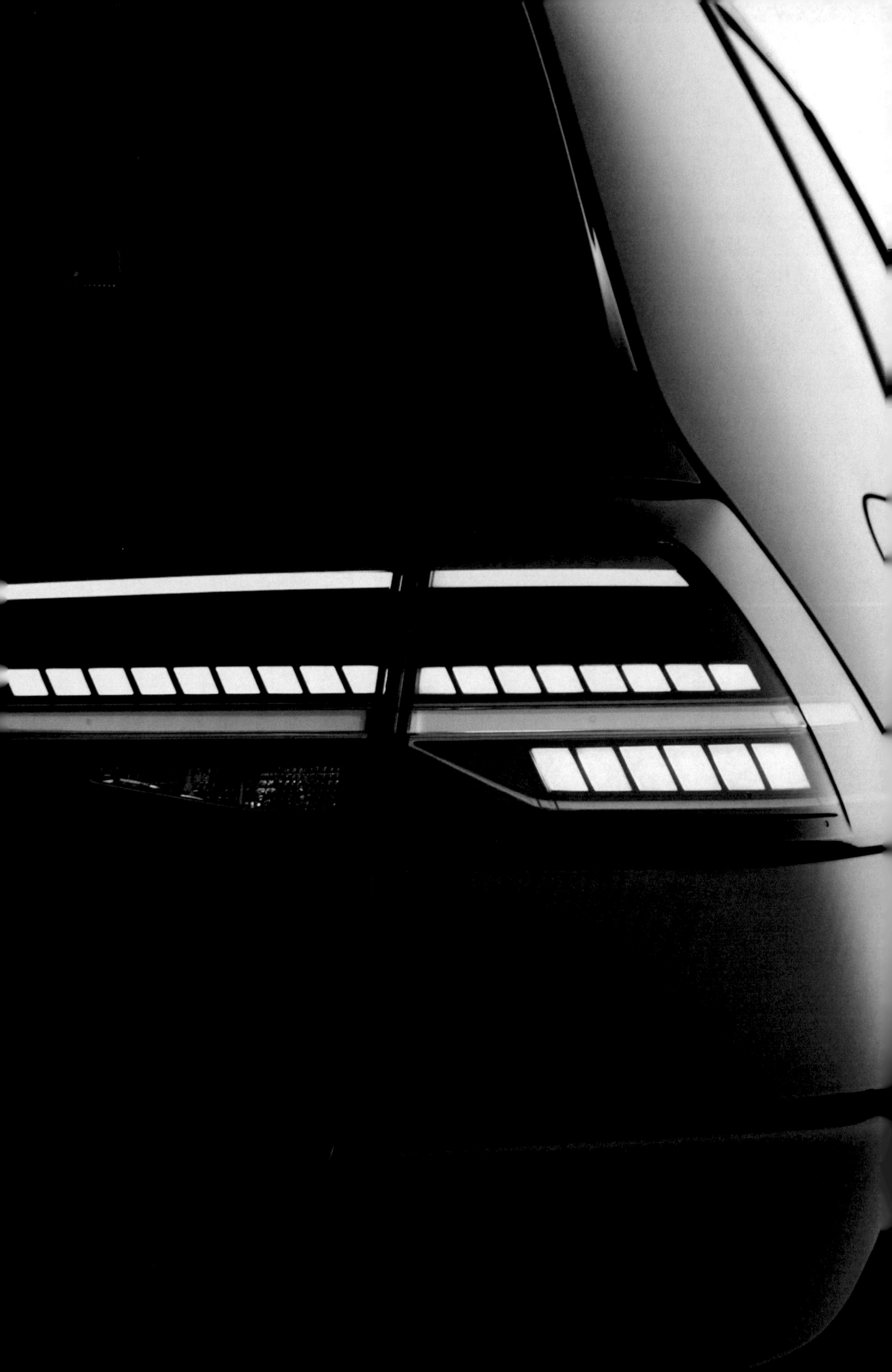

용어 및 정의

품질경영시스템의 입문자라면
용어 및 정의에서 출발해야 한다.

2. 용어 및 정의 - IATF 16949

KS Q ISO 9001: 2015 품질경영시스템 표준에서 사용하는 용어 및 정의는 'KS Q ISO 9000: 2015 품질경영시스템 - 기본사항과 용어'를 기초로 한다. 따라서 요구사항의 이해를 돕기 위해 해당 표준을 참고해야 하고, 본 Chapter에서는 IATF 16949: 2016에서 정의한 자동차 산업에서 주로 사용하는 용어 및 정의에 대해 설명하고자 한다.

Accessory part (부속품)	최종 고객에게 자동차를 인도하기 전에 자동차 또는 파워트레인에 기계적, 또는 전기적으로 연결되는 고객이 지정한 추가 구성품을 말한다. (자동차 옵션: 음향 시스템, Head Up Display, 고급 시트, 선루프 등)
Advance product quality planning	고객의 요구사항을 만족하는 제품 및 서비스의 개발을 지원하는 도구로 개발 시 사전에 제품 및 서비스의 품질을 기획하는 용도로 사용한다.
Aftermarket part	자동차의 순정 부품이나 추가 또는 대체되는 서비스 부품을 말한다.
Authorization (권한위임)	조직 내에서 특정 인원에 대해 승인 또는 제재를 주거나 거부할 수 있는 책임과 권한을 명시한 문서화된 승인을 말한다.
Challenge part (마스터 샘플)	마스터 샘플은 골든(Golden) 샘플이라고도 하며 고객의 설계 스펙을 100% 만족하는 샘플(PPAP 승인 샘플)을 말한다. 이는 생산 라인에 설치된 Error-proofing 장비나 GO/NOGO Gauge의 기능을 검증하는 데 사용된다.
Limit part (한도 샘플)	한도 샘플은 고객의 설계 스펙을 100% 만족하지 않는 샘플을 말한다. 주로 외관 품질에 대해 합격 또는 불합격 한도를 설정하고 고객과 협의한다.
Control Plan (관리계획서)	제품을 생산하는 데 요구되는 생산 공정의 관리 시스템(제품 및 공정 특성, 스펙, 측정 방법, 측정 주기 등)을 상세히 기록한 문서를 말한다.
Customer Requirement (고객 요구사항)	고객 요구사항은 고객에 의해 지정된 모든 요구사항을 말한다. 여기에는 기술적, 상업적, 제품 및 제조 공정과 관련된 요구사항, 그리고 일반적인 용어 및 조건, '고객 지정 요구사항'이 포함된다.
Customer Specific Requirements	자동차 산업의 품질경영시스템 표준인 IATF 16949의 특정 조항과 연계된 추가적인 해석이나 보완 요구사항을 말한다.
Design for assembly	DFA는 제품을 구성하는 부품과 작업 수를 단순화(최소화)하고, 부품의 취급 방법을 개선함으로써 생산 공정에서 보다 쉽고 빠르게 작업하기 위한 설계 방법을 말한다. (조립성 최적화)
Design for manufacturing	DFM은 조립에 필요한 각종 부품(가공품, 제작품)을 생산하기 위한 최적의 자재, 장비, 조건(금형) 등을 찾아 가공 시간과 비용을 산출하여 DFA에 반영한 후 최종 제품의 제조 원가를 예측하는 데 사용한다.

Design for six-sigma	제품이 식스 시그마 수준으로 생산될 수 있도록 제품 및 공정을 강건 설계하는 방법론을 말한다.
Design-responsible organization	신규 제품 시방서를 제정하거나 기존 시방서를 변경할 수 있는 권한을 가진 조직을 말한다. 이는 고객이 지정한 어플리케이션 내에서 설계 성능의 시험과 검증을 포함한다.
Error-proofing (Pokayoke)	부적합품의 제조를 예방하기 위한 제품 및 공정의 설계 및 개발을 말한다. 단, 검출(Detection)을 Error-proofing로 보지 않는 경우도 있다.
Escalation process	조직 내 적절한 인원(작업자, 엔지니어, 팀장, 공장장, 최고경영자 등)이 특정 상황(설비 이슈, 부적합품 유출, 화재, 자재 결품 등)에 신속하게 대응하기 위하여 수립된 신속보고체계(프로세스)를 말한다.
Fault tree analysis (고장나무분석)	FTA는 어떤 고장의 원인을 추론하는 하향식 연역적 분석(Top down deductive analysis) 도구를 말한다.
Laboratory (시험실)	화학적, 야금학적, 치수, 물리적, 전기적 또는 신뢰성 시험에 국한하지는 않지만 이를 포함하는 검사, 시험 또는 교정을 위한 시설을 말한다. 시험실의 범위: 다음의 관리 문서를 포함한다. - 시험, 평가 그리고 교정을 위해 시험실 자격 인증이 요구됨 - 시험, 평가 그리고 교정을 위해 사용되는 장비 목록이 요구됨 - 시험, 평가 그리고 교정을 위해 시험 표준 및 방법이 요구됨
Trade-off curves	제품의 다양한 설계 특성 간의 관계를 이해하고 의사소통하는 도구를 말한다. 어떤 특성에 대한 제품의 성능을 Y축에 그리고, 다른 특성에 대한 제품의 성능을 X축에 그려 두 특성 간의 상대되는 제품의 성능을 점으로 찍어 곡선으로 표시한다. 일반적으로 한쪽의 품질을 높이면, 다른쪽의 품질은 떨어진다는 개념이다.
Trade-off process	트레이드 오프 곡선을 사용하여 설계 대안 간 고객, 기술적, 경제적 관계를 수립하는 제품의 성능 특성을 찾아가는 방법론을 말한다.

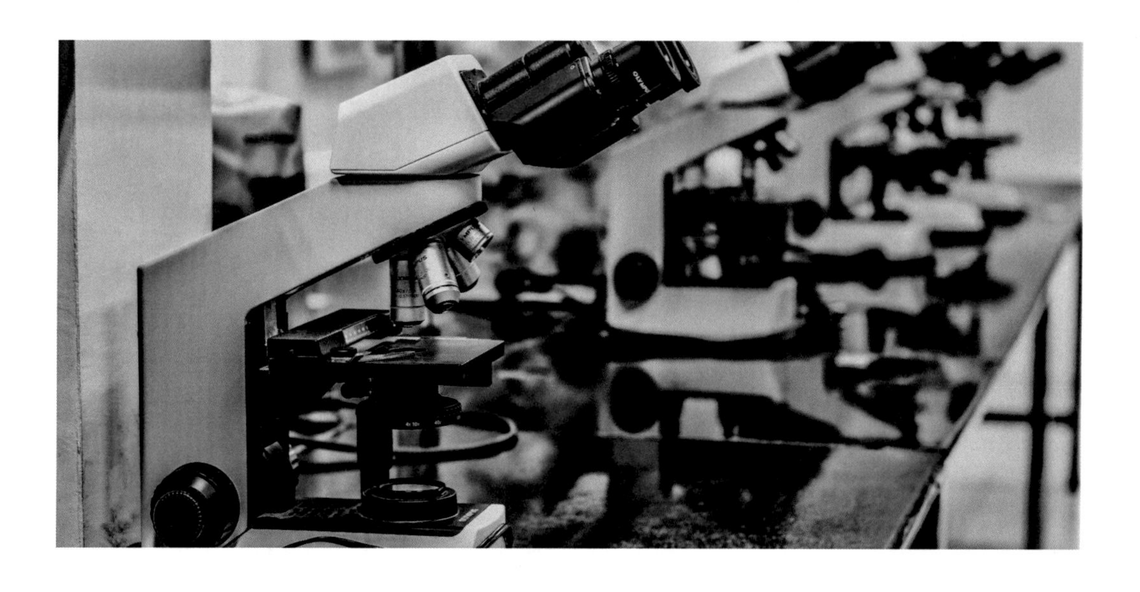

Manufacturing	제조(Making)하거나 가공(Fabrication)하는 프로세스를 말한다. - 생산 자재(Production materials) - 생산 또는 서비스 부품(Production or service parts) - 조립품(Assemblies) - 열처리, 용접, 도장, 도금 또는 기타 서비스 참고: Manufacturing과 Production은 조금 다른 의미를 갖는다. Manufacturing 조건에서는 어떠한 과정을 통해 제품이라는 유형의 산출물이 나오지만, Production 조건에서는 어떠한 과정을 통해 제품 또는 서비스라는 유무형의 산출물이 나온다. 따라서 Manufacturing 조건에서는 유형의 산출물을 위해 설비나 인력의 셋업이 요구된다.
Manufacturing feasibility (제조 타당성)	고객의 요구사항을 충족하는 제품의 제조 가능성(타당성)을 평가하거나 분석하는 것을 말한다. 여기에는 예상되는 비용, 요구되는 자원, 시설, 치공구, 생산능력, 소프트웨어 등의 질적 또는 양적 능력이 포함된다.
Manufacturing service	구성품이나 조립품에 대하여 시험, 제조, 배송 그리고 수리 서비스를 제공하는 회사를 말한다. (외부 시험기관, 선별 업체, 외부 협력사에서 제조 등)
Multi-disciplinary approach	어떤 프로세스를 운영하기 위해 조직 내외부(고객사, 협력사 포함)의 각 기능에서 모인 전문가 집단을 Multi-displinary team이라고 한다. 이들의 입력물(요구사항)이 프로세스에 투입되어야 조직이 원하는 완성도 높은 출력물을 얻을 수 있기 때문에 MP 접근법이 요구된다.
No trouble found (재현불가)	제품 보증 기간 내 교체되는 부적합품(의심되는 제품)에 대하여 자동차나 부품 업체에 의해 분석될 때, 모든 제품 요구사항이 충족되어 현상 재현이 안되는 것을 말한다. 비슷한 용어로는 No Fault Found, Trouble Not Found 등이 있다.
Outsourced process	외부 조직에 의해 수행되는 조직의 한 프로세스나 기능을 말한다. 외주화된 프로세스는 조직의 시스템에 반영되어야 한다.
Periodic overhaul	중요 돌발 고장을 예방하기 위한 보전 방법 중 하나를 말한다. 완전분해점검이라고 하며 정기적으로 분해, 수리, 교체, 재조립 등의 활동이 이루어진다.
Predictive maintenance (예측보전)	가동 중인 설비의 '상태'를 주기적으로 평가하여 그 열화 정도에 따라 보전 활동이 전개되는 것을 말한다. 즉, 조직이 주기적으로 수행해야 하는 일은 보전활동이 아닌 가동 중인 설비의 상태를 주기적으로 모니터링하여 언제 보전활동이 전개되어야 하는지 사전 예측하는 것이다.
Preventive maintenance (예방보전)	가동 '시간'을 기초로 하여 설비를 정기적으로 정지시키고 유지보수하는 것을 말한다. 과잉 유지보수가 될 가능성이 있으며 생산 설비를 정지시키기 때문에 생산성이 저하될 수 있다.
Product	제품 실현 프로세스의 결과로 나타난 모든 의도된 출력에 적용된다.
Premium freight (추가운임)	계약된 운임 외 추가로 발생하는 비용을 말한다. 제품 단가 협의 시 보통 운임(배, 비행기, 트럭 등)이 포함된다. 그러나 납기 지연, 결품, 품질 문제 등으로 긴급하게 해당 제품을 운송해야 하는 경우 추가로 발생한다.

Product safety	고객에 위험 요소가 나타나지 않도록 보장하기 위해 제품의 설계 및 제조와 관련된 표준을 말한다.
Production shutdown	제조 공정이 가동되지 않는 상태를 말한다. 생산 가동 중단은 몇 시간에서 몇 달이 될 수 있다.
Reaction plan	비정상적인 상황(부적합품 발생, 산포)이 발생할 경우 관리계획서에 정의된 조치나 일련의 단계를 말한다.
Remote location	제조 현장(공장)을 지원하는 장소를 말한다. 예를 들면 설계 및 개발, 창고 등 비생산 프로세스가 있을 수 있다.
Service part	부품의 적용을 위해 OEM 시방서에 따라 제조되어 조달되는 대체 부품을 말한다. (기존 제품과 동일하거나 서비스 부품으로 다를 수 있음)
Site	부가 가치의 제조 공정이 있는 장소(생산라인, 공장)를 말한다.
Special characteristics	제품의 후속 공정이나 환경, 안전, 기능, 성능 등 기타 요구사항에 영향을 미치는 제품 또는 제조 공정의 파라미터를 말한다.
Special status	심각한 품질이나 납기 문제로 하나 이상의 고객 요구사항을 불만족할 경우 고객이 지정한 분류 항목에 따라 조직에 통지하는 것을 말한다.
Support function	동일 조직 내 하나 이상의 제조 현장을 지원하는 비 생산 활동을 말한다.
Total productive maintenance	조직에 가치를 창출하는 기계, 장비, 공정, 인원을 통해 생산과 품질시스템의 완전성을 유지하고 개선하는 시스템을 말한다.

Process FMEA

'Risk Based Thinking'
위험 기반 사고의 결과물은 FMEA이다.

1. PFMEA 소개

Process FMEA는 조직의 공정에서 발생할 수 있는 모든 고장 모드(Failure Modes)가 내외부 고객에게 어떠한 영향(Failure Effects)을 미치고, 또 고장의 원인(Failure Causes)이 어디에 있는가를 추정하여 정성적으로 해석해 나가는 방법이다. 공정에서 발생할 수 있는 잠재적인 고장에 대한 우선순위를 결정하여 공정의 문제를 사전에 제거하고, 예방하는 데 도움을 준다. 이러한 장점 때문에 목표 품질의 조기 확보와 양질의 제품을 고객에게 인도하기 위한 수단으로 공정의 설계 및 개발 단계에서 널리 사용된다.

전 세계 자동차 부품 산업에 종사하는 조직은 미국의 AIAG(Automotive Industry Action Group, 자동차 산업 액션 그룹)에서 발행한 FMEA 4판 매뉴얼(2008)을 적용하고 있다. FMEA 4판은 2008년 마지막으로 개정되어 현재까지 유효한 단체 표준이지만 지난 2019년 6월, 미국의 AIAG와 독일의 VDA(Verband Der Automobilindustrie, 독일 자동차 산업 협회)가 FMEA에 대한 첫 번째 단체 표준을 공동 발표했다. 따라서 자동차 부품 산업에 종사하는 기업은 AIAG VDA FMEA 1판을 산업 현장에 적용하여 예방 품질관리에 집중해야 한다. 그러나 신규 표준인 만큼 국내 대기업조차도 표준의 요구사항을 제대로 이해하지 못해 프로젝트에 적용하지 못하는 경우가 많다.

FMEA는 적용 대상에 따라 크게 4가지로 나뉜다. System FMEA는 시스템 설계 및 개발 단계에서 시스템의 기능과 관련된 잠재적 고장 모드를 해석하는 것이고, Design FMEA는 부품 설계 및 개발 단계에서 설계 결함에 의해 야기된 제품의 잠재적 고장 모드를 해석하는 것이다. Process FMEA는 공정 설계 및 개발 단계에서 제조나 조립 공정의 결함에 의해 야기된 공정의 잠재적 고장 모드 해석하는 것이고, Reverse PFMEA는 PFMEA에 기술된 모든 고장 모드가 적절한 관리를 갖고 있는가를 현장에서 검증하는 것이다.

여기에서 System FMEA, Design FMEA, 그리고 Process FMEA는 상호 연계성을 갖도록 수립하는 것이 중요하다. 즉, System FMEA에서 도출된 고장 원인은 Design FMEA에서 잠재적 고장 모드로 입력되어야 하고, Design FMEA에서 도출된 고장 원인은 Process FMEA에서 잠재적 고장 모드로 입력되어야 한다. 즉, 고장 원인이 설계 측면과 조립 측면에서 모두 고려되어야 한다. 본 챕터에서는 공정 설계 및 개발 단계에서 수립되어야 하는 Process FMEA에 집중하고자 한다. PFMEA를 효과적으로 적용하기 위해서는 조직의 기 수립된 DFMEA가 사전 검토되어야 하고, DFMEA와 PFMEA 간의 연계성이 상호 보장되어야 한다.

2. 1단계 기획과 준비

프로젝트의 식별은 PFMEA의 필요성을 확인하는 것이다. 만약 조직이 공급하는 제품에 대한 고객 지정 요구사항(CSR, Customer Specific Requirement)이 있다면, 조직은 포함과 제외 항목을 명확히 이해하고, 의사 결정해야 한다. 포함과 제외 항목은 제품의 종속 변수에 따른 공정의 독립변수와 제품을 제조하는 일련의 제조 공정 프로세스, 그리고 위험을 초래하는 특정 요소에 대한 의사결정이 포함될 수 있다. 조직은 이러한 전체 항목을 검토하고, 어디에 한정된 자원을 집중시킬 것인지 우선순위를 결정해야 한다.

PFMEA 프로젝트의 경계는 프로젝트의 범위와 깊이를 확인하는 것이다. 법적, 규제적 요구사항이나 고객 지정 요구사항이 반영되는 경우, 제품의 구성 요소가 추가 또는 삭제되는 경우, 이전에 발생한 품질 문제가 반영되는 경우, 제조 공정의 오류 방지가 수립되는 경우에 따라 PFMEA의 범위와 깊이는 다를 것이다. 제품의 품질에 영향을 미칠 수 있고, PFMEA 분석을 위해 고려될 수 있는 프로세스에는 입고, 보관, 이동, 제조, 조립, 포장, 라벨링, 운송, 유지보수, 검출, 재작업 및 수리 프로세스가 포함된다. PFMEA의 최종 범위에 포함되어야 하는 항목은 다음과 같다.

a) 신규 제품과 프로세스의 개발
b) 제품 또는 프로세스의 변경, 작업 조건 변경
c) 변경된 요구 사항(법규, 규제, 표준, 고객, 최신 기술)
d) 제조 경험, 0km 또는 필드 품질 문제
e) 위험을 초래할 수 있는 공정 실패
f) 제품 모니터링으로 인한 결과
g) 인체공학적 문제
h) 지속적인 개선

2.1. PFMEA 프로젝트 계획

조직의 DFMEA 프로젝트가 완료되면 PFMEA 실행 계획이 수립되어야 한다. 실행 계획을 위해 5T 방법론인 InTent, Timing, Team, Tasks, Tools이 사용될 수 있다. 조직은 실행 계획 수립 시 고객이 제공한 고객 지정 요구사항에 따라 요구되는 결과물을 디자인해야 한다.

2.2. Baseline PFMEA 식별

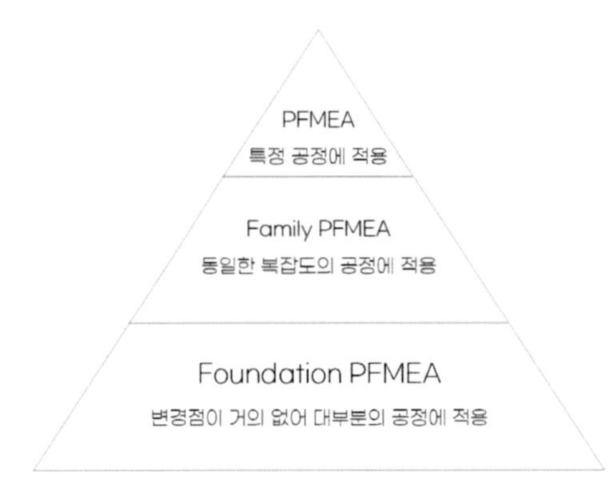

조직은 PFMEA 프로젝트를 수행하기 전 Cross Functional Team에 도움이 되는 정보가 있는지를 확인해야 한다. 여기에는 Foundation PFMEA나 유사 제품의 Family PFMEA가 포함된다. AIAG VDA 표준에서 정의한 Foundation PFMEA란 Baseline PFMEA라고도 하는데, 이전의 프로세스 개발로부터 축적된 조직의 지식을 포함하여, 신규 PFMEA를 개발하는 시작점에서 정보 기반으로 활용되는 PFMEA를 말한다. 비슷한 개념으로 Family PFMEA가 있는데 이는 Foundation FMEA보다 한 단계 상위 수준으로, 공통적이거나 일관된 경계와 기능을 가진 공정에 대한 PFMEA를 말한다. 복수 제품번호나 비슷한 제품이 동일 제조 공정에서 생산되는 경우 수립될 수 있다. 조직은 신규 PFMEA 개발 시 이전의 Foundation PFMEA나 Family PFMEA를 적극 활용해야 한다.

2.3. PFMEA 헤더(Header) 처리

조직은 PFMEA 프로젝트 계획의 일환으로 PFMEA 헤더(Header)를 작성해야 한다. 헤더 정보는 PFMEA의 적용 대상, 범위, 책임, 그리고 관리 이력을 보여주는 PFMEA 1 단계의 최종 산출물이다. 조직은 헤더 정보의 중요성을 간과하는 경우가 있는데, 헤더는 조직이 얼마나 PFMEA 관리에 집중했는지를 보여주는 하나의 평가 지표가 된다. 헤더 정보의 개정 이력과 Cross Functional Team만 보더라도 이를 쉽게 알 수 있기 때문에 품질경영시스템 인증 심사에서 부적합 사항으로 자주 발견된다. 조직은 이를 인지하고, 관리에 집중해야 한다.

a) 회사 이름: PFMEA를 수립하는 회사명
b) 제조 공장: 지리적 위치
c) 고객 이름: 고객 또는 제품군 명칭
d) 모델 연도/프로그램: 고객 적용 차종, 모델
e) 프로젝트: PFMEA 프로젝트 명칭
f) 시작 일자: 프로젝트 시작 일자

g) 개정 일자: 프로젝트 최신 개정 일자
h) 상호기능팀: 팀 명단
i) ID 번호: PFMEA ID 번호(회사 결정)
j) 공정 책임자: PFMEA 책임자
k) 보안 수준: 비즈니스 용도, 소유권, 기밀

3. 2단계 구조 분석

구조 분석의 목적은 제조 시스템을 식별하고, 이를 프로세스 항목(Process Item)과 프로세스 단계(Process Step), 그리고 프로세스 작업 요소(Process Work Element)로 분류하는 것이다. 이는 프로세스의 단계별 작업 요소를 이해하기 위해 도식화한 것인데, 일반적으로 공정 흐름도가 사용된다. 공정 흐름도를 사용하면 조직에서 생산하는 제품의 제조 과정과 물류 흐름을 한눈에 확인할 수 있다.

3.1. 공정 흐름도

공정 흐름도	
◇	수입 검사
⇨	자재 창고에서 생산 라인으로 이동
○	[OP 10] 작업
○	[OP 20] 작업
⇨	이동
○	[OP 30] 작업
⇨	이동
○	[OP 40] 작업
⇨	이동
○	[OP …] 작업
◇	검사
△	보관

심볼 / 의미	
△	보관
○	작업
◇	검사
⇨	이동

공정 흐름도(PFD, Process Flow Diagram)란 제품의 제조 과정과 물류 흐름을 확인할 수 있도록 도식화한 문서로 구조 분석(Structure Analysis) 단계에서 입력으로 사용된다. 여기에는 제품 품질에 영향을 주는 모든 프로세스가 포함되어야 한다. (예: 입고 프로세스, 부품과 자재 보관, 부품과 자재 배송, 제조, 조립, 포장, 라벨링, 완제품 운송, 완제품 보관, 유지보수 프로세스, 검출 프로세스, 재작업과 수리 프로세스 등 리스크가 있다고 판단되는 모든 프로세스와 제품에 영향을 주는 예비 공정 특성을 포함) 공정 흐름도에는 사용된 기호, 도형, 선, 용어의 의미가 명확하게 정의되어야 하고, PFMEA의 공정을 나열하는 근거가 되는 문서이기 때문에 제품의 전 제조 과정과 물류 흐름이 누락되지 않도록 꼼꼼하게 작성되어야 한다. 내외부 품질경영시스템 인증 심사 시 공정 흐름도와 PFMEA에 기술된 공정의 일치 여부를 기본적으로 심사한다.

3.2.구조 트리

구조 트리를 통해 1) 프로세스 항목과 2) 프로세스 단계, 그리고 3) 프로세스 작업 요소를 확인할 수 있다. 조직에서는 이를 3 레벨이라고 부른다. 먼저 프로세스 항목은 1 레벨의 제조 공정을 말하는데, 완제품의 성격에 따라 조립, 가공, 절단, 프레스, 타공 등의 활동으로 수립될 수 있다. 자동차 부품을 생산하는 조직의 경우 Front End Production Line(SMT, 용접, 프레스, 가공, 도장, 도금 등), Back End Production Line(조립) 등으로 구분하여 수립하는 것이 일반적이다.

구조 분석(Step 2)

1. Process Item System, Subsystem, Part Element or Name of Process	2. Process Step Station No. and Name of Focus Element	3. Process Work Element 4M or 5M1E Type
엔진 스피드 센서 조립라인	[OP30] 리드 프레임 용접	설비(Mandatory) 사람(Mandatory) 자재(Mandatory, Indirect) 환경(Mandatory) 방법(Optional) 측정(Optional)

PFMEA 구조 분석 예시

프로세스 단계는 2 레벨로 제품이 생산되는 프로세스 항목의 단위 제조 공정이나 작업장을 말하는데, 각 단위 제조 공정이 식별, 관리될 수 있도록 Operation Number가 부여되어야 한다. 일반적으로 앞서 수립한 공정 흐름도의 각 단위 공정과 동기화되는 부분이나, 프로세스 항목과 동기화해도 좋다.

각 프로세스 단계에서 요구되는 4M 또는 5M1E 요소들이 있는데 이를 프로세스 작업 요소라고 부른다. 프로세스 작업 요소는 구조 트리의 3 레벨로 프로세스 단계에 영향을 주는 잠재적인 원인의 기본 범주이다. 4M 또는 5M1E는 셋업 엔지니어, 작업자, 설비명, 온도, 습도, 이물, 간접 자재 등으로 구체적으로 작성되어야 후속 작업이 용이할 수 있다. 단, 방법과 측정은 옵션이다. (자재는 생산을 위한 간접 자재)

a) 프로세스 항목: 무엇을 달성해야 하는가?
b) 프로세스 단계: 어떤 작업이 요구되는가?
c) 프로세스 작업 요소: 운용되어야 하는 특정 요소는?

4. 3단계 기능 분석

기능 분석의 목적은 프로세스 항목, 프로세스 단계 그리고 프로세스 작업 요소의 의도된 요구사항, 즉, 각 프로세스가 무엇을 위한 곳인지를 적절하게 기술하는 것이다. 기능이라는 용어가 생소할 수 있는데 프로세스가 수행하려는 작업이라고 생각하면 된다. 기능의 반대되는 개념이 고장이기 때문에 기능은 주어와 동사, 그리고 목적어 순으로 명확하게 현재 시점으로 작성되어야 한다. 보통 "OOO기준에 따라서 OOO (품질특성)만큼 OOO을 한다."로 작성하는 것이 일반적이다. 하위 기능은 상위 기능의 수행 방법을, 상위 기능은 하위 기능의 수행 이유를 나타낸다. 기능 분석은 요구사항과 같기 때문에 작업에 필요한 요구사항이 사전에 수집되어야 한다.

4.1. 기능

엔진 스피드 센서 조립 라인과 같은 예시는 1 레벨의 프로세스 항목을 보여준다. 이러한 기능의 실패는 조직과 고객, 그리고 최종 사용자의 후속 공정 또는 제품에서 부정적인 영향으로 나타날 수 있기 때문에 고장 영향과 연결된다. (레벨은 조직에서 결정) [OP 30] 리드 프레임 용접과 같은 예시는 2 레벨의 프로세스 단계에서 생산된 제품의 일부 특성에 영향을 미친다. 따라서 이러한 기능의 실패는 고장 모드와 연결된다. 또 4M, 5M1E의 프로세스 작업 항목은 고장 원인으로 연결된다.

또 다른 예를 들면, 어떤 제품의 프로세스 항목에는 Flange의 특정 위치에 지름 1mm를 타공하는 프로세스가 있다고 하자. 이를 실패하면 조직의 후속 공정에서 나사를 체결할 수 없는 고장 영향이 발생할 것이다. 다음으로 1) Flange를 미리 제작된 JIG 위에 안착하고, 2) 드릴로 기준 홀을 뚫은 후, 3) 작업이 완료된 Flange를 JIG에서 분리하는 순서로 프로세스 단계를 수립할 수 있다. 이에 실패하면 1) Flange를 다른 사양의 JIG 위에 안착하고, 2) 드릴로 기준 홀을 잘못 뚫은 후, 3) 잘못 작업이 완료된 Flange를 JIG에서 분리하는 고장 모드가 발생할 것이다. 따라서 프로세스 단계에서는 충족시켜야 할 제품 특성이 고려되어야 하고, 프로세스 작업 요소에서는 충족시켜야 할 공정 특성이 고려되어야 한다.

제품과 공정의 요구사항을 '어떻게' 충족시킬 것인가에 대한 답은 프로세스 항목, 프로세스 단계, 프로세스 작업 항목 순으로 확인하면 되고, 제품과 공정의 요구사항을 '왜' 충족시켜야 하는지에 대한 답은 프로세스 작업 항목, 프로세스 단계, 프로세스 항목 순으로 확인하면 된다.

4.2. 요구사항

PFMEA에서 기능에 대한 요구사항은 제품과 공정의 특성(Characteristics)으로 설명된다. 이러한 특성의 실패가 결국 고장 모드와 고장 원인으로 연계되기 때문이다. 예를 들어 어떤 부품을 상대물에 압착할 때 "어디에, 얼마나, 어디까지"라는 요구사항이 충족되어야 한다. 이는 곧 제품 특성에 영향을 미친다. 특별 특성은 안전, 보안, 정부의 규제 또는 특정 고객 요구사항에 영향을 미치는 제품 또는 공정의 특성을 말한다. 조직은 제품과 서비스에 적용될 특별 특성 항목을 지정하고, 승인, 관리에 대해 문서화해야 한다. 특별 특성은 품질의 심각도와 영향력에 따라 크게 보안 특성과 중요 특성으로 나뉜다. 보안 특성은 정부의 차량 안전, 배기, 소음, 도난 방지 등 법규와 안전과 관련된 특성을 말하고, 중요 특성은 제품과 공정의 기능, 외관, 장착성 등 품질에 중요한 영향을 미치는 특성을 말한다. 보안 특성과 중요 특성은 다시 제품 특성과 공정 특성으로 나뉠 수 있다. 제품 설계 및 개발 단계에서 파악된 제품 특성은 이후 공정 설계 및 개발 단계에서 파악된 공정 특성과 인과 관계가 보장되어야 한다. 보통 DFMEA와 PFMEA가 연계되어 각 심각도의 수준에 따라 보안 특성과 중요 특성이 결정된다. 다시 말해 심각도가 높거나 RPN 지수가 높으면 특별 특성 항목으로 지정하고, 승인, 그리고 관리해야 한다.

4.3. 기능 관계 가시화

기능 관계 시각화는 프로세스 항목, 프로세스 단계, 그리고 프로세스 작업 요소의 각 가능간 Interface에 대해 도식화한 것을 말한다. 일반적으로 Tree 구조를 사용한다.

기능 분석(Step 3)

1. Function of the Process Item: Function of System, Subsystem, Part Element or Process	2. Function of the Process Step and 'Product Characteristic' (Quantitative value is optional)	3. Function of the Process Work Element and 'Process Characteristic'
Your Plant: 커넥터 ASSY 조립 전 센서 헤드와 케이블을 용접 Ship to Plant: 엔진에 Knock 센서 조립 End User: 엔진의 Knocking 현상을 검출	[OP30-1] ○○표준서에 따라 ○○(제품 특성)을 충족하도록 자재 투입 [OP30-2] ○○표준서에 따라 ○○(제품 특성)을 충족하도록 용접	작업자: ○○표준서에 따라 전압, 전류, 속도(공정 특성)를 설정 (작업순서, 방법) 설비: ○○표준서에 따라 전압, 전류, 속도(공정 특성)에 맞게 용접 (작업순서, 방법)

PFMEA 기능 분석 예시

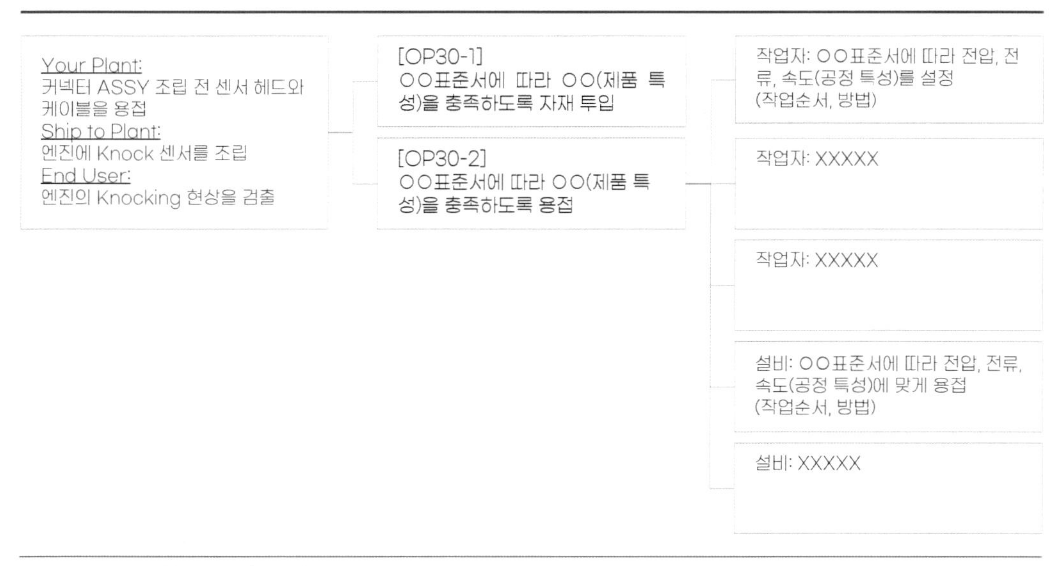

PFMEA 기능 관계 가시화 예시

5. 4단계 고장 분석

고장 모드이란 시스템이 정상적으로 작동하지 못하게 되는 기능상의 장애를 말한다. 부적합, 일관성이 없거나 부분적으로 수행된 작업, 의도되지 않은 작업, 그리고 불필요한 작업 등이 해당한다. 이러한 고장 모드가 왜 발생하는지, 그리고 고장 모드로 인해 조직, 고객, 그리고 최종 사용자에게 어떠한 영향을 미치는지에 대한 관계를 알아보는 것이 고장 사슬이다. 고장 분석에서 가장 중요한 것은 고장 모드를 중심으로 고장 원인과 고장 영향의 인과 관계가 보장되도록 수립하는 것이다. 고장 모드의 유형이 모두 다르기 때문에 앞뒤의 관계를 고민하는 것이 쉽지 않다. 고장 모드에 따라 AIAG FMEA 4판과 달리 AIAG VDA FMEA 1판은 엑셀로 구현은 가능하나 수정, 개정 등의 관리가 매우 어렵기 때문에 소프트웨어의 사용이 권고된다. 엑셀의 행간 정보가 동기화되어 있는 4판과 달리 1판에서는 이를 지원하지 않는다.

5.1. 고장 영향

고장 영향은 프로세스 항목의 기능과 관련되어 있다. 즉, 조직, 고객, 그리고 최종 사용자가 인지하거나 경험할 수 있는 내용으로 기술되어야 한다. 특히, 안전에 영향을 미치거나 규정을 준수하지 않아 발생하는 고장 모드는 명확하게 식별되어야 한다.

a) 고장 모드가 Downstream 공정에 영향을 미치는가? 후속되는 내외부 고객의 시설에서 부품을 조립할 수 없는 경우가 해당한다. 이러한 경우 최종 사용자에게 부정적인 영향은 없다. (예: 단위 공정에서 조립 불가, 고객 시설에서 부착 불가, 고객 시설에서 연결 불가, 단위 공정에서 타공 불가, 단위 공정에서 공구 마모 유발, 단위 공정에서 설비 손상, 고객 시설에서 작업자의 위험 초래 등)

b) 최종 사용자에게 미칠 수 있는 영향은 무엇인가? 최종 사용자가 인지하거나 경험할 수 있는 내용으로 기술되어야 한다. 만약 최종 사용자에게 미칠 수 있는 영향을 모를 경우 제품의 기능이나 공정 사양의 관점에서 기술될 수 있다. (예: 소음, 힘들게 노력하여 작동, 불쾌한 냄새, 간헐적 작동, 누수, 조정 불가, 제어의 어려움, 외관 불량, 최종 사용자의 차량 제어 부족, 최종 사용자의 안전에 영향 등)

c) 최종 사용자에게 도달되기 전 고장 영향이 검출되면 어떻게 되는가? PFMEA에서 조직과 고객의 제조 공정에 미치는 영향에 대해 파악되어야 한다. (예: 라인 중지, 배송 중지, 대기, 100% 폐기, 라인 속도 감소, 인력 투입, 재작업과 수리)

5.2. 고장 모드

고장 모드이란 시스템이 정상적으로 작동하지 못하게 되는 기능상의 장애를 말한다. 즉, 의도된 공정의 요구사항을 잠재적으로 충족시키지 못하는 작업 방식으로 풀이된다. 이러한 고장 모드에는 Bent, Crack, Grounded, Binding, Deformed, Open circuited, Burred, Dirty, Short circuited, Handling damage, Improper set-up, Tool worn 등이 있다. 조직은 제품의 설계가 완전하다는 가정에서 프로세스의 고장 모드를 파악해야 한다. 그리고 고장 모드는 내외부 고객이 인지할 수 있는 증상이 아니라 기술적인 용어로 기술되어야 한다. 고장 모드의 범주는 다음과 같다.

a) 프로세스 기능의 상실 (작동 불가)
b) 부분적인 기능 (불완전한 작동)
c) 프로세스 기능의 저하 (시간에 따른 성능 감소)
d) 간헐적인 프로세스 기능 (일관되지 않은 작동)
e) 의도하지 않은 프로세스 기능 (잘못된 작동)
f) 지연된 공정 기능 (너무 늦은 작동)

5.3. 고장 원인

고장 원인은 고장 모드가 발생할 수 있는 이유를 나타낸다. 즉, 고장 원인의 결과가 고장 모드이다. 가능한 한 각 고장 모드에 대한 모든 잠재적 고장 원인이 파악되어야 한다. 고장 원인은 간결하고, 완전하게 나열되어야 한다. 일반적인 고장 원인에는 Ishikawa의 4M 또는 5M1E가 포함될 수 있지만 이에 국한하지는 않는다. PFMEA를 준비할 때 입고되는 자재는 양품으로 가정되어야 하나, 과거 입고되는 자재 품질로 인해 조직의 프로세스에 영향을 받은 이력이 있다면 예외 조항을 만들 수 있다.

a) 사람: 조립 작업자, 설비 작업자, 유지 보수 기술자 등
b) 설비: 사출 성형기, 컨베이어, 검사 및 고정 장치 등
c) 자재: 가공 오일, 그리스, 점착제 등
d) 환경: 열, 먼지, 오염, 조명, 소음 등

5.4. 고장 분석

프로세스 단계에 따라 고장 모드가 도출된다. 고장 트리는 고장 모드가 왜 발생하였고, 고장 모드 발생 시 조직, 고객, 그리고 최종 사용자에게 어떠한 영향을 미치는지에 대한 인과 관계를 보여주는 도구이다. 고장 모드와 고장 원인을 연결하려면 고장 모드가 왜 발생하였는지에 대한 질문을 해야 하고, 고장 모드와 고장 영향을 연결하려면 고장 모드 발생 시 어떠한 영향을 미치는가에 대한 질문을 해야 한다.

고장 분석(Step 4)

1. Failure Effects to the Next Higher Level Element/End User	2. Failure Mode of the Focus Element	3. Failure Cause of the Work Element
Your Plant: 커넥터 ASSY 조립 불가 Ship to Plant: 엔진에 Knock 센서 조립 불가 End User: 엔진 떨림 발생	[OP30-1] ○○(제품 특성)을 불충족하도록 자재 투입의 위치 오류 발생(단차) [OP30-2] ○○(제품 특성)을 불충족하도록 용접하여 크랙 발생	작업자: ○○표준서에 따라 전압, 전류, 속도(공정 특성)를 잘못 설정(작업순서, 방법) 설비: 전압, 전류, 속도(공정 특성)의 동기화 및 데이터 오류

PFMEA 고장 분석 예시

5.5. 고장 분석 문서화

구조 분석, 기능 분석, 그리고 고장 분석이 완료되면 구조 트리나 스프레드시트로 전체 구조를 확인할 수 있다. 전체적인 구조 분석, 기능 분석, 그리고 고장 분석에 대한 인과 관계가 성립하는지 확인되어야 한다. 고장 분석의 출력은 고객과의 계약 또는 협력사와의 공유에 대한 필요성에 따라 위험 분석 전 또는 후에 고객과 협력사에 의해 검토될 수 있다. 고장에 대한 설명을 기반으로 심각도, 발생도, 그리고 검출도가 평가되기 때문에 고장 분석은 5 단계 위험 분석의 토대가 된다. 잠재적 고장이 모호하거나 누락된 경우 위험 분석이 불완전할 수 있다.

6. 5단계 위험 분석

6.1. 현 예방 관리와 현 검출관리

프로세스 위험 분석은 위험에 따른 조치의 우선순위를 결정하기 위해 심각도, 발생도, 그리고 검출도를 평가하는 것이다. 먼저 고장 모드의 발생 가능성을 줄이기 위한 현 예방 관리가 결정되어야 한다. 결정된 현 예방 관리의 효과성에 따라 고장 원인에 대한 발생도가 평가될 수 있다. 현 예방 관리는 공정 설계 및 개발 단계에서 수립되어야 하고, 양산 전 검증되어야 한다. 그리고 고장 원인의 발생률을 줄이기 위해 다음과 같은 관리 활동이 포함될 수 있다.

a) 양손으로 설비 조작
b) 후속 부품 조립 불가 (Pokayoke)
c) 형상에 의존한 위치 설정
d) 설비 유지 보수
e) 작업 표준, 가시 관리
f) Initial sample 관리 (작업 셋업 검증)

다음은 고장 모드나 고장 원인에 대한 현 검출 관리가 결정되어야 한다. 현 검출관리는 자동, 수동으로 제품이 조직의 프로세스를 떠나기 전이나 고객에게 배송되기 전 수립되어야 한다.

a) 육안 검사
b) 샘플 체크리스트를 이용한 육안 검사

c) 카메라 시스템을 이용한 광학 검사
d) 한도 샘플을 이용한 광학 시험
e) Caliper gauge를 사용한 치수 검사
f) 랜덤 샘플링 검사

수립된 현 예방과 검출 관리의 효과성이 현장에서 공정 감사, Gemba Walk, Production run 등을 통해 확인되어야 한다. 만약 효과성이 없거나 떨어진다면 추가적인 조치를 해야 하고, 기 평가된 발생도와 검출도는 재평가되어야 한다.

6.2. 평가(심각도, 발생도, 검출도)

고장 모드, 고장 원인, 그리고 고장 영향의 관계가 평가되어야 한다. 심각도는 고장 영향에 대해, 발생도는 고장 원인에 대해, 그리고 검출도는 고장 모드나 고장 원인에 대해 평가되어야 한다. 심각도, 발생도, 그리고 검출도 모두 1에서 10까지 평가되어야 하고, 10으로 갈수록 위험이 크다는 것을 의미한다. 중요한 것은 제품과 공정이 동일해 보이더라도 한 조직의 PFMEA 등급을 다른 조직의 PFMEA 등급과 비교하는 것은 적절하지 않다. 이는 각 조직의 환경이 고유하고, 그에 따라 개별 등급도 고유하기 때문이다.

심각도는 프로세스 단계에서 주어진 고장 모드의 영향과 관련된 등급이다. 이는 PFMEA 범위의 상대적인 등급으로 발생도와 검출도와는 무관하다. 프로세스별 고장 모드의 영향은 주어진 평가표에 따라 심각도의 등급이 평가되어야 한다. 고장 모드의 영향을 받는 고객이 다음 제조 공정이나 최종 사용자인 경우 설계 엔지니어의 도움을 받을 수 있다.

발생도는 현 예방 관리의 프로세스에서 고장 원인의 발생과 관련 등급이다. 즉 현 예방 관리의 효과성을 고려하여 고장 원인의 발생 가능성이 평가되어야 한다. 이는 PFMEA 범위의 상대적인 등급으로 실제 발생률과는 다를 수 있다. 발생도는 검출도와는 상관없이 주어진 평가표에 따라 평가되어야 하는데, 유사 프로세스에 대한 전문 지식이나 경험이 고려될 수 있다.

a) 유사한 프로세스 단계를 가진 장비 이력은 무엇인가?
b) 유사한 프로세스에 대한 경험은 무엇인가?
c) 프로세스가 이월되거나 이전 프로세스와 유사한가?
d) 프로세스가 완전히 새로운 것인가?

e) 환경의 변화는 무어인가?
f) 최적의 프로세스가 이미 수립되어 있는가?
g) 표준 지침이 있는가? (작업 지침서, 오류 방지 등)
h) 기술적 오류 방지 솔루션이 구현되었는가? (SPC)

검출도는 나열된 검출 유형 중 가장 효과적인 공정 관리를 예측하는 것과 관련된 등급이다. 검출도는 PFMEA 범위의 상대적인 등급으로 심각도와 발생도와는 별개로 평가되어야 한다. 검출도 또한 주어진 평가표에 따라 평가되어야 하고, 검출도의 추정치를 결정할 때 다음과 같은 질문이 고려될 수 있다.

a) FM/FC를 검출하는 데 효과적인 시험은 무엇인가?
b) 사용되는 프로파일이나 Duty Cycle은 무엇인가?
c) 고장을 검출하는데 요구되는 샘플 크기는 얼마인가?
d) FM/FC를 검출하기 위한 시험 절차가 입증되었는가?

6.3. 조치 우선순위

고장 모드, 고장 영향, 고장 원인, 현 예방과 검출 관리, 그리고 등급 평가가 완료되면 다음은 위험을 줄이기 위한 조치의 필요성이 결정되어야 한다. 조직의 한정된 자원, 시간, 기술, 그리고 기타 다른 요인으로 인해 노력을 어디에 집중시킬 것인지 우선순위를 결정하기 위함이다. 조치 우선순위는 심각도, 발생도, 그리고 검출도에 대한 등급을 1,000가지로 조합할 수 있다. 심각도에 먼저 집중하고, 그다음 발생도와 검출도에 집중하기 위해 만들어졌다. AP 테이블은 높음, 중간, 낮음으로 조치 우선순위를 제공한다. RPN은 SOD의 곱이고, 범위는 1에서 1,000가지이다. RPN은 SOD에 대해 동일한 가중치를 부여하기 때문에 RPN만으로는 더 많은 조치의 필요성을 결정하는데 한계가 있다.

위험 매트릭스는 S와 O, S와 D, O와 D의 조합을 보여준다. 이러한 매트릭스는 분석 결과를 시각적으로 표현하여 조직에서 설정한 기준에 따라 조치의 우선순위를 결정하기 위한 입력으로 사용될 수 있다. AP 테이블은 표준에서 제공된 SOD 테이블과 함께 운용되도록 디자인되었으나 조직이 특정 제품이나 공정에 따라 SOD 테이블을 수정하고자 한다면 AP 테이블도 함께 검토되어야 한다.

a) 우선순위 높음 (H): 조직은 예방과 검출 관리를 개선하기 위해 필요한 조치를 결정해야

하고, 현 관리 방법이 적절하다는 것을 입증하고 문서화해야 한다. (Need: 요구사항)

b) 우선순위 중간 (M): 조직은 예방과 검출 관리를 개선하기 위해 필요한 조치를 결정해야 하고, 조직의 판단에 따라 현 관리 방법이 적절하다는 것을 입증하고 이를 문서화해야 한다. (Should: 권고사항)

c) 우선순위 낮음 (L): 조직은 예방과 검출 관리를 개선하기 위해 필요한 조치를 도출할 수 있다. (Could: 개선을 위한 기회)

AP가 높음 또는 중간이고, 심각도가 9-10인 잠재적인 고장 영향의 경우 경영진은 취해진 모든 조치를 검토해야 한다. AP는 위험이 높고, 낮음에 대한 순위가 아니고, 위험을 줄이기 위해 필요한 조치에 대한 우선순위이다.

		발생도						
		1	2-3	4-5	6-7	8-10		
심각도	1	L	L	L	L	L	1	검출도
		L	L	L	L	L	2-4	
		L	L	L	L	L	5-6	
		L	L	L	L	L	7-10	
	2-3	L	L	L	L	L	1	
		L	L	L	L	L	2-4	
		L	L	L	L	M	5-6	
		L	L	L	L	M	7-10	
	4-6	L	L	L	L	M	1	
		L	L	L	M	M	2-4	
		L	L	L	M	H	5-6	
		L	L	M	M	H	7-10	
	7-8	L	L	M	M	H	1	
		L	L	M	H	H	2-4	
		L	M	M	H	H	5-6	
		L	M	H	H	H	7-10	
	9-10	L	L	M	H	H	1	
		L	L	H	H	H	2-4	
		L	M	H	H	H	5-6	
		L	H	H	H	H	7-10	

PFMEA Action Priority Table

위험 분석(Step 5)

1. Failure Effects to the Next Higher Level Element/ End User	S	2. Failure Mode of the Focus Element	3. Failure Cause of the Work Element	PC	O	DC	D	AP
Your Plant: 커넥터 ASSY 조립 불가 Ship to Plant: 엔진에 Knock 센서 조립 불가 End User: 엔진 떨림 발생	8	[OP30-1] ○○(제품 특성)을 불충족하도록 자재 투입의 위치 오류 발생(단차) [OP30-2] ○○(제품 특성)을 불충족하도록 용접하여 크랙 발생	작업자: ○○표준서에 따라 전압, 전류, 속도(공정 특성)를 잘못 설정 (작업순서, 방법) 설비: 전압, 전류, 속도(공정 특성)의 동기화 및 데이터 오류	작업자: 작업 전 셋업 검증 및 교육훈련	5	100% 전수검사 (작업 후)	8	H

PFMEA 위험 분석 예시

위험 분석의 출력은 고객과 협력사 간의 기술 위험에 대한 상호 이해를 돕는다. 양사 간의 협업 방법은 구두에서 정식 보고서에 이르기까지 다양하다. 공유되는 정보와 그 양은 프로젝트 요구사항, 조직의 정책, 계약 동의서에 따라 다르고, 공급 사슬에서 조직의 위치에 따라 다르다.

a) OEM은 자동차 수준에서 작성된 DFMEA의 설계 기능, 고장 영향, 그리고 심각도를 Tier 1 협력사의 PFMEA와 비교할 수 있다.

b) Tier 1 협력사는 시방서나 도면에 기술된 특별 특성과 심각도를 포함하여 제품 특성에 대해 의사소통해야 한다. 이러한 정보는 조직 내부와 Tier 2 협력사의 PFMEA 입력으로 사용될 수 있다. 만약 설계팀이 제품 특성에 대해 사양에서 벗어날 수 있는 위험을 전달하면 프로세스 팀은 적절한 수준의 예방과 검출 관리 방법을 수립해야 한다.

7. 6단계 최적화

본 단계에서는 위험을 줄이기 위한 조치를 파악하고, 책임과 권한을 할당하며, 조치의 효과성을 검토해야 한다. 최적화의 주요 목표는 프로세스의 위험을 줄이기 위한 조치 사항을 수립하는 것이다. 조치 사항은 위험 평가 결과를 토대로 고장 원인의 발생을 줄이거나 고장 모드나 고장 원인의 검출을 늘리는 방향으로 수립될 수 있다. 중요한 것은 프로세스가 개선되었다고 해서 평가 등급이 무조건 낮아지는 것은 아니다. 프로세스가 변경되는 경우 영향을 받는 모든 요소가 재평가되어야 하고, 공정의 개념이 변경되는 경우 기존 분석 결과가 무효해지기 때문에 PFMEA의 모든 단계가 재검토되어야 한다.

a) 고장 영향을 제거하거나 완화하기 위한 공정 변경
b) 고장 원인의 발생을 줄이기 위한 공정 변경
c) 고장 원인 또는 고장 모드에 대한 검출력을 높임
d) 프로세스 개선 후 프로세스 단계 재평가

각 조치에 대한 책임자와 목표 완료 일자, 실제 완료 일자가 수립되어야 한다. 책임자는 조치가 결정되면 실행할 책임이 있고, 실행 현황을 업데이트해야 한다. 예방과 검출 활동을 위한 실제 완료 일자는 문서화되어야 한다. 완료 목표 일자는 현실적으로 공정에 대한 타당성 확인 전이나 생산 전으로 수립되어야 한다.

조치 사항은 조치 우선순위의 효과성이 확인된 후 '완료'되어야 한다. 만약 '추가 조치 없음'으로 결정되면, 조치 우선순위의 등급은 낮아지지 않는다. 이는 고장의 위험이 제품에 내재될 수 있음을 의미한다. 조치는 서면으로 종료되지 않는 이상 반복되어야 한다. 조치 현황의 수준은 다음과 같이 제안될 수 있다.

a) Open: 조치 계획이 수립되지 않음
b) Decision pending: 조치 계획이 수립되었으나 미결정
c) Implementation pending: 실행 안 됨
d) Completed: 조치가 실행되고, 효과성이 입증됨
e) Not Implemented: 조치를 실행하지 않기로 결정

개선 조치가 완료되면 심각도, 발생도, 그리고 검출도가 재평가되어야 하고, 조치 우선순위가 결정되어야 한다. 새로운 조치 우선순위는 효과성의 예측으로 예비 등급이 부여되어야 하고, 효과성 시험이 완료될 때까지 '보류 중'으로 유지되어야 한다. 효과성 시험이 완료되면 예비 등급은 '보류 중에서 완료'로 변경될 수 있다.

PFMEA는 프로세스에 대한 기록의 역할을 한다. 따라서 최초 수립된 심각도, 발생도, 그리고 검출도는 식별되거나 버전 관리의 일부로 접근할 수 있어야 한다. 완료된 PFMEA 분석은

개선을 위한 프로세스의 결정과 진척 상황을 보관하는 저장소의 역할을 한다. 특정 제품에 대한 PFMEA의 시작점에서 Foundation, Family 또는 Generic PFMEA의 정보가 사용되기 때문에 최소 수립된 SOD 등급은 수정되어야 한다. 기술 위험 분석이 진행되는 동안이나 PFMEA가 처음 완료될 때 CFT, 경영진, 고객, 그리고 협력사 간의 의사소통은 제품과 공정에 대한 기능과 고장 모드를 이해하는 데 도움이 된다. 이는 위험 감소를 촉진할 수 있는 지식이 상호 교류되기 때문이다.

8. 7단계 결과 문서화

결과를 문서화하는 것은 위험을 줄이기 위해 취해진 모든 조치 사항에 대한 효과성을 확인하고, 내부 조직과 고객을 포함한 이해관계자와 의사소통하기 위한 것이다. PFMEA의 범위와 결과는 보고서에 요약되어야 한다. 경영진이나 고객 또는 공급업체가 PFMEA를 요청할 때 요약된 보고서로 PFMEA의 세부 사항을 대체할 수 없다. 보고서는 말 그대로 Cross Functional Team과 관련된 이해관계자가 작업의 완료 여부를 확인하고, 분석 결과를 검토하기 위한 요약본이다. 따라서 보고서는 모든 이해관계자의 요구사항이 충족되었음을 확인하는 내용으로 작성되어야 하고, 당사자 간에 합의되어야 한다. 보고서의 형식은 조직에 따라 다르지만, 여기에는 PFMEA의 개발 계획과 프로젝트 마일스톤의 일부로 고장의 기술적 위험이 포함되어야 한다. 다음과 같은 내용이 포함될 수 있다.

a) 프로젝트 계획에서 수립된 목표와 비교한 최종 현황
- Intent: PFMEA의 목적
- Timing: PFMEA 마감일
- Team: 참석자 명단
- Task: PFMEA의 범위
- Tool: 사용된 분석 방법

b) 분석 범위의 요약과 새로운 내용에 대한 요약

c) 기능 분석에 대한 요약

d) 고위험 고장에 대한 요약과 SOD와 AP 테이블 제공

e) 고위험 고장을 처리하기 위한 조치 사항 (계획) 요약

f) 지속적인 FMEA 개선 활동에 대한 계획과 일정
- 미해결된 조치 사항에 대한 완료와 일정
- 정확성과 완전성을 보장하기 위한 검토와 갱신

심각도	영향	공장 내부	고객	최종 사용자
10	높음	고장이 제조나 공정 작업자에게 건강과 안전상의 위험을 초래	고장이 제조나 공정 작업자에게 건강과 안전상의 위험을 초래	자동차나 다른 자동차의 안전 운행에 영향을 미침. 운전자, 탑승자, 도로 사용자, 보행자의 건강에 영향을 미침
9		고장이 법적, 규제적 요구사항의 불 충족을 초래	고장이 법적, 규제적 요구사항의 불 충족을 초래	법적, 규제적 요구사항 불 충족
8	약간 높음	영향을 받는 전 제품(100%)이 폐기 처리됨. 고장이 법적, 규제적 요구사항의 불 충족을 초래. 고장이 제조나 공정 작업자에게 건강과 안전상의 만성적인 위험을 초래	법적, 규제적 요구사항의 불 충족 외에도 필드에서 수리나 교체 필요(조립에서 최종 사용자까지). 교대 시간을 초과하는 라인 정지. 선적 중단 가능. 고장이 법적, 규제적 요구사항의 불 충족을 초래. 고장이 제조나 공정 작업자에게 건강과 안전상의 만성적인 위험을 초래	서비스 수명기간 동안 자동차의 정상적인 기능이 상실됨
7		제품이 선별되고, 일부 폐기됨 (100% 미만). 주요 공정에서 비정상적인 상황 발생. 라인 속도가 저하되거나 추가 인력이 투입됨	법적, 규제적 요구사항의 불 충족 외에도 1시간에서 전체 교대시간까지 라인 정지. 선적 중단 가능. 필드에서 수리나 교체 필요 (조립에서 최종 사용자까지	서비스 수명기간 동안 자동차의 정상적인 기능이 저하됨
6	약간 낮음	생산된 전 제품 (100%)이 단위 공정 외의 장소에서 재작업되어 입고됨	1시간까지 라인 정지	자동차 보조 기능의 성능 상실
5		생산된 제품의 일부가 단위 공정 외의 장소에서 재 작업되어 입고됨	100% 미만 제품이 영향을 받음. 추가적인 제품 결함 발생 가능성이 매우 높음. 선별 필요. 라인 정지는 없음	자동차 보조 기능의 성능 저하
4		생산된 전 제품이 단위 공정에서 재작업됨	결함으로 인한 중대 대응 계획. 추가적인 제품 결함 발생 가능성 낮음. 선별 불필요	매우 불만족스러운 외관, 소음, 진동, 거친 표면이나 촉감
3	낮음	생산된 제품의 일부가 단위 공정에서 재작업됨	결함으로 인한 경미한 대응 계획. 추가적인 결함 발생 가능성이 낮음. 선별 불필요	어느 정도 불만족스러운 외관, 소음, 진동, 거친 표면이나 촉감
2		프로세스, 작업, 그리고 작업자에게 경미한 불편을 초래	결함으로 인한 대응 계획 불필요. 추가적인 결함 발생 가능성이 낮음. 공급자에게 피드백이 요구됨	약간 불만족스러운 외관, 소음, 진동, 거친 표면이나 촉감
1	매우 낮음	인식할 수 있는 영향이 없음	인식할 수 있는 영향이 없거나 전혀 영향을 미치지 않음	인식할 수 있는 영향이 없음

PFMEA 심각도 Table

발생도	발생 예측	관리의 유형	예방 관리
10	극히 높음	없음	예방 관리 미적용
8-9	매우 높음	행위적 관리	예방 관리가 고장 원인을 예방하는 데 거의 효과가 없음
6-7	높음	행위적 또는 기술적 관리	예방 관리가 고장 원인을 예방하는 데 약간의 효과가 있음
4-5	중간		예방 관리가 고장 원인을 예방하는 데 효과적임
3	낮음	최적의 실행 규범 행위적 또는 기술적 관리	예방 관리가 고장 원인을 예방하는 데 매우 효과적임
2	매우 낮음		
1	극히 낮음	기술적 관리	예방 관리가 설계 또는 공정 (금형, 치공구 설계 등)로 인하여 완벽하게 효과적임. 고장 모드가 물리적으로 발생할 수 없도록 설계됨

PFMEA 발생도 Table

검출도	검출 능력	검출 방법 성숙도	검출 기회
10	높음	시험이나 검사 방법이 없거나 알려진 것이 없음	고장 모드가 검출되지 않음
9		시험이나 검사 방법이 고장 모드를 검출할 가능성이 낮음	고장 모드가 무작위 또는 산발적인 감사를 통해 검출되지 않음
8	낮음	시험이나 검사 방법이 효과적이거나 신뢰할 수 있다고 증명되지 않음. (GRR 결과가 부적절하거나 경험이 없음)	고장 모드 또는 고장 원인을 검출하는 데 검사원이 오감(청각, 촉각, 청각, 후각, 미각)으로 검사 또는 수동 게이지 사용 (계수형 또는 계량형)
7			경고음이 적용된 반자동화) 또는 3차원 측정기와 같은 검사 장비 사용
6	중간	시험이나 검사 방법이 효과적이거나 신뢰할 수 있다고 증명되어 있음. (GRR 결과가 허용 가능하고, 경험이 있음)	고장 모드 또는 고장 원인을 검출하는 데 검사원이 오감(청각, 촉각, 청각, 후각, 미각)으로 검사 또는 수동 게이지 사용 (계수형 또는 계량형). 샘플 검사
5			고장 모드 또는 고장 원인을 검출하는 데 기계가 검사(완전 자동화나 경고등 또는 경고음이 적용된 반자동화) 또는 3차원 측정기와 같은 검사 장비 사용. 샘플 검사
4	낮음	시스템이 효과적이고 신뢰할 수 있다고 증명되어 있음. (GRR 결과가 허용 가능하고, 경험이 있음)	후속 공정에서 고장 모드를 검출하는 자동 시스템이 수립되어 추가 작업을 방지함. 시스템이 제품의 결함을 식별하고, 자동으로 지정된 격리 구역으로 이송함. 결함 제품은 시스템에 의해 외부로 유출되지 않도록 관리됨
3			단위 공정에서 고장 모드를 검출하는 자동 시스템이 수립되어 추가 작업을 방지함. 시스템이 제품의 결함을 식별하고, 자동으로 지정된 격리 구역으로 이송함. 결함 제품은 시스템에 의해 외부로 유출되지 않도록 관리됨
2		검출 방법이 효과적이고 신뢰할 수 있다고 증명되어 있음. (실수 방지 검증 적용)	기계적인 검출 방법이 고장 원인을 검출하여 고장 모드가 만들어지는 것을 방지함
1	매우 낮음	고장 모드가 물리적으로 만들어질 수 없거나 검출 방법이 고장 모드 또는 고장 원인을 항상 검출한다는 것이 증명됨	

PFMEA 검출도 Table

조직의 상황

비즈니스 성공 전략의 출발은
조직의 상황을 이해하는 것이다.

4. 조직의 상황

4.1. 조직과 조직의 상황을 이해

조직은 조직의 목적 및 전략적 방향과 관련이 있는 외부와 내부 이슈를 그리고 품질경영시스템의 의도된 결과를 달성하기 위한 조직의 능력에 영향을 주는 내부와 외부 이슈를 정하여야 한다. 조직은 이러한 외부와 내부 이슈에 대한 정보를 모니터링하고 검토하여야 한다.

비고1: 이슈에는 긍정적, 부정적 요인 또는 고려해야 할 조건이 포함될 수 있다.

비고2: 기술적, 경쟁적, 시장, 문화적, 사회적 및 경제적 환경 이슈는 국제적, 국가적, 지역적 또는 지방적이든지 관계없이 고려함으로써, 외부 상황에 대한 이해를 용이하게 할 수 있다.

비고3: 조직의 가치, 문화, 지식 및 성과와 관련되는 이슈를 고려함으로써, 내부 상황에 대한 이해를 용이하게 할 수 있다.

'조직(Organization)'이란 무엇인가? 조직의 사전적 정의는 두 사람 이상이 모여 유기적인(Systematic) 활동을 통해 조직의 공동 목표를 달성하는 것이다. 유기적인 활동이란 우리 몸을 구성하는 장기들의 활동이 서로 긴밀히 연결되는 것처럼 조직에서는 서로 다른 부서의 기능이 긴밀히 연결되어 서로에게 영향을 미치는 것을 말한다. 이러한 각 기능의 유기적인 활동을 통해 조직의 공동 목표를 달성해야 한다. 그래야 비즈니스의 목적인 영리(Profit) 추구와 사회공헌이라는 공유가치창출(Creative Shared Value)을 실현할 수 있다.

ISO 9000에서는 조직을 목표 달성에 책임, 권한 및 관계가 있는 자체의 기능을 가진 사람 또는 사람의 집단이라고 정의하였다. 사전적 의미와 문구만 다를 뿐 결국 같은 의미라고 할 수 있다. 앞으로 기업 또는 회사라는 용어보다는 '조직'이라는 용어를 자주 사용할 것이다.

4.1 항을 쉽게 이해하기 위해서는 '조직의 목적'과 '전략적 방향'을 먼저 이해해야 한다. 조직의 목적 과 전략적 방향이란 쉽게 말해 조직의 'VMOSA', 즉 비전(Vision), 미션(Mission), 목표(Objective), 전략(Strategy), 실행 계획(Action Plan) 등을 말한다. 기업마다 이를 구성하는 항목, 의미, 구조는 조금씩 다르다. ISO 9000에서는 비전, 미션, 방침, 목표를 다음과 같이 정의하고 있다. 비전은 최고경영자에 의해 표명된 조직의 미래 모습(열망)이고, 미션은 최고경영자에 의해 표명된 조직이 존재하는 목적이라고 할 수 있다. 방침은 조직의 의도나 방향을, 목표는 달성되어야 할 결과를 말한다. 예를 들어 조직이 자동차 에어백을 제조한다면, 비전은 도로 위의 안전을 만드는 기업, 미션은 에어백을 선도하는 글로벌 기업, 방침은 품질 최우선,

목표는 2023 무결점 에어백 기업, 세부적으로는 0PPM, 납기 준수율 100%, 수율 100% 등으로 수립할 수 있을 것이다. 조직의 목표는 상위 조직의 목표를 달성하기 위한 것이고, 상위 조직의 목표는 그 다음 상위 조직의 목표를 달성하기 위한 것으로 이해하면 된다.

급변하는 세상에서 조직을 운영하는 일은 쉽지 않다. 운영 과정에서 수많은 부정적 요인과 불확실성에 직면하기 때문이다. 예를 들어 러시아와 우크라이나 전쟁은 국내 많은 기업의 공급망에 차질을 빚었다. 국내 노동력은 어떠한가? 정부의 노력에도 불구하고 저출산과 고령화는 지속되고 있고, 이대로라면 노동력 부족으로 국내 기업의 생산성 향상에 제동이 걸릴 것이 분명하다. 또 지나친 노사갈등은 파업이라는 극단적인 선택으로 이어지고, 정부의 지나친 경영 간섭은 기업의 자율성을 저해한다.

긍정적인 요인도 생각해 볼 수 있다. 경기가 좋아지면 투자가 늘어난다. 투자가 늘어나면 품질이 안정화되어 생산량이 증가한다. 생산량이 증가하면 제품과 서비스 가격이 낮아져 시장에서 경쟁력을 확보할 수 있다. 경쟁력이 확보되면 매출이 증가하고 자연스럽게 고용 창출로 이어진다. 고용 창출은 소비를 늘려 경제를 활성화하는 선순환 구조를 구축한다. 또 환율이 올라가면 어떠한가? 세계 시장에서 국내의 제품과 서비스의 가격 경쟁력이 높아진다. 그러면 수출이 늘어나기 마련이다.

이렇게 조직이 직면한 내외부의 긍정적, 부정적 요소들을 '내외부 이슈'라고 한다. 조직이 직면하는 이슈는 국내외 모든 지역에서, 기술적, 경쟁적, 시장 환경적, 문화적, 사회적, 경제적 측면에서 고려될 수 있다. 조직은 이에 대한 정보를 일회성으로 끝나는 것이 아니라, 지속적으로 모니터링하고 검토하여 조직의 목적과 전략적 방향을 달성하는 데 차질이 없도록 노력해야 한다. (GRC, Governance, Risk and Compliance 데이터 베이스 운영 검토)

전략은 '장기 또는 종합적인 목표를 달성하기 위한 계획'이다. 조직의 내외부 이슈를 파악하고, 전략적 방향을 도출하는 방법론에는 5 Forces 분석, PESTEL 분석, SWOT 분석 등이 있

3.5.10 비전	최고경영자에 의해 표명된 조직이 되고 싶어하는 것에 대한 열망
3.5.1.1 미션	최고경영자에 의해 표명된 조직의 존재하는 목적
3.7.1 목표	달성되어야 할 결과
3.5.12 전략	장기 또는 종합적인 목표를 달성하기 위한 계획
3.5.8 방침	최고경영자에 의해 공식적으로 표명된 조직의 의도 및 방향

다. 이 중에서도 SWOT 분석이 널리 사용된다. SWOT 분석은 조직의 긍정적, 부정적, 내외부 환경을 고려하여 강점, 약점, 기회, 위협(리스크)을 도출하고 조직이 나아가고자 하는 비즈니스의 전략을 결정하는 데 유용한 방법론이다.

조직은 모든 기능별 내외부 환경에서의 긍정적, 부정적 요인을 파악하고, 전략적 방향을 사업계획에 반영하여 시장 환경에 대응해야 한다. 문제는 시간과 비용이다. 부서별로 어떤 전략을 선택할지는 조직의 상황에 따라 다르다. 강점을 가지고 기회를 살리려면 SO 전략을 선택해야 하고, 약점을 보완하며 기회를 살리려면 WO 전략을 선택해야 한다. 또 강점을 가지고 위협을 최소화하려면 ST 전략을 선택해야 하고, 약점을 보완하며 위협을 최소화하려면 WT 전략을 선택해야 한다. 참고로 품질방침은 조직의 비전과 미션에 정렬되어야 하고, 품질 목표와 전략적 방향을 지원할 수 있어야 한다.

SWOT 분석은 조직의 주관적 판단에 의해 작성될 가능성이 높다. 실제 많은 조직에서 SWOT 분석 시 양식에 즉흥적으로 작성한다. 과정 없는 결과는 없다. 제대로 된 전략을 세우기 위해서는 철저한 시장 조사 후 데이터 기반의 분석이 선행되어야 한다. 그리고 SWOT 분석 시 이를 적극적으로 활용해야 한다. 조직이 결정한 전략의 효과는 시장에 진입한 후에 확인이 가능하기 때문에 비즈니스 환경에 따라 그 중요도와 우선순위를 고려하여 신중히 결정해야 한다.

품질 비전	도로 위의 안전을 만드는 기업
품질 미션	에어백을 선도하는 글로벌 기업
품질 방침	품질 최우선(Quality First)
품질 목표	'2023년 무결점 품질 달성' 프로세스 별 세부 품질 목표 수립(설계, 부품, 공정, 시장 품질)

<table>
<tr><td rowspan="6">전략</td><td rowspan="3">상황 분석</td><td></td><td>긍정적(Positive)</td><td>부정적(Negative)</td></tr>
<tr><td>내부(Internal)</td><td>강점(Strength)</td><td>약점(Weakness)</td></tr>
<tr><td>외부(External)</td><td>기회(Opportunities)</td><td>위협(Threats)</td></tr>
<tr><td rowspan="3">전략 수립</td><td></td><td>강점(Strength)</td><td>약점(Weakness)</td></tr>
<tr><td>기회(Opportunities)</td><td>SO(Max-Max)</td><td>WO(Min-Max)</td></tr>
<tr><td>위협(Threats)</td><td>ST(Max-Min)</td><td>WT(Min-Min)</td></tr>
<tr><td colspan="2">세부 전략 과제</td><td colspan="3">고객중시, 투명성 보장, 프로세스 준수, 강건 설계</td></tr>
</table>

SWOT 매트릭스 - 전략적 분석 예시

4.2. 이해관계자의 니즈와 기대를 이해

고객 요구사항, 그리고 적용되는 법적 및 규제적 요구사항을 충족하는 제품 및 서비스를 일관성 있게 제공하기 위한 조직의 능력에 이해관계자가 영향 또는 잠재적 영향을 미치기 때문에, 조직은 다음 사항을 정하여야 한다.

a) 품질경영시스템에 관련되는 이해관계자
b) 품질경영시스템에 관련되는 이해관계자의 요구사항

조직은 이해관계자와 이해관계자 관련 요구사항에 대한 정보를 모니터링하고 검토하여야 한다.

ISO 9000에서 정의하는 이해관계자(Interested party)는 의사결정 또는 활동에 영향을 줄 수 있거나, 영향을 받을 수 있거나 또는 그들 자신이 영향을 받는다는 인식을 할 수 있는 사람 또는 조직을 말한다. 이해관계자는 단순히 제품과 서비스를 공급받는 고객만 해당하는 것이 아니다. 조직의 목적과 전략적 방향에 영향을 주는 모든 사람 또는 조직을 이해관계자로 칭한다. 예를 들어 고객, 내부 구성원, 노동조합, 협력사, 정부, 경쟁사, 인증기관, 주주, 각 협회 등이 있을 수 있다. 이 중 고객은 수익 창출의 원동력으로 가장 중요한 이해관계자이다.

조직은 이들의 니즈와 기대를 파악하고, 이를 충족시키기 위한 노력을 해야 한다. 이를 위해서는 1) 이해관계자의 특성을 먼저 파악하고 2) 긍정적이고 우호적인 네트워크를 형성하여 3) 비즈니스의 적극적인 참여를 유도해야 한다. 이해관계자의 니즈와 기대는 시간이 지남에 따라 계속해서 변하기 때문에 이를 주기적으로 모니터링하고, 검토해야 한다. 생각보다 많은 조직에서 이를 계획하고 실행하기 위한 방법론을 모르고 있어 단순한 예시 하나를 보여주고자 한다.

다음에 나올 표에서는 4.1항에서 도출된 내외부 이슈, 이해관계자와 그들의 니즈와 기대, 우선순위(Priority), 관련성(Relevance), 영향력(Power), 처리 기준, 조직의 프로세스, 책임자 등에 대해 보여준다. 조직은 다음과 같은 표를 최초 수립한 후에 비즈니스의 긍정적이거나 부정적인 영향력이 있는지 주기적으로 검토하고, 업데이트해야 한다.

3.2.3 이해관계자 (Interested party)	의사결정 또는 활동에 영향을 줄 수 있거나, 영향을 받을 수 있거나 또는 그들 자신이 영향을 받는다는 인식을 할 수 있는 사람 또는 조직으로 이해당사자(Stakeholder)라고도 함 > 고객, 소유주, 조직 내 인원, 공급자, 금융인, 규제당국, 노동조합, 파트너 또는 경쟁자 또는 반대 입장의 압력집단을 포함하는 사회

내부 이슈	노동조합의 장기 파업으로 생산 중단
외부 이슈	공급이 수요를 충족시키지 못하여 고객 불만 증가
이해관계자	고객, 노조, 협력사, 종업원, 정부기관 등 3.2.3 이해관계자(Interested party) 의사결정 또는 활동에 영향을 줄 수 있거나, 영향을 받을 수 있거나 또는 그들 자신이 영향을 받는다는 인식을 할 수 있는 사람 또는 조직
니즈와 기대	> 고객: 적시 적소에 자동차 부품 공급 > 노조: 작업자 급여 인상 > 협력사: 자재 가격 조정 > 종업원: 개발 엔지니어 역량 개발 > 정부기관: 폐기물 관리 준수
우선순위(Priority)	Major
관련성(Relevance)	Significantly
영향력(Power)	16
대응전략	Manage closely

이해관계자 및 이해관계자의 니즈와 기대 예시

Power = P × R (영향력 = 우선순위 × 관련성)		Priority			
		Never	Minor	Some	Major
Relevance	Never	1	2	3	4
	Minor	2	4	6	8
	Influential	3	6	9	12
	Significantly	4	8	12	16

Power = Priority × Relevance 예시

Score	Power		
	Description	Strategy	Objectives
1 to 3	관련성 낮음 + 중요도 낮음	Monitor interest	Detect opportunities
4 to 6	관련성 낮음 + 중요도 높음	Keep satisfied	Build interest
7 to 11	관련성 높음 + 중요도 낮음	Keep informed	Maintain interest
12 to 16	관련성 높음 + 중요도 높음	Manage closely	Maintain support, monitor for changes

4.3. 품질경영시스템 적용 범위 결정

조직은 품질경영시스템의 적용범위를 설정하기 위하여 품질경영시스템의 경계 및 적용 가능성을 정하여야 한다. 적용범위를 정할 때, 조직은 다음 사항을 고려하여야 한다.

a) 4.1에 언급된 외부와 내부 이슈
b) 4.2에 언급된 관련 이해관계자의 요구사항
c) 조직의 제품 및 서비스

조직의 품질경영시스템의 정해진 적용범위 내에서 이 표준의 요구사항이 적용 가능하다면, 조직은 이 표준의 모든 요구사항을 적용하여야 한다. 조직의 품질경영시스템의 적용범위는 문서화된 정보로 이용 가능하고 유지되어야 한다. 적용범위에는 포함되는 제품 및 서비스의 형태를 기술하여야 하고, 조직이 그 조직의 품질경영시스템 적용범위에 포함되지 않는다고 정한 이 표준의 어떤 요구사항이 있는 경우, 그에 대한 정당성을 제시하여야 한다. 적용될 수 없다고 정한 요구사항이, 제품 및 서비스의 적합성 보장과 고객만족 증진을 보장하기 위한 조직의 능력 또는 책임에 영향을 미치지 않는 경우에만, 이 표준에 대한 적합성이 주장될 수 있다.

조직은 앞서 살펴본 1) 조직의 내외부 이슈 상황, 2) 이해관계자의 요구사항 그리고 3) 제품 및 서비스를 고려하여 품질경영시스템의 적용범위를 결정해야 한다. 먼저 현재 조직의 내외부 이슈 상황이 품질경영시스템의 적용 범위를 결정하는 데 어떻게 영향을 미치는지 살펴보자. 이해를 돕기 위해 단순한 예시를 드는 것이므로 실제 현업과는 다를 수 있다.

예를 들어 조직이 반도체 생산 공정을 종합적으로 갖춘 IDM(Integrated Device Manufacturer)에서 반도체 생산을 전문으로 하는 파운드리(Foundry)로 비즈니스 규모를 축소했다고 하자. 파운드리는 반도체 설계를 전문으로 하는 팹리스(Fabless)로부터 스펙을 제공받아 반도체를 생산한다. 대표적인 파운드리 회사는 대만의 TSMC, UMC, 미국의 글로벌 파운드리, 중국의 SMIC가 있다. 이렇게 제품 설계 기능이 없는 조직의 상황에서는 설계 프로세스를 조직의 품질경영시스템에서 제외할 수 있다. (4.1항)

두 번째로 이해관계자의 니즈와 기대는 품질경영시스템의 적용 범위를 결정하는 데 영향을 미친다. 예를 들어 조직은 미국의 AIAG(Automotive Industry Action Group)에서 발행한 APQP라는 '프로젝트 관리'에 따라 제품 개발을 진행한다. 그러나 고객은 자사로 공급하는 부품 개발을 위해 조직의 제품 개발 프로세스를 지정할 수 있다. 만약 고객이 이를 지정한다면 조직은 해당 프로세스에 따라 제품 개발을 진행해야 한다. 조직은 조직의 개발 프로세스를 고객의 개발 프로세스와 동기화하여 단계별 개발 시점에 따른 입력물과 출력물을 보완해야 한다. 그렇게 되면 지금보다 훨씬 더 많은 문서화된 정보를 보유해야 하고 조직의 제품 개발 프로세스의 적용 범위는 늘어나게 될 것이다.

마지막으로 조직의 제품 및 서비스는 품질경영시스템의 적용 범위를 결정하는 데 영향을 미친다. 조직의 제품이 품질 민감도(Sensitivity)가 매우 높아 수많은 제품 특성(Product Characteristics)으로 이루어져 있다면 이를 만족하는 공정 특성(Process Characteristics) 또한 정의되어야 한다. 조직이 수립한 제조 공정의 범위와 정도에 따라 품질경영시스템의 적용 범위는 결정될 것이다. 앞서 설명한 예시를 정리하면 다음과 같다.

a) 조직의 설계 및 개발 기능이 없거나 외주화 되어 있는 경우
b) 고객 요구사항이 반영된 설계 및 개발이 요구되는 경우
c) 제품 및 서비스의 특성을 고려할 경우

이처럼 품질경영시스템의 적용 범위를 결정하기 위해서는 어느 한 특정 영역만 고려해서는 안 된다. 제품 및 서비스를 제공하는 데 필요한 모든 영역이 고려되어야 그 결과에 따라 복잡한 품질경영시스템의 적용 범위가 결정된다. 적용 범위는 문서화된 정보로 유지되어야 하는데 보통 조직의 품질경영시스템 매뉴얼에 'Design and manufacturing process of ~' 등으로 기재한다. 앞서 설명한 파운드리 회사의 경우처럼 설계 기능이 없는 조직은 ISO 9001의 제외 조항에 대해 그 '정당성'을 제시할 수 있어야 한다. 이는 조직의 품질 매뉴얼에 제외 조항을 기재하면 될 것이다.

4.3.1. 품질경영시스템 적용 범위 결정 - 보충사항

조직의 제조(공장, 생산)를 지원하는 기능을 통틀어 'Remote'라고 부른다. 사전적인 의미는 '먼', '가깝지 않은'이다. 따라서 물리적으로 떨어져 있는 기능이라고 생각할 수 있는데 지원 기능의 '역할'에 따라 결정하므로 그 위치는 중요하지 않다. Remote 기능은 품질의 전략적 방향을 도출하는 본사 조직, 제품을 설계하고 개발하는 연구 조직, 각 지역 또는 나라에 구축된 물류 조직 등이 해당된다.

생산 공장과 Remote 기능이 결정되면 이 둘의 관계를 보여주는 'Plant - Remote Location Interface Matrix'가 제정되어야 한다. 이 Matrix를 통해 조직의 생산 공장과 Remote Location 간의 Interface 현황(주소, 범위, 프로젝트, 직원 수, 유효 여부 등)을 확인할 수 있다. 필자는 품질 매뉴얼의 부속 문서로 제정하는 것을 권장한다.

IATF 16949 표준에서는 요구사항의 적용 제외 항목을 명확하게 제시하고 있다. 제품 설계 및 개발에 한하여 적용 제외를 허용하고, 공정 설계 및 개발에 대해서는 허용하지 않는다.

품질 방침/전략	대한민국 서울
제조(생산)	대한민국 인천, 천안, 아산, 울산, 창원
연구(설계 및 개발)	대한민국 서울, 대한민국 판교, 미국 오클랜드
물류(창고)	대한민국 평택

Plant - Remote Matrix		Remote location			
		대한민국 서울	대한민국 판교	미국 오클랜드	대한민국 평택
Plant	대한민국 인천	Strategy		Design	Logistics
	대한민국 천안	Strategy	Design		Logistics
	대한민국 아산	Strategy	Design		Logistics
	대한민국 울산	Strategy		Design	Logistics
	대한민국 창원	Strategy		Design	Logistics

Plant - Remote Matrix 예시

4.3.2. 고객지정 요구사항

'고객 요구사항(CR, Customer Requirements)'과 '고객지정 요구사항 (CSR, Customer Specific Requirements)'은 비슷하면서도 약간의 차이가 있다. 고객 요구사항은 고객에 의해 규정된 모든 요구사항을 말한다. 즉 기술적, 상업적, 제품 및 제조 공정과 관련된 요구사항과 일반 용어 등이 있다. 고객 요구사항에는 기술적 요구사항이 포함되어 있기 때문에 고객이 제공하는 도면, 엔지니어링 스펙, 재료 스펙 모두가 여기에 해당한다. 고객지정 요구사항도 고객 요구사항에 포함된다.

고객지정 요구사항은 자동차 산업 품질경영시스템 표준의 특정 조항에 연계된 해석 또는 보충되는 요구사항을 말한다. 즉 자동차 산업에서 쓰는 용어로, IATF 16949 특정 조항과 연계된 추가적인 요구사항이라고 이해하면 된다. 따라서 본 조항에서 말하는 고객지정 요구사항도 여기에 해당한다. 참고로 자동차 산업의 고객지정 요구사항은 다음의 경로를 통해 찾을 수 있고, 이를 조직의 프로세스와 Matrix 형태로 구현하면 다음과 같다.

ISO 9001, IATF 16949 요구사항	조직	Customer Specific Requirements			
		GM	VW	PSA	BMW
4. 조직의 상황					
4.1 조직과 조직의 상황을 이해	QMS 1.1	NA	NA	NA	NA
4.2 이해관계자의 니즈와 기대를 이해	QMS 1.1	NA	Details	NA	NA
4.3 QMS 적용 범위 결정	QMS 1.1	NA	NA	NA	NA
4.3.1 QMS 적용 범위 결정 - 보충사항	QMS 1.1	NA	NA	NA	NA
4.3.2 고객지정 요구사항	QMS 1.1	Details	Details	Details	NA
4.4 품질경영시스템과 그 프로세스	QMS 1.2	NA	NA	NA	NA
4.4.1	QMS 1.2	NA	NA	NA	NA
4.4.1.1 제품 및 프로세스의 적합성	QMS 1.3	NA	NA	NA	Details
4.4.1.2 제품 안전	QMS 7.2	NA	Details	NA	NA
4.4.2	QMS 4.2	NA	NA	NA	NA

QMS - CSR Matrix 예시

4.4. 품질경영시스템과 그 프로세스

4.4.1.

조직은 이 표준의 요구사항에 따라, 필요한 프로세스와 그 프로세스의 상호 작용을 포함하는 품질경영시스템을 수립, 실행, 유지 및 지속적 개선을 하여야 한다. 조직은 품질경영시스템에 필요한 프로세스와 조직 전반에 그 프로세스의 적용을 정해야 하며, 다음 사항을 실행하여야 한다.

a) 요구되는 입력과 프로세스로부터 기대되는 출력의 결정
b) 프로세스의 순서와 상호 작용의 결정
c) 프로세스의 효과적 운용과 관리를 보장하기 위하여 필요한 기준과 방법의 결정과 적용
d) 프로세스에 필요한 자원의 결정과 자원의 가용성 보장
e) 프로세스에 대한 책임과 권한의 부여
f) 6.1의 요구사항에 따라 결정된 리스크와 기회의 조치
g) 프로세스의 평가, 그리고 프로세스가 의도된 결과를 달성함을 보장하기 위하여 필요한 모든 변경사항의 실행
h) 프로세스와 품질경영시스템의 개선

품질경영시스템의 적용 범위가 결정되었다면 이제 품질경영시스템과 그 프로세스를 수립해야 한다. 조직은 1) ISO 9001의 요구사항을 파악하고, 2) 각 요구사항에 해당하는 프로세스를 정의해야 한다. 그리고 3) 비즈니스에 필요한 모든 기능(영업, 마케팅, 연구, 설계, 개발, 구매, 생산, 품질, 물류, 인사, 보전, 환경, 안전, 보건 등)을 상세히 파악하고, 4) 각 기능과 ISO 9001의 요구사항을 서로 Mapping 함으로써 해당 주소지(관계)를 찾아가야 한다. 5) 조직은 이 모두를 문서화하고, 구조화하여 하나의 'Process Map'을 완성해야 한다.

ISO 9000에 따르면 프로세스란 의도된 결과를 만들어 내기 위해 입력을 사용하여 상호 관련되거나 상호 작용하는 활동의 집합을 말한다. 여기서 '의도된 결과'는 조직이 공급하고자 하는 제품과 서비스이고, '입력을 사용하여 상호 관련되거나 상호 작용하는 활동의 집합'은 입력을 가지고 어떤 방법과 수단을 통해 출력을 도출하고자 할 때, 이해관계자 간에 필요한 모든 유기적인 활동(계획, 실행, 점검, 조치)을 말한다.

조직에서 수립한 모든 프로세스의 입력과 출력이 상호 작용하고 있음을 입증하기 위해 Process Map, Turtle Diagram, Process Input - Output Matix 수립이 필요하다. 하나의 프로세스를 수립하고, 실행, 유지, 그리고 개선하기 위해서는 관련 이해관계자, 즉 서로 다른 기능의 부서가 적극적으로 참여해야 하는데, 이를 '프로세스 접근법'이라고 한다. 즉 우리가

회사에 매일 출근하여 수행하는 업무는 회사의 규모나 정도에 따라 하나의 프로세스가 될 수도 있고, 프로세스의 일부가 될 수도 있다. 예를 들어 구매부에 속한 홍대리의 업무가 자재 발주 업무라면 구매 프로세스의 일부이다.

3자 인증 기관에서 수행하는 모든 ISO 9001 심사는 프로세스 접근법을 기본으로 한다. 홍대리가 속한 구매 프로세스는 협력사 개발, 협력사 평가, 자재 발주, 협력사 품질 관리 등의 업무로 구성되어 있다. 따라서 인증 심사원이 구매 프로세스를 심사한다고 했을 때 해당 프로세스와 관련된 모든 이해관계자가 참여해야 심사가 가능하다. 그것이 프로세스 접근법의 본질이다.

프로세스는 조직의 규모와 정도에 따라 '계층적'으로 수립하는 것이 좋다. 가장 상위의 프로세스를 메가 프로세스(Mega Process)라고 한다. 여기에는 비즈니스 활동에 필요한 상위 수준의 프로젝트 관리, 연구, 설계 및 개발, 구매, 생산, 물류, 품질관리 프로세스가 포함된다. 메가 프로세스에는 조직의 규모와 정도에 따라 하위 프로세스가 포함될 수 있다. 예를 들어 품질관리 프로세스를 다시 부적합품 관리, 재작업과 수리, 검사 프로세스로 세분화할 수 있고, 검사 프로세스를 다시 수입 검사, 공정 검사, 완제품 검사 프로세스로 세분화할 수 있다. 보통 메가 프로세스의 기능(핵심, 지원, 관리 프로세스)에 따라 COP(Customer Oriented Process), SP(Support Process), MP(Management Process)로 구분한다.

그럼 프로세스는 어떠한 형태로 구성되어야 하는지 살펴보자. 품질경영시스템 운용에 필요한 프로세스는 '프로세스 다이어그램('Turtle Diagram'이라고도 함)'이라고 하는 방법론을 사용한다. 프로세스 다이어그램은 본 조항의 요구사항을 모두 만족시킬 수 있는 적절한 방법론이다. 하나의 프로세스 다이어그램을 운용하기 위해서는 입력과 출력, 복합적인 프로세스 플로우, 책임과 역할이 포함된 절차, 자원 그리고 성과지표가 필요하다. 가장 기본적인 요구사항이니 숙지하고 넘어가기를 바란다.

a) Process Input - Output Matrix 수립
b) 프로세스 맵(Process Map) 수립(COP, SP, MP 구분)
c) 주요 성과 지표(Key Performance Indicators) 수립
d) 프로세스 운용에 필요한 모든 자원 정의
e) 프로세스 오너를 선정하고, 책임과 권한 부여
f) 발생 가능한 리스크와 기회를 프로세스를 통해 조치(6.1항)
g) 프로세스의 변경 사항 기록(6.3항 변경의 기획과 연계)
h) 프로세스와 품질경영시스템 개선(목표 상향 조절)

수립 단계	국제 및 단계 표준의 요구 사항 파악
	요구되는 프로세스 파악
	프로세스의 상호 관계 수립(Input - Output Matrix)
	프로세스의 성과 지표 수립(Process - KPI Matrix)
문서화 단계	품질 방침 수립(비전, 미션, 목표 등과 연계)
	품질 매뉴얼, 절차서, 지침서 제정
실행 단계	세부 목표 설정(프로세스 별 세부 목표)
	프로세스의 실행
	데이터 및 성과 분석(목표 대비 성과 분석)
	경영검토(효율성, 효과성)

품질경영시스템의 전개 예시

필자가 여러 기업을 방문하여 품질경영시스템을 심사하고, 지도하면서 들었던 이야기 중 하나는 ISO 9001의 요구사항을 실제 비즈니스 활동과 연결하여 이해하기가 어렵다는 것이다. 필자는 HLS(High Level Structure) 개념이 적용된 2015년 판이 출시되면서 이러한 이해의 어려움이 어느 정도 해소되었다고 생각했다. 그러나 2015년 판이 출시된 지 8년이 지난 지금도 많은 조직에서는 스스로의 이해에 대한 자신감이 부족했다.

다음은 영업팀, 기획팀, 연구소, 생산팀 등 각 기능과 관련된 요구사항을 표로 정리한 것이니 반드시 기억하길 바란다. 많은 조직에서 표준의 요구사항과 조직의 프로세스를 연결하는 데 어려움을 겪고 있다. 이 틀을 기반으로 세부 요구사항을 하나씩 붙여가며 이해하면 도움이 될 것이다. (왼쪽에서 오른쪽 순: 8.2, 8.1, 8.3 ~ 8.6.4, 8.5... 10.2)

8.2 제품 및 서비스 요구사항: 영업	8.6.4 외부에서 제공되는 제품과~: 자재입고
8.1 운용 기획 및 관리: 프로젝트 기획	8.5 생산 및 서비스 제공: 생산 및 서비스
8.3 제품 및 서비스의 설계 및 개발: 설계 및 개발	8.6 제품 및 서비스 출시: 검사 및 불출
8.3.4.2 설계 및 개발 타당성 확인: 제품 검증	8.5.4 보존: 보존(창고)
8.3.4.4 제품 승인 프로세스: 제품 승인	8.5.5 인도 후 활동: 보증
8.4 외부에서 제공되는 프로세스~: 구매	10.2 부적합 및 시정조치: 개선 대책

조직의 프로세스와 조항과의 관계

4.4.1.1. 제품 및 프로세스의 적합성

조직은 가장 상위의 법적, 규제적 요구사항과 고객지정 요구사항인 CSR(Customer Specific Requirement)을 만족할 수 있는 품질경영시스템을 수립해야 한다. 그래야 품질경영시스템을 통해 개발되고, 생산되는 조직의 제품과 서비스, A/S 제품, 외주화된 자재 등이 각 요구사항을 만족하기 때문이다. 공식적으로 불리는 것은 아니지만 법적, 규제적, 고객 요구사항을 품질경영시스템의 3대 요구사항이라고 한다. 이는 제품 및 공정 개발 시 도면, 엔지니어링 스펙, 자재 스펙, FMEA, 관리계획서, 작업지침서 등에 기술적 특성으로 변환되어 기재된다.

국내 안전법규	자동차 및 자동차부품의 성능과 기준에 관한 규칙(자동차 규칙) > 제 2장 자동차 및 이륜자동차의 안전기준 > 제 3장 제작자동차 등의 안전기준 제 2절 장치 등의 안전기준(가속제어장치, 계기판넬, 타이어, 조향장치 등) > 제 3장의2 부품의 안전기준(브레이크호스, 좌석안전띠장치, 등화장치, 창유리 등)
국내 환경규제	> 배출가스 규제 > 평균연비 규제 > 평균온실가스 규제 > 자동차재활용 규제 > 산화학물질 규제 등

국내 자동차 안전 법규 및 환경 규제 예시

4.4.1.2. 제품 안전

본 조항은 제품의 안전 성능에 영향을 미치는 제품 및 공정의 특성을 관리하기 위한 것이다. 조직은 완제품을 생산할 수도 있고, Tier n 협력사로서 완제품의 안전 성능에 영향을 미치는 일부 부품을 생산할 수도 있다. 그럼 이러한 안전 성능에 영향을 미치는 부품은 무엇일까? EU e-Mark에서 규정한 자동차 안전 부품을 보면 스티어링 장치, 브레이크, 각종 램프, 난방 시스템, 속도계, 헬멧, 아동용 안전의자, 배기관, 도난 방지 장치, 타이어, 안전벨트, 연결 장치, 자동차용 유리, 냉방 시스템, 저류 보호, 버스의 내장재, 경음기, 시트 및 헤드레스트가 해당된다. 이러한 부품이나 부품의 하위 부품을 생산하고, 공급하는 조직은 자동차의 안전성을 더욱 확보하여 운전자와 탑승자의 생명을 보호해야 한다. 독일 폭스바겐(VW) 그룹의 경우에는 'Product Safety Representative'를 양성하여 관리를 강화하도록 요구하고 있다.

조직은 품질경영시스템을 통해 안전 부품의 품질을 보장해야 하는데, 대부분의 기업에서는 FMEA 방법론에서 전개한다. 여기에는 다음의 요구사항이 포함되어야 하고 이와 관련된 문서는 고객에게 승인받아야 한다. (PPAP)

a) 제품 안전과 관련된 법적, 규제적 요구사항 식별
b) 항목 a)의 요구사항을 고객에게 통지
c) DFMEA의 특별 승인(고객 승인)
d) 제품 안전과 관련된 특성(Characteristics) 식별
e) 제조 공정에서 제품 안전과 관련된 특성이 식별되고 관리
f) PFMEA, 관리계획서의 특별 승인(고객 승인)
g) 제품 안전 특성이 불안정한 경우 대응 계획 수립(9.1.1.1항)
h) 제품 안전에 대한 책임, 어떤 이슈를 강조하거나 표시하는 데 단계적 확대 프로세스 적용
i) 제품 안전 특성과 관련된 작업자 및 관리자의 교육훈련
j) 제품 및 공정 변경으로부터 오는 제품 안전에 대한 영향을 평가, 시행 전 사전 검증, 승인
k) 공급망 전체에 대한 제품 안전 고객 요구사항 전달, 반영
l) 공급망 전체에 대한 제품 LOT 추적성 확보(8.5.2.1항)
m) 신제품 개발 시 Lessons Learned 반영(개발 프로세스)

제품 안전(Product safety): 고객에게 해를 끼치거나 위험을 초래하지 않도록 제품 설계 및 제조와 관련된 표준. 최종 조립품의 안전 성능에 영향을 미치는 완제품의 일부 부품을 생산할 경우에 해당. 법적, 규제적 요구사항이 아닐 수도 있고, 고객사가 직접 지정할 수도 있음

4.4.2.

ISO가 정의한 문서화된 정보란 조직에 의해 관리되고 유지되도록 요구되는 정보나 정보가 포함된 매체를 말한다. 문서화된 정보는 '유지'와 '보유'로 구분하는데, 문서화된 정보의 유지란 품질방침, 품질 매뉴얼, 절차서, 지침서 등과 같이 프로세스 운용에 필요한 이전의 문서를 말한다. 문서화된 정보의 보유는 프로세스 운용 결과를 기록한 문서라고 이해하면 된다. 정리하면 제품 및 서비스를 설계, 개발, 생산하기 위한 프로세스를 문서화된 정보의 유지라고 하고, 각 프로세스를 바탕으로 운용한 기록 결과물을 문서화된 정보의 보유라고 한다. 문서화된 정보라는 용어는 HLS(High Level Structure) Concept이 도입되면서 소개되었다.

ISO에서는 문서화된 정보의 기능을 1) 메시지를 전달하고, 2) 계획된 활동의 증거로써 활용되고, 3) 지식을 공유하는 데 사용되고, 4) 조직의 경험을 전파하고, 5) 보존하는 데 있다고 정의하였다. 또 문서화된 정보는 종이뿐만 아니라 정보 저장 매체(CD, USB, 디스크, 클라우드 등), 사진, 마스터 샘플 등으로 관리될 수 있다고 하였다.

문서화된 정보의 유지와 보유는 본 조항과 7.5.1항에 따라 수립되고, 운용, 관리되어야 한다. 그럼 조직의 품질경영시스템에는 어떤 문서화된 정보가 포함되어야 할까? 7.5.1항에서 다시 설명하겠지만 1) ISO 9001에서 요구하는 문서화된 정보와 관련된 모든 조항과 2) 조직이 과거의 정보, 지식, 경험에 따라 정한 문서화된 정보가 조직의 품질경영시스템에 포함되어야 한다. 물론 조직의 규모나 제품과 서비스의 유형, 프로세스의 복잡성, 구성원의 역량 및 적격성에 따라 그 적용 범위와 정도는 다르지만, 기본적으로 7.5.1항의 요구사항을 따라야 한다.

다국적 글로벌 기업의 경우, 조직의 규모가 크고, 비즈니스도 다양해서 문서화된 정보를 수준별로 수립한다. 먼저 본사 수준에서는 품질방침, 품질매뉴얼, 그리고 모든 수준에 적용할 수 있는 절차서와 지침서를 제정한다. 그리고 지역(유럽, 아시아, 북미, 남미 등) 또는 국가 수준에서는 해당 지역 또는 국가에서 적용할 수 있는 절차서와 지침서를 제정하는데 유럽의 경우, 환경과 관련된 법적, 규제적 요구사항이 많기 때문에 지역 수준의 절차서와 지침서 또한 많은 편이다. 그리고 Business Group, Business Unit 또는 Division 수준에서는 조직에서 생산하고 공급하는 제품과 서비스를 대 단위 또는 중 단위로 그룹핑하여 여기에 적용할 수 있는 절차서와 지침서를 제정한다. 마지막으로 생산 공장의 수준에서는 생산 활동에 필요한 절차서와 지침서를 제정하는데 조직의 전 공장에 적용할 수 있는 통합 절차서와 특정 공장에만 적용할 수 있는 절차서로 구분한다. 이는 특정 고객의 요구사항을 반영하기 위한 관리 체계이다.

생각해 보기

임명된 리더와 자생적 리더, Chapter 5는 리더십(Leadership)과 관련된 조항이다. Chapter 4에서 조직의 상황을 잘 이해하려면 리더의 예리한 통찰력이 필요하다. 통찰력이란 '사물이나 현상을 관찰하는 능력'을 말하는 것으로 조직의 상황을 이해하는 데 매우 중요한 역할을 한다. 통찰력을 가진 리더는 조직의 품질경영시스템을 어떻게 운용할지 큰 그림을 그릴 줄 알고 과거의 관행에서 벗어나 구성원들의 의견을 지지하며 현시대에 맞는 객관적 사고 기반의 리더십을 발휘한다.

대부분의 리더는 경영진으로부터 공식적인 역할, 책임 및 권한을 부여받는다. 우리가 아는 팀장, 부문장, 공장장, 담당 등의 직책을 가진 사람들이 '임명된 리더(Assigned leader)'이다. 이들이 예리한 통찰력을 가졌는지는 비즈니스의 성과로 확인할 수 있다. 이들은 최고경영자(임원진)에 의해 보통 임명되기 때문에 상사와 구성원 간의 신뢰와 존중이 뒷받침되지 않으면 조직의 성장이 둔화될 수 있다는 한계점을 가진다.

이와 반대되는 개념이 '자생적 리더(Emergent leader)'이다. 상사의 직책이 아니더라도 조직 내에서 많은 영향력을 행사하는 사람으로 그렇게 지각되고 있는 구성원을 말한다. 이들은 직책과 상관없이 리더십을 발휘한다. 임명된 리더보다는 강한 열정을 가지고 있고 진취적이고 능동적으로 탐색하고자 하는 경향이 있기 때문에 품질경영시스템을 운용하는 데 필요한 인재라고 생각한다. 우리에게 더 필요한 것은 자생적 리더가 아닐까?

리더십

최고경영자는 본인의 리더십을
어떻게 실증할 것인가?

5. 리더십

5.1. 리더십과 의지표명

5.1.1. 일반사항

최고경영자, 최고경영진은 품질경영시스템에 대한 리더십과 의지표명, 실행의지를 다음 사항에 의하여 실증하여야 한다.

a) 품질경영시스템의 효과성에 대한 책무(Accountability)를 짐
b) 품질방침과 품질목표가 품질경영시스템을 위하여 수립되고, 조직상황과 전략적 방향에 조화됨을 보장
c) 품질경영시스템 요구사항이 조직의 비즈니스 프로세스와 통합됨을 보장
d) 프로세스 접근법 및 리스크기반 사고의 활용 촉진
e) 품질경영시스템에 필요한 자원의 가용성 보장
f) 효과적인 품질경영의 중요성, 그리고 품질경영시스템 요구사항과의 적합성에 대한 중요성을 의사소통
g) 품질경영시스템이 의도한 결과를 달성함을 보장
h) 품질경영시스템의 효과성에 기여하기 위한 인원을 적극 참여시키고, 지휘하고 지원함
i) 개선을 촉진
j) 기타 관련 경영자/관리자의 책임분야에 리더십이 적용될 때, 그들의 리더십을 실증하도록 그 경영자 역할에 대한 지원

비고: 이 표준에서 '비즈니스'에 대한 언급은 조직이 공적, 사적, 영리 또는 비영리의 여부에 관계없이, 조직의 존재 목적에 핵심이 되는 활동을 의미하는 것으로 광범위하게 해석될 수 있다.

최고경영자는 조직을 지휘하고, 관리하는 가장 높은 위치에 있는 사람이다. 가장 높은 위치에 있는 만큼 강력하고 때론 유연한 리더십을 발휘하며 조직의 품질경영시스템을 수립하고, 운용, 관리해야 한다. 최고경영자는 관리자(Manager)가 아니다. 조직 공동의 목표를 설정하고 달성하는데 '구성원(Follower)'에게 긍정적인 영향력을 행사하는 사람이다. 즉 구성원의 적극적인 참여를 유도하고 정확한 방향을 지시하는 '나침판'의 역할을 하는 사람이며 우리는 이들을 '리더(Leader)'라고 부른다. 그래서 리더는 시간 관점에서 접근하는 과업보다는 조직의 비전, 가치, 방향 등에 중점을 두고 일한다.

만약 최고경영자가 품질경영시스템을 수립하고, 운용, 관리하는 업무를 담당 부서에만 의존한다면 훌륭한 리더십을 발휘한다고 볼 수 없다. 최고경영자는 본인의 리더십을 어떻게 구체적으로 실증할 수 있는지, 또 이들에게는 어떤 책임과 책무가 있는지 하나씩 살펴보자.

a) 최고경영자는 품질경영시스템의 효과성에 대한 '책무(Accountability)'를 다해야 한다. 예를 들어 조직이 수립한 품질경영시스템이 계획된 결과(KPI)를 달성하지 못했을 경우, 최고경영자는 그 이유를 구성원과 주주들에게 설명할 수 있어야 한다. 즉 어떤 일이 발생하기 전의 책임보다는 사후적인 책임이 크다. 따라서 최고경영자는 매주, 매월, 분기, 상하반기, 연간 품질 실적을 책임 의식(주인의식)을 가지고 검토(9.3항)해야 한다.

b) 조직은 품질경영시스템의 가장 상위 레벨인 '품질방침'을 수립해야 한다. 그리고 품질방침과 연계하여 '품질목표'를 수립함으로써 조직의 상황은 물론, 조직이 지향하는 전략적 방향과 조화됨을 보장해야 한다. 이는 최고경영자의 손에 달려 있기 때문에 보통 조직의 품질방침에 최고경영자의 서명으로 달성 의지를 표명한다.

c) 필자가 가장 공감했던 요구사항이 여기에 있다. 조직은 ISO 9001: 2015 요구사항을 기반으로 품질경영시스템을 수립해야 한다. 수립한 품질경영시스템의 틀 안에서 조직의 제품과 서비스가 개발되고, 생산, 공급되어야 하는 것은 당연하다. 그러나 국내 많은 조직에서는 여전히 품질경영시스템을 조직의 비즈니스 활동과 별개로 생각하는 인식이 남아있다. 이는 최고경영자의 관심 부재가 낳은 결과라고 할 수 있다.

d) 앞서 설명했듯이 조직은 프로세스 접근법(Process approach)을 통해 품질경영시스템을 수립하고, 운용, 관리해야 한다. 제품 개발 프로세스에서는 연구소의 역할이 크지만, 연구소 한곳만의 힘으로는 제품 개발을 완수할 수 없다. 연구소, 구매, 품질, 생산 등 많은 조직의 유기적인 활동을 통해 제품 개발이 이루어져야 한다. 이것이 프로세스 접근법의 본질이다. 또 품질경영시스템에서 발생할 수 있는 모든 리스크를 파악하고, 이에 대한 대응으로 '예방 활동'에 초점이 맞추어질 수 있도록 촉진해야 한다. 이 또한 최고경영자가 나서야 할 일이다.

e) 최고경영자는 품질경영시스템에서 필요한 모든 자원의 가용성을 보장해야 한다. 자원에는 인적 자원, 물적 자원, 재정적 자원이 있다. 7항에서 설명하겠지만 비즈니스 활동에 필요한 자원을 신규 투자할 것인지 아니면 유지나 축소할 것인지는 최고경영자의 의사결정에 따라 다를 것이다.

f) 최고경영자는 품질경영시스템의 중요성을 언제, 어떤 방법으로 구성원들과 의사소통해야 할까? 방법은 여러 가지가 있겠지만 사내 프로세스를 전산시스템이나 생산 현장에 물리적으로 가시화하는 방법이 있다.

예를 들어 부적합품 처리의 중요성을 좀 더 강조하고 싶다면 부적합품 처리 프로세스를 생산 현장에 게시하여 그 중요성을 인식시키는 것이다. 작업자로 인한 불량의 재발을 방지하기 위해 'OPL(One Point Lesson)'을 사용하는 것은 이미 흔한 방법이다.

g) 품질경영시스템의 의도된 결과인 제품과 서비스가 원하는 수준을 만족하고 있는지는 조직의 주요성과지표를 통해 확인할 수 있다. 최고경영자는 리더십을 발휘하여 이를 모니터링하고 관리해야 한다.

h) 최고경영자는 주요성과지표를 달성하기 위해 관련 인원을 적극적으로 참여시키고, 지휘하고, 지원해야 한다. 이를 위해 최고경영자는 조직 전반의 비즈니스 활동을 이해하고 있어야 하며 시대의 흐름에 부합하는 진보적이고, 개방적인 사고가 필요하다. 지나치게 보수적이고 상명하복의 성향은 구성원의 참여를 저해하고, 시대의 흐름에 역행하여 품질경영시스템의 효과를 떨어뜨릴 수 있다.

i) 최고경영자는 품질경영시스템의 개선을 촉진해야 한다. 미흡한 품질경영시스템 영역이 빠르게 개선될 수 있도록 지휘해야 한다.

j) 리더십 역량은 모든 임직원에게 필요하다. 비단 최고경영자에게만 해당하는 것이 아니다. 이를 위해서 최고경영자는 모든 관리자와 작업자를 위해 리더십 교육 프로그램을 운용하고 지원해야 한다.

5.1.1.1. 기업 책임

본 조항은 '기업 윤리(Corporate ethics)' 또는 '경영 윤리(Management ethics)'라고 불리는 기업의 책임에 관한 내용이다. 기업 윤리는 비즈니스 활동에 있어서 최우선 가치로 생각해야 할 항목임에 틀림이 없다. 조직은 필연적으로 수많은 이해관계자와 비즈니스 관계를 맺는데, 오직 이윤을 극대화하기 위해 내외부에서 부정적인 방법으로 이익을 창출해서는 안 된다. 예를 들어 협력사에게 위험에 노출된 작업을 요구하거나, 비즈니스 계약을 위해 금품을 수수하고, 또 오염된 폐수를 강에 버리는 것은 기업의 경제 활동을 떠나 해서는 안 될 윤리적 범죄 행위이다. 본 조항에서는 내부고발, 행동 강령(Code of Conduct), 뇌물 수수 방지 등을 포함하여 기업의 책임 정책을 수립하고, 실행해줄 것을 요구하고 있다. 'ISO 26000(Guidance on social responsibility)'에서는 다음의 7가지 기본 원칙을 제시한다.

책임성(Accountability)
투명성(Transparency)
윤리적 행동(Ethical behavior)
이해관계자의 이익 존중(Respect for stakeholder interests)
법규 준수(Respect for the rule of law)
국제 행동 규범 존중(Respect for international norms of behavior)
인권존중(Respect for human rights)
ISO 26000(Guidance on social responsibility)

5.1.1.2. 프로세스의 효과성과 효율성

최고경영자는 프로세스의 효과성과 효율성을 전략적이고 전술적인 측면에서 검토해야 한다. 전략적인 검토는 제조 공정의 품질 개선 등과 같은 거시적인 목표를 말한다. 이를 달성하기 위해서는 FMEA, 관리계획서, 작업자 교육 등과 같은 전술적인 관리 항목을 검토해야 한다. 이는 조직에서 정한 주기에 따라 경영검토(9.3항) 회의 시 진행될 수 있다.

효과성과 효율성은 어떻게 다를까? 효과성은 목표 대비 실적으로 고객 관점에서 결과(실적)를 극대화한 것이고 효율성은 입력 대비 출력으로 조직관점에서 비용을 최소화하거나 가동율을 높이는 것이다. 조직은 효과성과 효율성의 성과지표를 개발하여 조직의 'BSC(Balanced Score Card)'에 반영하여 관리해야 한다. 대표적인 효율성의 성과지표로는 OEE(Overall Equipment Effectiveness), RTY(Rolled Throughput Yield)가 있다.

BSC의 창시자 Robert Kaplan 교수는 효과성과 효율성을 다음과 같이 설명했다. "벽에 붙어있는 파리를 잡을 때, 공사장에서 쓰이는 해머로 잡았다면, 파리를 잡는다는 목표는 달성했으므로 효과적이라고 말할 수 있다. 그러나 파리채(100) 정도로 잡을 수 있는 파리(100)를 해머(200)로 잡았으므로 효율적이라고 말하기는 어렵다." 매우 훌륭한 설명이다.

3.7.10 효율성	달성된 결과와 사용된 자원 간의 관계 > 100/50(매우 효율적), 100/100(효율적), 100/200(매우 비효율적)
3.7.11 효과성	계획된 활동이 실현되어 계획된 결과가 달성되는 정도

5.1.1.3. 프로세스 책임자

프로세스 책임자(Process owner)란 프로세스 성과에 책임이 있는 사람을 말한다. 프로세스 책임자는 그들의 책임과 역할을 이해하고, 수행할 수 있어야 한다. 하나의 프로세스를 운용하기 위해서는 어느 한 부서가 책임을 지고 리딩을 하는 것이 아니라 관련 이해관계자들이 모여 공동의 목표를 위해 협업해야 한다. 그렇기 때문에 어느 한 부서장을 프로세스 책임자로 임명하기 보다는 한 단계 상위 레벨(연구소장, 구매본부장, 공장장, 담당 등)인 임원급을 프로세스 책임자로 임명하는 것이 좋다.

예를 들어 설계 프로세스에서 가장 영향력이 있는 부서장은 설계 팀장이고, 유관 팀장은 이를 지원한다. 설계 프로세스를 더욱 효과적으로 운용하기 위해서는 각 기능 간의 불필요한 의사소통을 줄이고 빠른 의사결정을 해야 한다. 따라서 연구소장의 레벨에서 유관 팀의 임원급 책임자와 의사소통이 이루어지고 의사결정의 결과를 하향 전개하는 것이 프로세스 운용 측면에서 더욱 효과적이다.

조직은 프로세스 책임자가 결정되면 프로세스 책임자가 누구인지 조직의 품질경영시스템 매뉴얼에 반영해야 한다. 프로세스 맵에 기재하는 경우도 있고, RACI Chart를 활용하여 '프로세스 책임자 테이블'을 만들어 관리하는 경우도 있다. 여기에는 프로세스 책임자의 책임과 권한, 역량 그리고 프로세스 책임자가 해당 내용을 인지하였음을 확인하는 서명을 포함해야 한다. 조직은 임원급 책임자가 프로세스 책임자라는 인식을 잃어버리지 않도록 주기적으로 개정 작업을 해야 한다. 다음은 프로세스 책임자의 책임(역량)에 대해 정리한 것이다.

> 프로세스의 목적을 설명할 수 있어야 한다.
> 프로세스의 범위를 설명할 수 있어야 한다.
> 프로세스를 유기적으로 운영하기 위해 사람, 기술, 방법, 도구 등을 정의할 수 있어야 한다.
> 프로세스를 효율적이고, 효과적으로 운영할 수 있어야 한다. (Input - Output Balance)
> 프로세스의 목표를 설정하고 측정, 분석, 평가할 수 있어야 한다.
> 프로세스의 검토, 승인, 변경을 통해 지속적으로 개선할 수 있어야 한다.
> 프로세스의 위험을 제거 또는 최소화하고 기회를 늘려 프로세스의 연속성을 보장해야 한다.
> 시스템적 사고와 접근법을 이해할 수 있어야 한다.

프로세스 책임자의 역량

5.1.2. 고객중시

최고경영자는 다음 사항을 보장하며 고객중시에 대한 리더십과 의지표명을 실증하여야 한다.

a) 고객 요구사항과 법적 및 규제적 요구사항이 결정되고, 이해되며 일관되게 충족됨
b) 제품 및 서비스의 적합성에, 그리고 고객만족을 증진시키는 능력에 영향을 미칠 수 있는 리스크와 기회가 결정되고 처리됨
c) 고객만족 증진의 중시가 유지됨

고객은 내가 한 일의 결과물을 입력물로써 이용하는 사람이다. 따라서 조직의 고객은 내부 직원(설계팀의 고객은 생산팀, 전공정의 고객은 후공정 등)이 될 수도 있고, 외부적으로는 조직의 제품과 서비스를 이용하는 고객사가 될 수도 있다. 본 조항에서 말하는 고객은 최고경영자가 조직 전체를 대표하므로 외부 고객인 자동차 OEM, End user, Tier 1의 뉘앙스가 강하다.

'고객중시'란 비즈니스 활동에서 고객을 최우선으로 하라는 것이다. 고객은 조직의 이해관계자 중 매출에 직접적으로 영향을 주는 사람이다. 고객중시는 품질경영 1원칙에 해당하는데, 그만큼 고객중시가 가져오는 이점은 비즈니스의 연속성을 보장할 만큼 매우 크다. 최고경영자는 고객중시(Customer Focus)를 위해 다음 사항을 보장함으로써 리더십과 의지 표명을 실증해야 한다.

a) 최고경영자는 품질경영시스템의 가장 상위 레벨인 법적, 규제적 요구사항과 그다음 레벨인 고객 요구사항이 제품과 서비스에 충족됨을 보장해야 한다. 요구사항의 충족을 보장하는 것은 고객중시에서 가장 기본이 되는 것이다. (Compliance)

b) 최고경영자는 고객만족을 위해 조직의 리스크와 기회를 다루는 데 앞장서야 한다. 만약 제품과 서비스의 적합성을 보장할 수 없거나 고객만족을 증진하기 위한 일련의 개선 활동에 부정적인 요소가 있다면 해당 리스크는 파악되고, 결정, 그리고 처리되어야 한다.

c) 이 모든 행위는 고객만족을 증진하기 위한 것이다. 조직은 고객 중심의 경영 패러다임을 지향하며 '관련 활동'을 유지해야 한다. 예를 들어 고객으로부터 받은 Score Card를 모니터링하고 분석하여 개선점을 찾으려고 노력해야 하고, 필드에서 발생한 원인 모를 불량을 재현을 위해 NTF(Not Trouble Found) 프로세스를 운용해야 한다. 이는 어느 한 기능에서 리딩하는 것이 아니라 조직 전체가 참여할 수 있도록 최고경영자가 직접 능동적으로 나서야 한다. (경영검토와 연계 권고)

5.2. 방침

5.2.1. 품질방침의 수립

최고경영자는 다음과 같은 품질방침을 수립, 실행 및 유지하여야 한다.

a) 조직의 목적과 상황에 적절하고 조직의 전략적 방향을 지원
b) 품질목표의 설정을 위한 틀을 제공
c) 적용되는 요구사항의 충족에 대한 의지표명을 포함
d) 품질경영시스템의 지속적 개선에 대한 의지표명을 포함

품질방침이란 최고경영자에 의해 공식적으로 표명된 조직의 의도나 방향을 말한다. 필자는 품질방침을 조직이 선택한 '길(Road)'이라고 표현한다. 1) (수립) 이 길은 조직의 목적, 전략적 방향과 일치하는 길이여야 한다. 2) (실행) 그리고 구성원에게 이 길을 걷도록 해야 하고, 3) (유지) 계속해서 걸을 수 있도록 독려해야 한다. 조직은 품질방침 수립 시 최고경영자의 강한 의지가 표명될 수 있도록 다음 사항을 고려해야 한다.

a) 품질방침은 조직의 목적인 비전, 미션, 가치와 조직의 목적을 위해 나아가야 할 전략적 방향과 조화를 이루어야 한다. 예를 들어 안전 부품을 공급하는 조직이 '안정적인 제품 공급'이라고 품질방침을 수립했다면 적절하다고 볼 수 없다. 물론 안정적으로 제품을 공급해야 하는 것은 맞지만 제품의 품질이 운전자의 안전과 직결되기 때문에 '품질 최우선'이 더 어울린다고 할 수 있다.

b) 품질방침은 품질목표를 설정할 수 있는 방향성을 제공한다. 6.2항 품질목표와 품질목표 달성 기획에서 품질목표는 품질방침과 일관성이 있어야 하고 측정 가능해야 한다고 되어 있다. 따라서 품질방침에는 품질목표가 측정될 수 있도록 그 내용이 표명되어 있어야 한다. 예를 들어 조직은 '품질 최우선'이라는 품질방침을 통해 0PPM, 100PPM 이하, 수율 98% 이상 등의 품질목표를 수립 할 수 있다.

c) 품질방침에는 최고 수준의 품질경영시스템 환경에서 제품과 서비스가 생산되고 있다는 메시지가 전달되어야 한다. 과거에는 품질방침을 비교적 짧은 문장으로 수립하였으나 현재는 문장의 길이를 떠나 본 요구사항을 명확하게 전달하는 것이 중요하다. 보통 조직이 지향하는 품질방침에 대한 내용을 시작으로 구체적인 Principle을 글머리로 나열하고 최고경영자의 서명으로 마무리한다.

d) 품질방침에는 품질경영시스템을 지속적으로 개선하겠다는 의지가 표명되어야 한다. 대부분의 조직에서는 품질방침에 '지속적 품질개선 활동', '품질경영 성과의 지속적 개선을 통한 경영이익 극대화' 등의 내용으로 의지를 표명한다.

5.2.2. 품질방침에 대한 의사소통

품질방침은 다음과 같아야 한다.

a) 문서화된 정보로 이용 가능하고 유지됨
b) 조직 내에서 의사 소통되고 이해되며 적용됨
c) 해당되는 경우, 관련 이해관계자에게 이용 가능함

이렇게 수립한 품질방침이 조직의 품질 매뉴얼에 기록된 채 방치되면 안된다. 조직의 품질방침은 조직의 생존을 위한 전략적 방향을 표명한 것이다. 따라서 전 임직원이 이를 인식하고, 주인의식을 가질 수 있도록 적극적으로 의사소통하는 것이 매우 중요하다. 품질방침에 대한 의사소통 요구사항은 다음과 같다.

a) 품질방침 수립 후 구두로 공표하고 끝나는 것이 아니라 문서화되어 다수의 인원이 이용할 수 있어야 하고, 변동 없이 유지되어야 한다. 보통 최고경영자가 품질방침에 서명한 후 전자파일 형태로 변환하여 배포한다.

b) 품질방침은 조직 내에서 의사소통되어야 하고, 모든 구성원이 이를 인식할 수 있도록 알려야 한다. 액자나 현수막의 형태로 사내 회의실이나 로비에 게시하는 방법, 지속적으로 교육하여 주지하는 방법, 조직에서 사용하는 인트라넷에 업로드하여 접근할 수 있도록 하는 방법이 있다.

c) 해당되는 경우 품질방침은 관련 이해관계자가 이용할 수 있어야 한다. 문서의 형태로 이해관계자에게 통지하는 방법, 홈페이지에 업로드하여 접근할 수 있도록 하는 방법이 있다. (가장 많이 사용되는 방법)

품질방침은 조직의 비전, 미션, 핵심 가치와 동기화되어야 하고, 조직의 목표(Objectives)와 전략(Strategy) 그리고 핵심 과제(Action Plan)가 도출될 수 있도록 그 내용이 표명되어 있어야 한다. 즉 품질방침은 이 둘의 관계를 이어주는 역할도 한다.

5.3. 조직의 역할, 책임과 권한

최고경영자는 관련된 역할에 대한 책임과 권한이 조직 내에서 부여되고, 의사 소통되며, 이해됨을 보장하여야 한다. 최고경영자는 다음 사항에 대하여 책임과 권한을 부여하여야 한다.

a) 품질경영시스템이 이 표준의 요구사항에 적합함을 보장
b) 프로세스가 의도된 출력을 도출하고 있음을 보장
c) 품질경영시스템의 성과와 개선 기회(10.1 참조)를, 특히 최고경영자에게 보고
d) 조직 전체에서 고객중시에 대한 촉진을 보장
e) 품질경영시스템의 변경이 계획되고 실행되는 경우, 품질경영시스템의 온전성을 보장

최고경영자는 품질경영시스템을 수립하고 운용하기 위한 각 부서의 기능과 역할을 정의하고, 각 부서에 책임과 권한을 부여해야 한다. 이는 전 부서가 각 기능의 역할, 책임과 권한을 이해하고 의사소통하며 상호 협력적인 업무를 수행하기 위함이다. 만약 품질경영시스템의 특정 프로세스 또는 기능이 어느 영역에 속하는지 불분명하다면, 즉 'Gray Zone'이 발생한다면, 이는 최고경영자가 본 조항을 준수하지 못하고 있는 것이다. 보통 조직에서는 절차서 내 RASI(Responsible, Approval, Support, Information) 또는 RACI(Responsible, Accountable, Consulted, Informed) 차트를 통해 조직의 역할, 책임과 권한을 부여한다.

a) 최고경영자는 조직의 품질경영시스템이 본 표준의 요구사항에 기반하여 수립되었는지 그 적합성을 보장해야 한다. 요구사항과의 적합성이 보장되려면 조직의 역할, 책임과 권한이 명확하게 수립되어야 한다.

b) 최고경영자는 프로세스의 의도된 출력을 보장하기 위해 각 부서에 책임과 권한을 부여해야 한다. (설계 및 개발 프로세스: 도면, 시방서, FMEA, 시작품 등)

c) 품질경영시스템의 성과와 개선의 기회는 최고경영자에게 보고되어야 하고, 최고경영자는 이를 주기적으로 모니터링하고 검토, 승인해야 한다. (10.1항)

d) 최고경영자는 조직 전체의 역할, 책임과 권한이 '고객중시'에 초점이 맞추어질 수 있도록 해야 한다. 조직의 품질경영시스템은 고객중시를 기반으로 한다.

e) 품질경영시스템을 운용하는 과정에서 변경이 발생하는 경우, 최고경영자를 비롯한 조직 전체가 품질경영시스템의 '온전성'을 보장해야 한다.

Input	Activity	Output	Team1	Team2	Team3	Team4	Deliverables
Input	Activity	Output	R	A	C	I	Annex1
Input	Activity	Output	A	R	C	I	Annex2
Input	Activity	Output	C	R	A	I	Annex3
Input	Activity	Output	A	C	R	I	Annex4
Input	Activity	Output	A	C	I	R	Annex5
Input	Activity	Output	A	C	R	I	Annex6
Input	Activity	Output	I	R	C	A	Annex7
Input	Activity	Output	R	I	C	A	Annex8
Input	Activity	Output	A	R	C	I	Annex9
Input	Activity	Output	R	A	C	I	Annex10

RASI Chart 예시

5.3.1. 조직의 역할, 책임과 권한 - 보충사항

최고경영자는 고객 요구사항의 만족을 보장하기 위해 고객대리인을 지정하고, 문서화해야 한다. 고객대리인은 내부 구성원이지만 고객 요구사항을 언급할 책임과 권한이 있는 사람이다. 국내 조직에서는 아직 생소한 용어이지만 외국계 조직에서는 'KAM(Key Account Manager)'이라는 별도의 직책을 만들어 중요 고객을 담당한다. KAM은 기존의 영업 부서에서 파생된 또 하나의 기능이다. 최고경영자는 프로젝트 초기 또는 그 이전에 고객 요구사항을 반영할 수 있는 인프라를 조성해야 한다. 그리고 고객대리인이 제품실현 프로세스의 단계별 활동에 참여하도록 독려하면서 고객 요구사항의 반영을 실증해야 한다. 고객대리인은 다음과 같은 역할, 책임과 권한이 있다.

a) 특별 특성의 선정
b) 품질목표 수립
c) 교육훈련 계획
d) 시정 및 예방조치 참여
e) 제품설계 및 개발 참여
f) 물류 정보 공유
g) 고객 스코어카드 및 고객 포탈 접근 권한

5.3.2. 제품 요구사항과 시정 조치에 대한 책임과 권한

최고경영자는 현장에서 품질 문제가 발생한 경우 빠른 시정 조치를 해야 한다. 이를 위해서는 시정 조치에 대한 책임과 권한을 갖는 인원을 현장에 배치해야 한다. 제품의 적합성을 보장하고 고객의 수요에 차질 없이 대응하기 위함이다.

a) 제품의 적합성에 책임이 있는 인원은 시정조치를 위한 라인 중단과 출하 중지의 권한을 갖는다. 만약 품질 문제가 생산 라인에서 발생했다면 라인 정지 명령을 내릴 수 있고, 출하 공정에서 발생했다면 출하 중지 명령을 내릴 수 있다. 보통 이러한 책임과 권한은 공장장이나 품질 총괄 담당자에게 있으므로 이들의 책임과 권한에 해당 직무가 명기되어 있어야 한다.

b) 이러한 책임과 권한을 갖는 인원은 품질 문제 발생 시 해당 정보를 즉시 통보받아야 한다. 따라서 조직은 생산과 출하를 담당하는 작업자부터 임원급까지 신속하게 정보 전달이 될 수 있도록 '신속 보고 체계(Fast Response Tracking Board)'를 수립해야 한다. 신속 보고 체계의 목적은 고객에게 부적합품이 유출되지 않도록 정보를 공유하는 것이다. 정보의 공유는 사전 정의된 Template을 사용하는 것이 좋다.

c) 조직은 모든 현장 교대조에 품질 책임 인원을 배치하여 제품의 적합성을 보장해야 한다. 야간 작업의 경우에도 야간 책임 인원을 배치해야 하고, 교대조마다 품질 정보가 공유될 수 있도록 해야 한다. 대부분의 조직에서는 '품질 정보 게시판'을 운용하고 있으며 여기에는 생산제품, 생산수량, 생산일자, 당직자, 품질 정보, 대응 조치 등의 내용이 포함된다.

정지일자	2023년 00월 00일
정지시간	00:00:00
종료시간	00:00:00
생산라인	조립공정 15라인
생산제품	G80 Head Up Display
정지사유	HUD XXX Wiring connector 결품
작업감독	홍길동 전무(공장장)

라인 정지 명령서 예시

생각해 보기

소시오패스 리더, 소시오패스(Sociopath)는 우리 주변에 흔히 존재한다. 전 인구의 4%가 소시오패스로 25명당 1명꼴인 셈이다. 이들의 가장 큰 특징은 자신의 성공을 위해 수단과 방법을 가리지 않고, 타인을 이용한다는 것이다. 타인을 이용하기 위해 거짓말을 일삼고, 늘 그럴듯한 교과서적인 발상으로 설득을 위한 대화를 한다. 따라서 공감 능력이 없고, 양심의 가책을 느끼지 않는다. 겉으로는 매우 매력적이고 사교적으로 보일 수 있다. 자신의 부족함이 노출되는 것을 꺼려하기 때문에 자신을 잘 위장하기 때문이다. 조직에서는 다음과 같은 특징을 보인다.

a) 부하 직원을 이용하여 상사에게 잘 보이기 위한 일을 한다.
b) 모든 일이 본인 중심이기 때문에 주변 조직과 협업이 안 된다.
c) 공감 능력과 자기성찰 지능이 낮다.

이러한 소시오패스 성향의 리더는 어떻게 대응해야 할까? 상사가 어떤 사람이든 직급이 명확한 대한민국 사회에서 부하 직원은 무조건 상사를 따라야 할까? 최고경영자는 이에 대한 책임을 구성원에게 돌려서는 안 된다. 직장 상사가 누구냐에 따라 구성원의 생각과 직업 가치관이 달라진다. 그만큼 비즈니스에 상당한 영향을 미치기 때문에 공감 능력이 없는 구성원은 실무자로 활용하고, 특정 직책을 맡겨서는 안 된다. 본인 중심의 성향을 가진 소시오패스는 주어진 범위 내에서의 업무 처리 능력이 뛰어나다. 따라서 그 성향에 맞는 업무를 하면 된다. 우리에게 더 필요한 것은 자기성찰 지능이 높은 리더가 아닐까?

기획

조직이 수립한 품질경영시스템의
프레임 내에서 기회와 위험은 처리된다.

6. 기획

6.1. 리스크와 기회를 다루는 조치

6.1.1.

품질경영시스템을 기획할 때, 조직은 4.1의 이슈와 4.2의 요구사항을 고려하여야 하며, 다음 사항을 위하여 다루어야 할 필요성이 있는 리스크와 기회를 정하여야 한다.

a) 품질경영시스템이 의도된 결과를 달성할 수 있음을 보증
b) 바람직한 영향의 증진
c) 바람직하지 않은 영향의 예방 또는 감소
d) 개선의 성취

우리는 4.4항에서 품질경영시스템의 '프레임'을 수립했다. 이제 조직은 어떤 리스크(품질 사고, 안전사고, 법적 문제 등)나 기회(신제품 개발, JD Power 초기품질(IQS), 내구품질(VDS) 상위 등재 등)에 직면했을 때 조직이 수립한 품질경영시스템의 프레임 내에서 이 모두를 처리해야 한다. 어떻게 처리할 것인가? 또, 조직은 각 프로세스별, 기능별, 계층별 품질목표를 수립해야 한다. 그리고 어떻게 고지를 향해 달려갈 것인지 그 전술적 방향성을 결정해야 한다. 이 또한 품질경영시스템의 프레임 내에서 수행되어야 하는데, 어떻게 그 전술적 방향성을 결정할 것인가? 그리고, 조직의 상황에 따라 품질경영시스템의 프레임을 변경해야 하는 경우, 이 또한 품질경영시스템의 프레임 내에서 변경해야 한다. 어떻게 변경할 것인가?

이 3가지 질문에 대한 답은 '기획(Planning)'에 있다. 품질경영시스템을 수립하고, 조직의 목적과 전략적 방향을 실현하기 위한 'How'를 기획하는 것이다. 기획은 1) 리스크와 기회를 다루는 조치, 2) 품질목표와 품질목표 달성 기획, 그리고 3) 변경의 기획으로 구성되어 있다.

먼저 리스크와 기회를 다루는 조치에 대해 살펴보자. 우리는 4.1항에서 조직의 상황과 4.2항에서 이해관계자의 니즈와 기대에 대해 살펴보았다. 그리고 조직의 목적과 전략적 방향에 영향을 주는 내외부의 긍정적, 부정적 요인, 그리고 이해관계자의 니즈와 기대에 대해 분석했다. 그럼 이 요인들은 리스크와 기회 중 어디에 해당할까? 결론부터 말하자면 둘 다에 해당한다. 리스크는 '불확실성의 부정적 영향'이고, 기회는 '불확실성의 긍정적 영향'이다. 따라서 조직은 기획 활동의 일환으로 조직의 비즈니스에 영향을 주는 리스크와 기회를 먼저 파악하고, 분석, 그리고 결정해야 한다. (6.1.1항) 그리고 조직이 수립한 품질경영시스템의 프레임 내에서 이 모두를 처리해야 한다. (6.1.2항) 본 조항의 핵심은 그렇게 되도록 기획하는 것이다. (4.1항, 4.2항, 6.1.1항, 6.1.2항, 4.4항 순으로 연계 수립)

a) 우리가 리스크와 기회를 결정하는 이유는 품질경영시스템의 의도된 결과인 제품과 서비스를 보장하기 위함이다. 본 조항에서 가장 기본적인 요구사항을 전달하는 것이다.

b) 먼저 기회를 결정하는 이유는 '바람직한 영향의 증진', 즉 기회를 최대한 살리기 위함이다. 조직의 강점을 살려 신제품을 조기에 출시하여 시장을 선점(Dominant Design)하는 등의 결정을 내릴 수 있다.

c) 이와 반대로 리스크를 결정하는 이유는 '바람직하지 않은 영향의 예방 또는 감소', 즉 리스크를 최대한 줄이기 위함이다. 리스크인 잠재적 품질 문제를 사전에 결정하여 원인을 제거하거나 관리를 강화하는 등의 조치를 취할 수 있다.

d) 이렇게 기회는 늘리고, 리스크는 줄임으로써 품질경영시스템의 개선을 성취할 수 있다. 이에 대한 전술적 방향은 4.1항 SWOT 분석과 연계해야 한다.

이미 많은 조직에서는 공급망의 리스크와 기회를 전산 시스템을 통해 관리하고 있다. 바로 'GRC(Governance, Risk, Compliance)'라는 개념을 도입한 것이다. Governance는 조직의 전략적 방향에 부합하는 품질경영시스템의 프레임(지배구조)을 말한다. Governance를 통해 비즈니스 활동에서 요구되는 각종 관리 항목을 정의하고 이를 확인하는 것이다. Risk는 비즈니스 활동에서 발생할 수 있는 각종 리스크의 식별, 분류, 평가, 결정, 대응되는 일련의 프로세스를 말한다. 마지막으로 Compliance는 비즈니스와 관련된 각종 법규, 규제적 요구사항의 준수를 의미한다.

6.1.2.

조직은 다음 사항을 기획하여야 한다.

a) 리스크와 기회를 다루기 위한 조치
b) 다음 사항에 대한 방법:
1) 조치를 품질경영시스템의 프로세스에 통합하고 실행(4.4 참조)
2) 이러한 조치의 효과성 평가

리스크와 기회를 다루기 위하여 취해진 조치는, 제품 및 서비스의 적합성에 미치는 잠재적 영향에 상응하여야 한다.

비고 1: 리스크를 다루기 위한 선택사항에는 리스크 회피, 기회를 잡기 위한 리스크 감수, 리스크 요인 제거, 발생가능성 또는 결과의 변경, 리스크 공유 또는 정보에 근거한 의사결정에 의한 리스크 유지가 포함될 수 있다.

비고 2: 기회는 새로운 실행방안의 채택, 신제품 출시, 새로운 시장 개척, 신규 고객 창출, 파트너십 구축, 신기술 활용, 그리고 조직 또는 고객의 니즈를 다루기 위한 그 밖의 바람직하고 실행 가능한 방안으로 이어질 수 있다.

조직은 비즈니스 활동을 하면서 수많은 리스크와 기회에 부딪히게 된다. 따라서 기획 활동의 일환으로 조직의 비즈니스에 영향을 주는 리스크와 기회를 먼저 파악하고, 분석, 그리고 결정한 것이다. 이것이 우리가 6.1.1항에서 살펴본 내용이다. 이제 조직의 전략적 방향에 문제가 발생하지 않도록 리스크는 줄이고 기회는 늘리는 조치를 해야 한다. 필자의 경우, 다음 표와 같이 SWOT 분석을 활용하여 전략적 방향을 먼저 수립했다. 그리고 각 항목별 리스크와 기회가 발생하면 전략적 방향에 따라 실행 과제를 수행했다. 예를 들어 신규 비즈니스는 수용 전략을 세웠고, 실제 신규 비즈니스 발생 시 영업 프로세스에 따라 세부 과제를 수행했다.

a) 리스크와 기회를 다루기 위한 조치는 리스크와 기회를 종합적으로 분석, 평가한 후 리스크는 줄이거나 없애고, 기회는 살려 성장의 발판으로 활용될 수 있도록 대응 계획을 수립하는 것이다. 예를 들어 각 내외부 이슈의 발생도와 심각도 또는 우선순위와 관련성을 Matrix 형태로 평가하여 평가 테이블에 따라 대응 계획을 수립하는 것이다.

b) 조직은 품질경영시스템의 각 프로세스(4.4항)에 대해 리스크와 기회를 식별하고, 평가

그리고 대응 계획을 수립해야 한다. 또 경영검토와 연계하여 조치에 대한 효과성이 평가되어야 한다.

4.1 조직과 조직의 상황을 이해	조직의 목적(비전, 미션, 가치) 수립
5.2.1 품질방침의 수립	품질 방침 수립
6.2 품질목표와 품질목표 달성 기획	품질 목표 수립
4.1 조직과 조직의 상황을 이해	조직의 전략적 방향과 관련된 내외부 이슈 파악
4.2 이해관계자의 니즈와 기대를 이해	이해관계자의 니즈와 기대 파악
6.1.1	SWOT: 리스크와 기회 파악, 분석, 결정
6.1.2	SWOT: 리스크와 기회 조치, 효과성 평가

각 조항 간의 연계성

6.1.2.1. 리스크 분석

본 조항에서는 리스크 분석 대상을 명확하게 언급하고 있다. 조직은 적어도 하기의 항목에서 리스크를 식별하고, 평가, 그리고 대응 계획을 수립해야 한다. 리스크는 사전 예방 측면에서 분석되어야 한다. 예를 들어 과거에 '제품 리콜(Product recalls)' 문제가 발생하여 개선한 이력이 있다면 이는 조직의 'Lessons Learned'에 반영되었을 것이다.

과거에 발생한 품질 문제가 개선되었다고 하더라도 '재발'이라는 리스크는 존재한다. 제품 리콜 시 조직의 한 공정에서 오사양 부품을 사용한 것이 원인이었거나 향후 오사양 부품을 사용할 잠재적 가능성이 있다면 오사양 부품의 적용을 차단하는 대응 계획이 수립되고 평소 관리되어야 한다. 하기의 범주 내에서 대부분의 리스크가 식별되기 때문에 조직은 리스크 분석을 통한 대응 계획과 관리 항목을 수립해야 한다.

a) 제품 리콜(Product recalls)
b) 제품 심사(Product audits)
c) 필드 반송 및 수리(Field returns and repairs)
d) 불만사항(Complaints)
e) 폐기(Scrap)
f) 재작업(Rework)

6.1.2.2. 예방 조치

조직은 잠재적 부적합의 원인을 제거하기 위해 필요한 조치 사항을 정의하고 실행해야 한다. 다시 말해 잠재적 리스크의 원인 제거를 위한 예방 활동을 수립해야 한다. 아래의 내용을 보는 순간 'FMEA(Failure Mode and Effect Analysis)' 방법론임을 알아차린 독자들도 있을 것이다. 리스크 관리를 한다는 것은 결국 사후에 발생할지 모르는 사고를 예방하는 것이다. 조직에서 사용하는 예방 활동을 위한 방법론 중 FMEA는 가장 보편적으로 사용하는 툴이기 때문에 반드시 숙지해야 한다.

a) 잠재적 품질 문제와 그 원인이 사전에 파악되어야 한다.
b) 각 품질 문제에 대한 예방조치의 필요성이 평가되어야 한다.
c) 예방조치가 결정되고 실행되어야 한다.
d) 실행된 예방조치는 문서화되어야 한다.
e) 예방조치의 효과성은 검토되어야 한다.
f) 효과가 있다면 Lessons Learned에 반영되어야 한다.

6.1.2.3. 비상 계획

조직의 생산라인에 화재가 발생했다고 하자. 당장 고객의 주문 수량을 만족시킬 수 없는 경우라면 고객의 생산 라인은 정지될 것이다. 그리고 조직은 비즈니스의 연속성을 보장할 수 없는 상황에서 상당한 경제적 손실을 부담하게 될 것이다. 이에 국제표준화기구에서는 지난 2001년 발생한 911 테러와 각종 자연재해의 위험이 대두되면서 '사회안전' 분야의 국제 표준인 'ISO 22301 비즈니스 연속성 경영시스템'을 제정했다.

조직의 비즈니스 연속성 경영시스템의 매뉴얼에는 발생 가능한 모든 리스크와 대응조치 그리고 시나리오 등이 포함되어야 한다. 또 비상 상황 해제 후 생산, 공급된 제품이 고객 요구사항(시방서)의 충족 여부를 확인하는 검증 프로세스(타당성 확인)가 포함되어야 한다. ISO 22301의 수립은 의무 사항은 아니다.

a) 고객 요구사항을 충족하는 제품과 서비스 생산이 유지될 수 있도록 제조 공정, 기반 시설, 설비에 대한 리스크가 파악되고 평가되어야 한다. (Plan)

b) 파악되고 평가된 리스크를 바탕으로 비상 계획이 수립되어야 한다. 비상 계획은 모의 훈련이 가능한 형태로 각 기능의 역할이 분명하게 수립되어야 한다. (Plan)

c) 조직은 다음 상황에 대비하여 비상 계획을 수립해야 한다.
> 주요 장비 고장(8.5.6.1항 참조)
> 외부에서 공급되는 제품, 프로세스, 서비스 중단(부품 납품 지연)
> 자연재해(태풍, 산사태, 질병, 홍수, 지진)
> 화재, 유틸리티 중단(전기, 수도, 통신)
> 노동력 부족(이직, 질병, 장기휴가)
> 기반 시설 붕괴

d) 심각도, 복구 기간에 대해 이해관계자에게 통지하기 위한 프로세스가 수립되어야 한다. 특히 고객에게 통지할 경우 보유 재고량, 대체 설비, 4M 변경, 정상화 활동 등의 내용을 포함해야 고객의 생산 일정 또한 조정이 가능할 것이다. (Plan)

e) 비상 계획의 효과성을 확인하기 위해 주기적으로 시험하고 평가해야 한다. 비상 상황에 대비하기 위한 모의 훈련을 말한다. 평소의 소방 훈련이 여기에 해당한다. (Do)

f) 최고경영자를 포함한 전문 분야 협력팀(MDT)은 최소 연 1회 이상 비상 계획을 검토하고 갱신해야 한다. 비상 계획이 최적화되어 있지 않으면 모의 훈련 시 효과성이 떨어진다. 경영검토 항목에 이를 추가하면 될 것이다. (Check, Action)

g) 비상 계획과 관련된 모든 PDCA 활동과 개정 내용은 권한이 부여된 인원을 포함하여 문서화된 정보로 보유되어야 한다. (Action)

6.2. 품질목표와 품질목표 달성 기획

6.2.1.

조직은 품질경영시스템에 필요한 관련 기능, 계층 및 프로세스에서 품질목표를 수립하여야 한다. 품질목표는 다음과 같아야 한다.

a) 품질방침과 일관성이 있어야 함
b) 측정 가능해야 함
c) 적용되는 요구사항이 반영되어야 함
d) 제품 및 서비스의 적합성과 고객만족의 증진과 관련되어야 함
e) 모니터링되어야 함
f) 의사소통되어야 함
g) 필요에 따라 갱신되어야 함

조직은 품질목표에 관하여 문서화된 정보를 유지하여야 한다.

최고경영자의 참여로 품질방침을 수립했다면 다음은 각 기능, 계층, 프로세스에서 '품질목표'를 수립해야 한다. 품질목표의 수립은 'SMART'라는 방법론을 사용하기도 하는데, 최소 다음의 요구사항이 충족되어야 한다.

a) 품질방침과 품질목표는 '일관성'이 있어야 한다. 만약 품질방침이 최고 품질이라면 품질목표는 비용, PPM, 수율, Cpk/Ppk 등으로 수립되어야 한다.

b) 측정 가능해야 한다는 것은 수치로 표현할 수 있어야 한다는 것이다. 예를 들어 품질목표는 고객 만족도 90% 이상, 공정 불량률 0.03% 미만, 필드 불량 10건 이하 등으로 표현되어야 하고, 미흡, 양호, 우수 등과 같은 추상적인 표현은 지양해야 한다.

Specific	구체적이어야 함
Measurable	측정 가능해야 함
Attainable	달성 가능해야 함 또는 행동 지향적이어야 함
Relevant or Realistic	관련된 것이어야 함 또는 현실적이어야 함
Time-bound	시간 제한이 있어야 함

SMART 목표 수립 방법론

c) 여기서 요구사항이란 고객, 이해관계자, 법적, 규제적 요구사항을 말한다. 예를 들어 고객과 체결된 품질 협정서에는 대부분 Ppk 1.67 이상의 제품 품질을 요구하고 있다. 그러나 조직이 이를 무시하고 Ppk 1.33 이상으로 품질 목표를 수립했다면 부적합하다고 본다.

d) 품질목표는 제품과 서비스의 적합성과 고객 만족도가 지속적으로 개선(증진)되는 방향으로 수립되어야 한다. 만약 전년도 공정 불량률이 0.5%였다면 올해의 품질목표는 0.5% 이하로 수립하여, 이를 달성할 수 있도록 지원하고 촉구해야 한다.

e) 여기서 모니터링의 활동에는 측정과 평가가 포함된다. 지속적으로 제품의 치수, 성능, 함유량 등을 검사해 품질의 이상 유무가 확인되어야 한다.

f) 조직의 품질목표와 모니터링 현황은 모든 부서에 공유되어야 부서 간의 협업과 의사소통이 촉진될 수 있다. 물론 모든 이해관계자에게 공유되어야 하는 것은 아니다.

g) 품질목표는 일반적으로 연간 목표로 수립한다. 조직은 월간, 분기, 반기 단위로 이를 점검하며 품질목표가 달성되어 가는 과정을 모니터링하고 분석, 필요시 갱신해야 한다.

6.2.2.

품질목표를 달성하는 방법을 기획할 때, 조직은 다음 사항을 정하여야 한다.

a) 달성 대상
b) 필요 자원
c) 책임자
d) 완료 시기
e) 결과 평가 방법

품질목표를 수립했다면 이제 어떻게 달성할 것인가를 고민해야 한다. 품질목표를 수립하고 달성하기 위해서는 명확한 달성 전략이 선행되어야 한다. 이때 실행 가능한 대상, 자원, 담당자, 기간, 평가 방법(GYR) 등을 명료하게 설정해야만 달성 가능성이 높아진다.

사실 대부분의 조직에서는 필요 자원을 제외한 나머지 항목을 조직의 성과지표 매트릭스나 Action Plan에 포함하여 관리한다. 매우 흔하게 쓰이는 방법론일 수 있으나 익숙하지 않다면 '필요 자원'을 포함하여 수립하길 바란다.

6.2.2.1. 품질목표와 품질목표 달성 기획 - 보충사항

품질목표의 수립을 최고경영자가 하도록 명시하고 있다. 고객 요구사항을 충족하기 위한 품질목표는 모든 관련 기능, 프로세스, 계층에서 정의하고 수립, 그리고 유지해야 한다. 또한 품질목표의 검토 결과는 조직이 새로운 연간 품질목표를 수립할 때 고려되어야 한다.

6.3. 변경의 기획

조직이 품질경영시스템의 변경이 필요하다고 정한 경우, 변경은 계획적인 방식으로 수행되어야 한다(4.4 참조). 조직은 다음 사항을 고려하여야 한다.

a) 변경의 목적과 잠재적 결과
b) 품질경영시스템의 온전성
c) 자원의 가용성
d) 책임과 권한의 부여 또는 재부여

품질경영시스템의 변경은 조직이 수립한 프로세스를 변경하는 것이다. 내외부 조직의 변화, 이해관계자의 추가적인 요구, 제품과 서비스의 변경 등으로 인해 현재 운용 중인 품질경영시스템을 변경해야 하는 상황이 발생할 수 있다. 변경은 계획적인 방식으로 수행되어야 한다. 따라서 본 요구사항을 고려한 결과를 가지고, 4.4항을 실행해야 한다. 예를 들어 필드에서 품질 문제가 끊임없이 발생하거나, 고객의 추가적인 요구로 인해 조직의 부적합품 처리 프로세스를 변경해야 한다면, 조직은 하기 항목을 고려하여 프로세스의 변경을 기획하고 4.4항 부적합품 처리 프로세스를 개정해야 한다.

a) 표준에 기반한 품질경영시스템의 변경은 그 목적에 타당해야 한다. 아울러 그 변경이 가져올 기대되는 결과(효율성 및 효과성) 또한 고려되어야 한다.

b) 변경 시에도 품질경영시스템의 요구사항에 대한 온전성이 보장되어야 한다.

c) 변경 시에도 품질경영시스템을 운용하기 위한 자원의 가용성이 보장되어야 한다.

d) 품질경영시스템의 변경은 프로세스의 변경이다. 필요에 따라서는 프로세스에 대한 책임과 권한이 다른 부서로 적절하게 이양되어야 한다. 즉 혼란이 발생되어서는 안된다.

생각해 보기

직장인의 핵심역량, 기획력이란 어떤 일을 수행하기 위해서 최고의 효과를 얻도록 계획하는 능력을 말한다. 이는 위계적인 측면에서 정의한 것이다. 예를 들어 조직이 어떤 행사를 준비해야 한다면 500인치 스크린은 중앙에 설치하고, 의자는 귀빈석을 포함해 정방향으로 배치하고, 푸드 트럭은 동쪽에 배치하는 등의 큰 그림을 그릴 수 있을 것이다. 누군가 왜 이런 그림을 그렸는지 묻는다면 '행사의 최고 효과를 내기 위해서'라고 대답할 수 있어야 한다. 이것이 '기획(Planning)'이다. 즉 기획은 'Why'로 시작해서 What과 How로 끝나야 한다. 이제 A 부서에서는 2023년 12월 24일 오후 4시까지 500인치 스크린을 중앙에 설치하고, B 부서에서는 동일 오후 2시까지 의자와 푸드 트럭을 배치하는 등의 세부 활동을 수립해야 한다. 이것이 '계획(Plan)'이다. 만약 기획이 선행되지 않는다면 이런 세부 활동의 '성격'이 조직의 행사와 동떨어질 수 있다. 즉 기획(Why) 없는 계획(What)은 미흡하기 마련이다.

직장인의 핵심역량 중 하나는 기획력이다. 4항에서 살펴본 조직의 VMOSA는 '사업기획' 또는 '전략기획' 중 하나이다. 최고경영자를 포함한 임원진은 이를 기반으로 전 부서에 가지를 뻗어가며 의사소통해야 하고, 각 부서장은 이에 기여하기 위한 또 다른 전략을 기획해야 한다. 즉 각 부서에서 도출된 기획이 꼬리에 꼬리를 물어가며 형성한 것이 조직의 사업기획 또는 전략기획이고 그것이 조직이 나아가야 할 방향이다. 이를 위해서는 창의력, 분석력, 논리력, 설득력, 그리고 전문가 수준의 자료를 만드는 능력까지 매우 다양한 역량이 요구된다. 이러한 역량이 부족한 구성원은 '왜(Why)'보다는 '무엇(What)'에서 일을 시작하기 때문에 조직의 목적과 전략적 방향에서 동떨어져 일을 한다. 시대의 흐름을 판단하는 거시적인 안목, 그것이 비즈니스의 연속성을 보장하는 역량이 아닐까?

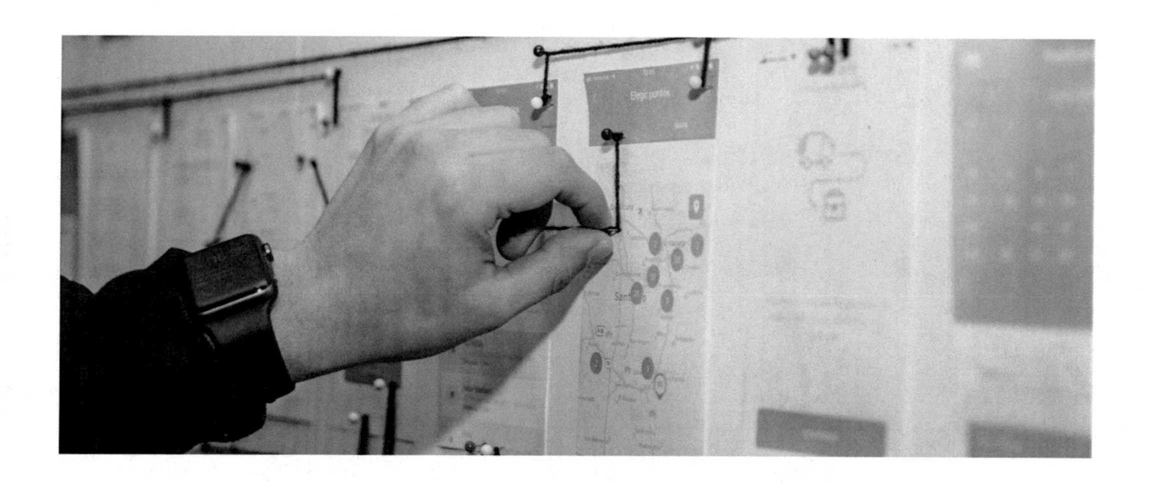

Chapter 07

QUALITY MANAGEMENT SYSTEM

지원

프로세스 운용에 필요한
지원 항목이 무엇인지 파악되어야 한다.

7. 지원

7.1. 자원

7.1.1. 일반사항

조직은 품질경영시스템의 수립, 실행, 유지 및 지속적 개선에 필요한 자원을 정하고 제공하여야 한다. 조직은 다음 사항을 고려하여야 한다.

a) 기존 내부자원의 능력(Capabilities)과 제약사항
b) 외부공급자로부터 획득할 필요가 있는 것

조직은 4.4.1항에서 품질경영시스템의 수립, 실행, 유지, 그리고 지속적 개선에 필요한 일련의 프로세스를 결정했다. 결정된 프로세스를 운용하기 위해서는 필요한 자원이 결정되고 자원의 가용성이 보장되어야 한다. 이는 4.4.2항에서 문서화된 정보로 유지되고 실행의 증거로 보유되어야 한다. 6.2.2항에서는 품질목표를 달성하기 위해 필요한 자원을 결정했고, 6.3항에서는 품질경영시스템 변경 시 자원의 가용성을 고려했다. 7항에서는 4.4.1항, 6.2.2항, 6.3항과 연계하여 프로세스 운용에 필요한 구체적인 자원과 이를 위해 고려되어야 하는 요구사항 대해 하나씩 살펴볼 것이다. (4.4.1항, 6.2.2항, 6.3항에 7항의 요구사항 투입)

a) 자원의 능력은 양적능력(Capacity)과 질적능력(Capability)으로 구분한다. 양적능력은 쉽게 말해 작업자, 생산설비, 시험설비 등이 처리할 수 있는 양(수용력)을, 질적능력은 어려운 무엇인가를 할 수 있는 능력을 말한다. 공정능력, 수율, 불량률 등이 여기에 해당한다. 일부에서는 Capability를 Capacity의 상위 수준으로 보는 경우도 있다. 이는 Capacity가 먼저 충족된 후 Competency가 더해져 Capability가 완성된다는 의미에서이다. (Capacity + Competency = Capability) 조직은 모든 인적, 물적, 재정적 자원 그리고 정보의 능력을 분석하고, 이 능력을 활용하는 데 제약사항이 있는지 확인해야 한다. 고객과의 신규 비즈니스 계약 시 타당성 검토를 위해 자원 분석 결과가 요구된다. 이는 고객의 수요를 충족시킬 수 있는지 그 능력을 확인하기 위한 것으로 보통 프로젝트 수행 전 검토된다.

b) 제약사항이 있다면 신규 투자를 하거나 외부 자원을 활용해야 한다. 예를 들어 제조공정 내 검사 공정이 없다면 외부 자원을 활용하여 운용해야 한다. 외부 자원은 고객이나 협력사에 의해 제공되어 그들의 자산이 될 수 있다.

7.1.2. 인원

조직은 품질경영시스템의 효과적인 실행, 그리고 프로세스의 운용과 관리에 필요한 인원을 정하고 제공하여야 한다. <산업표준심의회, KS ISO 9000: 2015 2.2.5.2 인원: 품질방침과 조직이 원하는 결과에 대한 공통의 이해를 통하여 인원이 조직 내에서 적극참여하게 되고 한 방향으로 정렬된다.>

조직은 7.1.1항 일반사항과 연계하여 품질경영시스템의 효과적인 실행, 프로세스의 운용과 관리에 필요한 인적자원을 결정하고, 제공해야 한다. 이를 위해서는 인적자원의 '직무기술서(Job description)'와 '직무명세서(Job specification)'가 먼저 수립되어야 한다. 직무기술서는 해당 직무의 명칭, 위치, 내용, 보고라인, 절차 등을 명기한 문서이고, 직무명세서는 해당 직무를 수행하기 위한 교육 수준, 지식, 경험, 성격 등을 명기한 문서를 말한다.

조직은 이를 토대로 이들의 양적능력(Capacity)과 질적능력(Capability)을 보장하기 위해 직무역량평가(Job competency evaluation)를 수행해야 한다. 평가 결과에 따라 인적자원의 신규 투자나 외부 자원의 활용 여부가 결정될 것이다.

직무기술서(Job description)	직무명세서(Job specification)
Job title, job location, job summary, reporting to, working conditions, job duties, machines to be used, hazards...	Qualifications, experience, training, skills, reponsibilities, emotional characteristics, sensory demands, education...

직무기술서(Job description)와 직무명세서(Job specification)

7.1.3. 기반구조

조직은 프로세스의 운용에 필요한, 그리고 제품 및 서비스의 적합성 달성에 필요한 기반구조를 결정, 제공 및 유지하여야 한다.

비고: 기반구조에는 다음이 포함될 수 있다.

a) 건물 및 연관된 유틸리티
b) 장비(하드웨어, 소프트웨어 포함)
c) 운송자원
d) 정보통신 기술

앞서 조직은 각 프로세스 운용에 필요한 인적자원을 결정하고, 제공했다. 이제 인적자원과 더불어 제품과 서비스의 적합성 달성에 필요한 기반구조, 즉 물적자원을 결정하고 제공, 그리고 유지해야 한다. 먼저 물적자원 중 다음의 혼란스러운 용어에 대해 짚고 넘어가야 한다. ISO 9000에서는 다음의 용어에 대해 정의하지 않았기 때문에 영어가 모국어가 아닌 국가에서는 다소 혼란스러울 것이다. a)에서 언급한 유틸리티는 전기, 통신, 공조, 보일러 등의 지원 설비를 말하고, b)에서 언급한 장비는 생산, 검사, 측정, 시험 등에 필요한 Equipment를 말한다.

a) 건물 및 유틸리티
> 건물: 공장, 창고, 사무실, 회의실, 시험실, 화장실, 휴게실 등
> 유틸리티: 전기, 통신, 공조, 보일러, 폐수, 가스 등

b) 장비: 생산, 검사, 측정, 시험 등에 필요한 장비, 하드웨어, 소프트웨어
> PC, 통계 분석, 스마트 팩토리, 자동화 설비 등

c) 운송자원: 승용차, 화물차, 지게차, 크레인, 손수레 등
d) 정보통신 기술: 전화, 팩스, 인터넷 등

Facility	건물, 유틸리티, 장비 등의 집합체(제조시설, 기반시설, 편의시설)
Utility	전기, 통신, 공조, 보일러, 폐수, 가스 등의 유틸리티 설비(지원설비)
Equipment	생산, 검사, 측정, 시험 등에 필요한 장비, 하드웨어, 소프트웨어
Tool	생산, 검,사, 측정, 시험 등에 필요한 도구

Facility, Utility, Equipment, Tool 용어 정의

7.1.3.1. 공장, 시설 및 장비 기획

조직은 연구, 생산, 물류, 품질 활동 등에 필요한 공장과 시설을 설계할 경우 다음 사항을 고려해야 한다. 조직은 7.1.3항 기반구조의 연장선상으로 공장, 시설, 장비의 '작업 계획서'를 개발하고 개선하기 위해 'MDT(Multidisiplinary Team)' 접근법을 활용해야 한다. 작업 계획서란 공장, 시설, 장비를 누가, 언제, 무엇을 이용해, 어떻게 구축할지를 상세하게 명기한 문서를 말한다. 작업 계획서에는 작업 과정에서 발생할 수 있는 잠재적 리스크의 식별과 완화 방법이 포함된 작업 개요, 제원, 레이아웃, 계획도 등이 포함되어야 한다. 공장, 시설, 장비의 기획은 AIAG 사전제품품질기획(APQP)에서도 요구하는 사항이니 조직의 상황(Area 비용 등)을 고려하여 수립하길 바란다. 조직은 공장의 레이아웃 설계 시 다음 사항을 고려해야 한다.

a) 자재의 흐름, 취급 그리고 부적합품 관리를 포함한 작업공간의 부가가치적 활용을 최적화해야 한다. 예를 들어 창고에서 불출된 자재는 사전 정의된 경로를 따라 생산 라인으로 이동하고, 작업장에 투입된 자재는 작업자의 손길을 따라 반제품이나 완제품으로 만들어진다. 생산 중 부적합품이 발생하게 되면 별도의 부적합품 처리 구역으로 이동하여 재발방지를 위한 분석이 진행된다. 조직은 일련의 작업공간에서 '부가가치적' 생산 활동이 이루어지도록 그 환경을 최적화해야 한다.

b) 해당하는 경우 동기화된 자재 흐름(Synchronous material flow)을 보장해야 한다. 동기화된 자재 흐름이란 조직의 공급사슬(Supply Chain) 내에서 조직과 협력사의 프로세스를 통합하여 자재, 서비스, 정보, 재무의 흐름이 원활하게 순환되도록 하는 것을 말한다. 흔히 전사적 자원 관리(ERP, Enterprise Resource Planning)라는 시스템을 사용하는 데 대표적으로는 SAP, Oracle, Microsoft, Infor 등이 있다.

조직은 신제품 또는 신공정의 제조 타당성을 평가하기 위해 해당 방법론(Feasibility Study, Feasibility Commitment 등)을 개발해야 한다. 여기에는 생산능력 기획(Production Capability Planning)이 포함되어야 하는데, 보통 고객의 주문량 대비 130% 이상의 생산능력이 요구된다. 이는 투입되는 전 자재가 조립되어 100% 양품으로 나올 수 없는 위험 때문이다. 또 공정의 변경 시에도 동일 조건이 유지될 수 있도록 제조 타당성 평가가 수행되어야 한다. 공정의 변경은 프로세스의 승인(추가 요구), 관리계획서의 보수(8.5.1.1항), 작업 셋업 검증(8.5.1.3항) 시 발생할 수 있다. 변경 사항은 공정에 통합 적용되고, 그 효과성이 지속해서 유지될 수 있도록 주기적으로 재평가되어야 한다. (평가 결과 경영검토의 입력사항에 포함)

공장, 시설 및 장비의 기획에는 '린 제조(Lean majufacturing) 원칙'이 포함되어야 한다. 린 제조 원칙이란 공정의 각 단계에서 낭비요소를 제거하여 리드 타임을 줄이고, 최고의 품질과 최저 비용을 추구하는 생산방식을 말한다. 또 앞서 설명한 요구사항은 협력사의 활동에도 적용될 수 있다.

7.1.4. 프로세스 운용 환경

조직은 프로세스 운용에 필요한, 그리고 제품 및 서비스의 적합성 달성에 필요한 환경을 결정, 제공 및 유지하여야 한다.

비고: 적절한 환경은, 다음과 같이 인적 요인과 물리적 요인의 조합이 될 수 있다.

a) 사회적(예: 비차별, 평온, 비대립)
b) 심리적(예: 스트레스 완화, 극심한 피로예방, 정서적 보호)
c) 물리적(예: 온도, 열, 습도, 밝기, 공기흐름, 위생, 소음)

이러한 요인은 제공되는 제품 및 서비스에 따라 상당히 달라질 수 있다.

인원과 기반구조가 결정되고, 제공되었다면 이제 조직은 최적화된 작업 환경을 결정하고, 제공, 그리고 유지해야 한다. 조직은 프로세스 운용과 제품과 서비스의 적합성을 달성하기 위해 작업 환경을 여러 측면에서 검토하고, 적절한 관리 파라미터를 결정해야 한다. 보통 조직에서는 온도, 습도, 조도 등의 물리적 요소에 집중하지만 사람과 관련된 사회적, 심리적 요소 또한 작업 환경에서 중요한 역할을 한다. 이러한 작업 환경을 조성하는 이유는 작업환경에서 발생할 수 있는 유해한 요소들을 제거하여 각종 사고를 조기에 예방할 수 있고, 쾌적한 작업 환경은 일의 능률을 높여 생산성을 증가시키기 때문이다. 작업 환경은 제품과 서비스에서 발생할 수 있는 변동(Variance)을 예방하기 위한 것으로 사회적, 심리적, 물리적인 요소가 관리되어야 한다.

7.1.4.1. 프로세스 운용 환경 - 보충사항

조직은 제품과 제조 공정의 요구사항과 현장의 프로세스 운용 환경과의 적합성이 보장되도록 정돈(Order), 청결(Cleanliness), 수리(Repair) 상태를 유지해야 한다. 만약 조직의 제품이 보관과 취급 환경(온도, 습도, 직사광선, 통풍, 이물, 적재, 용기, 정전기 등)에 영향을 받는다면 시간이 지남에 따라 열화(Deterioration)되어 성능이 저하될 수 있다. 따라서 조직은 각 제품과 자재의 특성을 고려하여 최적의 프로세스 운용 환경을 조성해야 한다.

청정도가 요구되는 반도체, 전자부품, 점착제, 약품, 식품 등의 산업에서는 Clean room(클린룸) 환경을 조성하여 1m³ 내 0.1㎛ 이상의 입자(Dust)가 얼마나 포함되어 있는지에 따라 'Class' 관리를 하고 있다. 일반적으로는 '3정 5S'라는 방법론을 통해 프로세스 운용 환경을 조성한다. 3정은 정품(Fixed item), 정량(Fixed quantity), 정위치(Fixed location)를 말하고 2S인 Set in order(정돈)에 속한다.

a) 1S Sort(정리): 필요한 것과 불필요한 것을 구분
b) 2S Set in order(정돈): 필요한 것을 3정 Concept으로 관리
c) 3S Shine(청소): 더러움을 없애는 활동(청소)
d) 4S Standardize(청결): 정리, 정돈, 청소 상태를 지속적으로 유지
e) 5S Sustain(유지): 내부 기준에 따라 지속적으로 5S 활동 실시

ISO Class	0.1㎛	0.2㎛	0.3㎛	0.5㎛	1㎛	5㎛
Class1	10	2				
Class2	100	24	10	4		
Class3	1000	237	102	35	8	
Class4	10000	2370	1020	352	83	
Class5	100000	23700	10200	3520	832	29
Class6	1000000	237000	102000	35200	8320	293
Class7				352000	83200	2930
Class8				3520000	832000	29300
Class9				35200000	8320000	293000

ISO 14644-1 Clean room classification

7.1.5. 모니터링 자원과 측정 자원

7.1.5.1. 일반사항

제품 및 서비스가 요구사항에 대하여 적합한지를 검증하기 위하여 모니터링 또는 측정이 활용되는 경우, 조직은 유효하고 신뢰할 수 있는 결과를 보장하기 위하여 필요한 자원을 정하고 제공하여야 한다. 조직은 제공되는 자원이 다음과 같음을 보장하여야 한다.

a) 수행되는 특정 유형의 모니터링과 측정 활동에 적절함
b) 자원의 목적에 지속적으로 적합함(Fitness)을 보장하도록 유지됨

조직은 모니터링 자원과 측정 자원의 목적에 적합하다는 증거로, 문서화된 정보를 보유하여야 한다.

조직이 공급하는 제품과 서비스의 적합성을 검증하기 위해 모니터링과 측정 활동은 필수이다. 모니터링은 '사물이나 현상을 관찰하는 행위'이고, 측정은 '사물의 양(크기)을 확인하기 위해 데이터를 얻는 행위'이다. 제품과 서비스의 적합성을 검증하려면 '신뢰성 있는 측정'을 해야 한다. 측정에 필요한 측정자와 측정기기의 신뢰성을 확보하지 않으면 이를 통해 얻은 데이터(결과) 또한 신뢰 할 수 없다. 따라서 조직은 MSA(Measurement System Analysis, 측정시스템분석) 활동을 필수적으로 해야하고, 그 결과 또한 문서화된 정보로 보유해야 한다. (AIAG MSA 매뉴얼 4판 참조)

a) 조직은 모니터링과 측정 활동에 적합한 자원(측정기기, 측정자)을 사용해야 한다. 예를 들어 제품의 도면에 명기된 길이를 측정하기 위해서는 판별력(Discrimination, 측정기기가 읽을 수 있는 최소 단위)이 보장된 Digital Vernier Calipers나 더 정밀한 측정기기를 사용해야 한다. (인정 분야의 세부 분류: 길이 및 관련량, 2. 질량 및 관련량, 3. 시간 및 주파수, 4. 전기, 자기/전자파, 5. 온도 및 습도, 6. 음향 및 진동, 7. 광량, 8. 전리방사선, 9. 물질량 참고)

b) 동일한 부품에 대해 수년 전과 현재의 측정 결과가 다를 수 있다. 이는 측정기기의 기능과 성능이 사용 환경과 빈도 그리고 보관 환경에 따라 점차 떨어지기 때문이다. 조직은 주기적인 교정(Calibration) 활동을 통해 측정기기의 상태를 확인해야 한다. 특히 교정 성적서의 보정값과 측정불확도(Uncertainty)의 추이를 별도의 시트를 통해 관리해야 하고 이상 발생 시 즉시 사용을 중단해야 한다. 교정 대상의 측정기기와 주기는 한국인정기구에서 배포한 '교정대상 및 주기 설정을 위한 지침'을 참고하기를 바란다.

7.1.5.1.1. 측정시스템분석

데이터는 '측정자'가 '측정기기'를 가지고 특정 '대상'을 측정한 결과이다. 그렇기 때문에 데이터에는 측정자에 의한 변동, 측정기기에 의한 변동 그리고 대상에 의한 변동이 모두 포함된다. 이 데이터를 분석에 사용하기 위해서는 믿을 만하다는 신뢰성이 보장되어야 한다. 따라서 조직은 측정자, 측정기기를 포함한 측정시스템의 변동을 이해하고, 변동의 수준(10%~30%)을 허용할 것인지, 허용하지 않을 것인지를 결정해야 한다. 이처럼 측정시스템의 변동을 이해하는 것이 '측정시스템분석'이다. 측정시스템분석은 측정시스템의 정확도와 정밀도를 종합적으로 평가하는 방법론이다. 측정오차에 의한 데이터의 변동을 원하는 수준(조직이 결정)으로 개선하고 관리하기 위해 실시한다.

많은 조직에서는 '교정(Calibration)' 활동을 통해 측정기기의 정확도를 보장한다. 교정은 조직의 측정기기를 상위 표준기와 비교하여 그 차이값을 알아보는 것이다. 따라서 교정을 실시하면 측정기기의 오차가 감소하여 정확도가 향상될 수 있다. 조금 더 정확하게 말하면 교정 성적서를 활용하는 것이다. 그러나 교정으로는 정밀도를 보장할 수 없다. 측정자와 측정기기에 따라 측정 결과가 다르기 때문이다. 따라서 정밀도의 경우, 계량형 또는 계수형 'Gage R&R'이라는 방법론을 사용해야 한다.

용어		정의
측정시스템		측정될 특성을 평가하여 정하거나 측정단위를 정량화하기 위해 사용되는 기기, 게이지, 표준, 작업, 방법, 고정구, 소프트웨어, 작업자, 환경, 가정 등의 집합체
정확도	편의(Bias)	측정값의 평균과 기준값의 차이
	안정성	시간에 걸친 편의의 변화. 계측시스템 및 환경의 변화에 따라 동일 대상의 측정 평균값이 유의할 만큼 다르면 안정성이 미약하다고 할 수 있음. 관리도 기법을 이용, 이상원인과 우연원인을 구분하고 관리 한계를 벗어나지 않으면 안정된 것으로 간주함(통계적 우연원인 범주에서 발생함)
	선형성	기대되는 측정 범위에서 얻어진 측정값들의 변동
정밀도	반복성	동일한 측정자가 동일한 측정기기로 동일 제품을 반복 측정했을 때 발생하는 측정기기에 의한 측정값의 변동 (EV, Equipment Variance, 측정장비 변동)
	재현성	다수의 측정자가 동일한 측정기기로 동일제품을 측정했을 때 발생되는 측정자에 의한 측정값의 변동 (AV, Appraiser Variance, 측정자 변동)
	GRR	측정시스템의 반복성 및 재현성의 합성 추정값
판별력(Discrimination)		측정기가 읽을 수 있는 최소 단위, 분해능이라고도 함
불확도(Uncertainty)		참값이 포함된다고 생각되는 측정값의 추정 범위. 측정값에 대한 불확실성 정도, 신뢰성의 정도를 나타내는 값(Xbar±000)
소급성(Traceability)		측정값이 유효한지 보다 정확한 측정값과 비교를 통해 최종적으로 가장 정확하다고 믿는 값이 연결되는 것
교정(Calibration)		상위표준과 비교하여 그 차이를 알아보는 것
보정(Correction)		측정에 존재하는 계통오차를 보상하기 위해 측정값에 차이만큼 대수적으로 구함
조정(Adjust)		장비에 물리적 변화를 가하는 행위

측정시스템분석의 용어 및 정의(AIAG MSA)

7.1.5.2. 측정 소급성

측정 소급성이 요구사항이거나, 조직이 측정결과의 유효성에 대한 신뢰제공을 필수적인 부분으로 고려하고 있는 경우, 측정장비는 다음과 같아야 한다.

a) 규정된 주기 또는 사용 전에, 국제 또는 국가 측정표준에 소급 가능한 측정표준에 대하여 교정 또는 검증 혹은 두 가지 모두 시행될 것. 그러한 표준이 없는 경우, 교정 또는 검증에 사용된 근거는 문서화된 정보로 보유될 것
b) 측정장비의 교정 상태를 알 수 있도록 식별될 것
c) 교정상태 및 후속되는 측정 결과를 무효화할 수 있는 조정, 손상, 열화로부터 보호될 것

조직은 측정장비가 의도한 목적에 맞지 않는 것으로 발견된 경우, 이전 측정 결과의 유효성에 부정적인 영향을 미쳤는지 여부를 규명하고, 필요하다면 적절한 조치를 취하여야 한다.

먼저 '측정 소급성(Measurement Traceability)'이라는 낯선 용어에 대해 살펴보자. 조직이 사용하는 측정기기는 믿을 수 있을까? 이 세상의 '참값(True Value)'을 측정할 수 있을까? 측정 소급성이란 조직의 측정기기가 유효한지 보다 더 정확한 상위의 측정기기와 비교 확인을 통해 정확하다고 믿는 값과 연결하는 것을 말한다. 우리가 일상적으로 착용하는 시계가 정확한지 확인하기 위해 휴대전화 시계와 비교 확인하는 것과 동일하다. 그럼 어떤 비교 확인을 통해 측정 소급성이 보장될까? 일반적으로 측정 소급성을 보장하기 위해서는 측정 단위, 측정 절차, 측정 표준 등이 상호 연결되어야 한다.

산업에서는 보통 교정(Calibration) 활동을 통해 측정 소급성을 보장한다. 그리고 검정과 교정을 합쳐 '검교정'이라는 용어를 흔히 사용한다. 그러나 검교정은 그 의미가 완전히 다르게 해석되므로 교정이라는 용어만 사용하길 바란다. 조직에서 사용하는 측정기기는 시간이 지남에 따라 사용 빈도와 사용 환경에 영향을 받기 때문에 정확도가 떨어질 수 있다. 따라서 다음의 교정 활동을 통해 측정기기의 상태를 주기적으로 확인해야 한다. 만약 측정기기가 틀어졌을 경우, 이전에 측정한 결과값에 부정적인 영향이 없었는지 확인하고 적절한 조치(폐기, 회수, 리콜, 수리 등)를 취해야 한다.

검정(Certification)은 기준에 대한 적합, 부적합과 보정 결과를 문서화하는 작업을 말한다. 그러나 검정(Verification)은 다르다. 국가검정기관에서 상거래용도로 사용하는 계측기는 반드시 국가 검정을 받아야 하는데 주유소의 주유기, 마트의 저울, 전기 계량기 등이 이에 해당한다. 검정이 완료되면 '검' 마크가 부착되고, 법정 상거래용도가 아닌 계측기는 검정을 받을 필요가 없다.

GM BIQS 검정(Certification) vs 검정(Verification)

a) 조직은 새로 구입한 측정기기를 규정된 주기에 따라 공인된 교정기관에 의뢰하여 교정을 시행하고, 교정 성적서를 발급받아야 한다. 공인된 교정기관(KOLAS, 한국인정기구)에 의뢰하여 교정을 시행할 수 없는 경우에는 다른 적절한 방법으로 교정을 시행해야 하고, 그 근거는 문서화된 정보로 보유되어야 한다.

b) 교정이 완료된 측정기기에는 '교정필증 스티커'가 부착되어야 한다. 이는 언제 어느 기관에서 교정을 시행했고, 차기 교정 예정일은 언제인지 식별하기 위함이다.

c) 측정기기는 외부로부터 손상, 열화, 마모되지 않도록 보호하고, 임의 조정을 해서는 안된다. 이는 후속되는 측정 결과를 무효화시킬 수 있다.

7.1.5.2.1. 교정 및 검증 기록

교정 및 검증은 조직, 고객, 그리고 협력사 소유의 모든 시험 장비와 측정기기를 대상으로 한다. 모든 측정기기는 법적, 규제적, 내부 그리고 고객 요구사항에 부합해야 한다. 그리고 기록을 통해 그 적합성이 보장되어야 한다. 따라서 조직은 교정 및 검증을 위한 문서화된 프로세스를 운용하고, 그 활동의 결과로 다음과 같은 기록을 보유해야 한다.

a) 고객의 요구사항에 따라 제품의 치수 스펙이 변경되는 경우 해당 측정기기 또한 변경되어야 한다. 예를 들어 제품의 치수 스펙이 40±0.2mm에서 40±0.1mm로 변경되었을 경우, 판별력 0.02mm (1/10)로 측정 가능한 측정기기를 사용해야 한다. (AIAG MSA 기준, 일반적으로는 허용 오차의 1/4을 측정할 수 있는 측정기기를 사용) 고객의 요구사항에 따른 측정기기의 '적합성'을 보장하기 위함이다. 따라서 이전과 현재의 측정기기에 대한 교정 및 검증 활동의 기록이 보유되어야 한다. (리스트 관리)

b) 조직은 측정기기에 대한 규격, 예를 들어 제품 검사에 대한 허용 오차(Tolerance), 불확도 등을 사전에 정의해야 한다. 불확도가 0.1mm인 측정기기로 치수 스펙이 100±1mm인 제품을 검사할 경우 불확도 값을 고려하여 100±0.9mm로 합격판정기준을 설정해야 한다. (또는 규격의 75%) 그리고 규격을 벗어난 측정치가 확인되면 기록해야 한다.

c) 규격을 벗어난 측정치를 고려하지 않고 그대로 측정기기를 사용하면 제1종 또는 제2종 오류를 범할 수 있다. 따라서 조직은 사용 전 이에 대한 위험성 평가를 해야 한다.

d) 측정기기가 교정이 안되었거나 결함이 있는 것으로 판정된 경우, 이전 측정 결과의 유효성이 확인될 수 있도록 성적서에는 마지막 교정 일자와 유효기간이 포함되어야 한다.
   > 교정일자: 2019.01.01(유효기간: 2019.12.31)
   > 사용기간: 2019.01.01~2020.01.15
   > 의심판정: 2020.01.01~2020.01.15

e) 의심되는 자재가 선적된 경우, 이를 고객에게 통지해야 한다.
f) 교정 후 규격에 대한 적합성이 명기되어야 한다.
g) 제품 및 공정관리에 사용되는 소프트웨어 버전이 검증되어야 한다.
h) 모든 측정기기에 대한 교정, 유지보수 활동이 기록되어야 한다.
i) 개인, 협력사, 고객 소유의 생산 관련 소프트웨어가 검증되어야 한다.

7.1.5.3. 시험실 요구사항

7.1.5.3.1. 내부 시험실

대부분의 조직은 개발과 양산 신뢰성(Reliability) 시험을 위해 내부 시험실을 운용한다. 조직은 내부 시험실을 운용하는 경우, 검사, 시험 또는 교정 등을 수행할 수 있는 능력(Capability)을 포함한 운용 범위(Scope)를 결정해야 한다. 운용 범위에는 각 시험 범위(화학적, 야금학적, 물리적, 치수적, 전기적 시험 등)에 따른 시험 항목(흡수율 시험, 내전압 시험, 인장 시험, 굴곡강도 시험, 환경 시험, 점착력 시험 등)이 포함되어야 한다. 또 시험실에서 사용하는 지그류, 검사 장비, 시험 장비는 목록화되고, 시험에 필요한 국내 또는 국제 규격(ASTM, EN 등)은 정의되고, 실행되어야 한다.

a) 조직은 시험을 위한 기술적 운용 절차서(Procedure)를 수립해야 한다. 고객은 수립된 절차서에 따라 시험이 진행되어야 결과에 대해서 신뢰를 한다. 절차서는 관리적, 기술적 요구사항이 충족되도록 수립되어야 하고, 상위의 시험 표준(국가 또는 국제 표준)이 개정되었을 경우, 조직의 시험 절차 또한 개정되어야 한다. (시험 스펙, 방법, 장비, 방법 정의)

b) 시험실 인원의 역량 및 적격성이 보장되어야 한다. 조직은 ISO 17025 국제 표준과 고객 요구사항을 참고해야 하고, 요구되는 역량, 평가, 객관적 증거를 문서화된 정보로 보유해야 한다. (자격 인증 대상)

c) 시험에 대한 요구사항(의뢰, 일정, 대상(샘플), 분석, 보고 등)이 수립되어야 한다.

d) 모든 시험은 관련 규격(국가 또는 국제 표준)과의 추적성 보장되어야 한다. 만약 해당 규격을 이용할 수 없는 경우에는 조직의 시험, 검사, 그리고 교정할 수 있는 측정시스템 능력이 검증되어야 한다. 시장에 없는 신제품이나 시험 방법이 명시된 규격이 없는 경우, 해당 제품의 특성을 시험, 검사, 그리고 교정할 수 있는 방법론을 말한다.

e) 고객 요구사항(범위, 일정, 빈도, 사진, 성적서 등)이 반영되어야 한다.

f) 시험 결과는 기록되어야 한다. 고객 그리고 산업군에 따라 정기 신뢰성 시험의 정도와 빈도는 다르다. 동일 제품에 대해 매월 요구하는 경우도 있다. 이는 조직의 설비, 인원의 Capacity 문제로 인해 시험 성적서가 형식적으로 작성되는 결과를 낳는다. 시험실 운용의 적절성, 충족성, 효과성을 생각해 보았을 때 이러한 업무 활동은 옳다고 할 수 없다. 최소한의 시험 정도와 빈도를 고객과 협의하여 현실적으로 시험하는 것이 효과적이다.

ISO/IEC 17025에 대한 3자 인증이 권고된다. ISO/IEC 17025는 시험 및 교정 기관의 자격(적합성)에 대한 일반 요구사항을 담은 국제 표준이다. 참고로 ISO/IEC 17020은 검사기관 운영에 대한 일반기준을 담은 국제 표준이다.

7.1.5.3.2. 외부 시험실

대부분의 조직은 개발과 양산 신뢰성(Reliability) 시험을 위해 내부 시험실을 운용한다. 그러나 기타 사유로 외부 시험실을 운용하는 경우 조직은 검사, 시험 또는 교정 등을 수행할 수 있는 능력(Capability)을 포함한 '운용 범위(Scope)'를 입증해야 한다.

a) 외부 시험실은 ISO/IEC 17025 또는 이와 동등한 국가 규격(중국 CNAS, 인도 NABL, 한국 KOLAS 등)에 따라 인증되어야 하고, 인증 범위 내에서 검사, 시험 또는 교정이 수행되어야 한다. 교정 또는 시험 성적서에는 '국가 인정기관의 마크'가 포함되어야 한다. (한국 KOLAS 로고)

b) 외부 시험실은 고객에 의해 입증 되어야 한다. (고객이 승인한 외부 시험실 현황) 그러나 이는 조직이 결정하는 것이기 때문에 필수 요구사항이 아니라고 생각한다.

고객 또는 고객이 지정한 2자 심사원은 외부 시험실이 ISO/IEC 17025 또는 이와 동등한 국가 규격에 따라 운용되는지 그 충족성을 평가할 수 있다. 만약 조직이 자체적으로 평가하는 경우, 고객이 승인한 방법에 따라 평가해야 한다. 외부 시험실을 통해 교정 서비스를 받을 수 없는 경우에는 장비 제조사를 통해 일부 교정 서비스를 받을 수 있다. 이러한 경우 7.1.5.3.1항의 요구사항이 충족되었음을 보장해야 한다. 또 고객이나 인증기관에 의해 인증된 시험실 외의 장소에서 교정 서비스를 받는 경우, 정부의 규제를 받을 수 있는데 이 부분은 약간의 논란이 있다.

7.1.6. 조직의 지식

조직은 프로세스 운용에 필요한, 그리고 제품 및 서비스의 적합성 달성에 필요한 지식을 정하여야 한다. 이 지식은 유지되고, 필요한 정도까지 이용 가능하여야 한다. 변화하는 니즈와 경향을 다룰 경우, 조직은 현재의 지식을 고려하여야 하고, 추가로 필요한 모든 지식 및 요구되는 최신 정보의 입수 또는 접근 방법을 정하여야 한다.

비고 1: 조직의 지식은 조직에게 특정한 지식으로, 일반적으로 경험에 의해 얻어진다. 이는 조직의 목표를 달성하기 위하여 활용되고 공유되는 정보이다.

비고 2: 조직의 지식은 다음을 기반으로 할 수 있다.

a) 내부 출처(예: 지적 재산, 경험에서 얻은 지식, 실패 및 성공한 프로젝트로부터 얻은 교훈, 문서화되지 않은 지식 및 경험의 포착과 공유, 프로세스, 제품 및 서비스에서 개선된 결과)
b) 외부 출처(예: 표준, 학계, 컨퍼런스, 고객 또는 외부공급자로부터 지식 수집)

'지식(Knowledge)'이란 무엇인가? 이를 설명하기 위해서는 가장 하위 수준인 '데이터(Data)'를 먼저 설명해야 한다. 데이터는 사실을 나타내는 수치로 정의한다. 따라서 데이터 자체는 사실을 나타내는 수치일 뿐 우리가 의사결정을 하는 데 도움이 되지는 않는다. 데이터를 활용하기 위해서는 어떠한 처리 과정을 통해 정제된 '정보(Information)'로 변환해야 한다. 우리는 데이터 기반의 의사결정 시 보통 정보를 활용한다. 더 나아가 정보를 보다 체계화(패턴)하고, 개념화한 것이 '지식(Knowledge)'인데 이를 활용하면 조직의 비즈니스 성장에 도움이 될 수 있다. (데이터, 정보, 지식, 지혜 순으로 이해)

예를 들어, 품질관리 엔지니어는 제품의 복잡도가 높을수록 다양한 유형의 불량 현상에 대한 데이터를 얻을 것이다. 그리고 이를 세부 분석하게 되면 월별, 현상별, 원인별, 지역별, 부품별 불량 발생 건수라는 정보를 얻게 된다. 만약 겨울철 강원도 특정 지역에서 동일한 현상이 지속적으로 발생하는 '특정 패턴'이 확인되었다면 이는 계절성 불량으로 의심할 수 있다. 그러면 조직은 설계, 신뢰성 시험 등을 강화할 것이다. 이것이 지식의 활용이다. 한층 더 나아가 '지혜'는 이러한 지식을 활용하여 새로운 아이디어를 창출하는 것을 말한다. 만약 어느 한 제품이 계절성 불량으로 개선되었다면 다른 제품에서도 동일한 불량 현상이 나타날 수 있기 때문에 수평적으로 적용하는 것이다.

이처럼 성공했거나 실패한 프로젝트에서 얻은 지식과 경험은 조직의 중요한 자산이 된다. 따라서 조직은 프로세스 운용에 필요한 지식과, 제품과 서비스의 적합성을 달성하기 위해 필요한 지식의 종류와 정도를 미리 정해야 한다. 그리고 조직에 필요한 모든 지식과 최신 정보를 입수하고, 보관, 활용하며 체계적인 방법으로 관리해야 한다. 또 경험에 의한 지식은 조직의 목표 달성을 위해 활용되고 공유되어야 한다.

a) 내부 출처: 지적 재산, 경험에서 얻은 지식, 실패 또는 성공한 프로젝트로부터 얻은 교훈(Lessons Learned), 프로세스, 제품 및 서비스에서 개선된 결과 등
b) 외부 출처: 표준, 학계, 콘퍼런스, 연구기관, 세미나, 고객으로부터 오는 지식 등(VDA QMC 세미나, 산학연 협력 프로젝트 등)

지식은 문서화된 정보로 유지되고 조직 내에서 필요한 인원이 이용할 수 있어야 한다. 그러기 위해서는 조직 구성원의 경험과 노하우 등, 무형으로 간직한 모든 지식을 문서화된 정보로 유형화하는 작업을 해야한다. 많은 조직에서는 지식 경쟁력을 높이기 위해 Lessons Learned, 사용자 학습 데이터베이스(사용 패턴, 사용 환경, 보관 환경, 운송 환경, 운전 습관, 운전 경로 등), 벤치마킹, 오픈 소스 등을 활용한다.

7.2. 적격성

조직은 다음 사항을 실행하여야 한다.

a) 품질경영시스템의 성과 및 효과성에 영향을 미치는 업무를 조직의 관리하에 수행하는 인원에 필요한 역량을 결정
b) 이들 인원이 적절한 학력, 교육훈련 또는 경험에 근거하여 역량이 있음을 보장
c) 적용 가능한 경우, 필요한 역량을 얻기 위한 조치를 취하고, 조치의 효과성을 평가
d) 역량의 증거로 적절한 문서화된 정보를 보유

비고: 적용할 수 있는 조치에는, 예를 들어 현재 고용된 인원에 대한 교육훈련 제공, 멘토링이나 재배치 실시, 또는 역량이 있는 인원의 고용이나 그러한 인원과의 계약 체결을 포함할 수 있다.

7.1.2항에서는 7.1.1항과 연계하여 품질경영시스템의 효과적인 실행, 프로세스의 운용과 관리에 필요한 인적자원을 결정하고 제공했다. 이제 결정된 인적자원의 역량과 적격성을 확보해야 한다. 고객이나 인증기관 심사 시 항상 물어보는 질문이니 이해하고 넘어가길 바란다.

표준에서는 Competence를 역량 또는 적격성이라고 번역했는데, 사전적 의미는 약간 다르다. 표준국어대사전에 의하면 역량은 '어떤 일을 해낼 수 있는 힘'이고, 적격성은 '어떤 일에 알맞은 자격을 지닌 성질'이다. 이 두 용어를 정리하면 '어떤 업무를 수행하기 위해 해당 자격을 정의하고, 업무를 수행할 수 있다면 적격성이 확보되었다'고 한다.

현업에서는 '자격 인정'이라는 용어로 통용된다. 그러나 자격 인정을 작업자 또는 검사자에 국한하여 관리하는 경우가 많은데, 자격 인정은 전 임직원을 대상으로 해야 한다. 따라서 이는 생산관리 부서 또는 공장에서 관리하는 것이 아니라, 전 임직원을 대상으로 사람의 품질 즉 '인품'을 관리해야 하므로 인사 부서에서 총괄하는 것이 바람직하다. 이는 어디까지나 필자의 개인적인 생각이다. 그럼 어떤 역량과 적격성이 요구되는지 살펴보자.

a) 품질경영시스템의 성과와 효과성에 영향을 미치는 각 직무에 대한 역량이 결정되어야 한다. 즉 '프로세스' 운용에 필요한 역량을 말한다. 이를 위해서는 사내외 표준 검색, 직무분석, 직무-역량 프레임워크 개발, 역량 우선순위 설정, 직무-역량 매핑, 현 수준 평가 등을 통해 최종 직무기술서와 직무명세서가 수립되어야 한다.

> 직무기술서(Job description)
> 직무명세서(Job specification)

b) 각 직무의 인원은 학력, 교육훈련 또는 경험에 근거하여 해당 역량이 보장되어야 한다.

c) 만약 요구되는 역량이 부족하거나 추가로 요구된다면 이를 얻기 위한 조치를 해야 한다. 기존 인원의 역량이 부족하다면 추가적인 교육훈련, 멘토링, 재배치 등을 해야 하고, 조치 후에는 효과성 평가가 수행되어야 한다.

d) 요구되는 역량이 결정되면, 그에 따른 학력, 교육훈련, 경험 그리고 추가 조치된 모든 역량 개발 활동이 문서화된 정보로 보유되어야 한다. a), b), c)항에서 언급된 요구사항이 d)항 문서화된 정보로 보유되어야 함을 의미한다. (예: 교육 수료증, 졸업 증명서, 경력 증명서, 역량 및 적격성 승인 테이블 등)

2.2.5.3 역량/적격성	모든 종업원이 자신의 역할과 책임을 수행하는데 필요한 스킬, 교육훈련, 학력 및 경험을 이해하여 적용할 때 품질경영시스템이 가장 효과적이다. 인원이 필요한 역량을 개발하도록 기회를 제공하는 것은 최고경영자의 책임이다.
3.10.4 역량/적격성	의도된 결과를 달성하기 위해 지식 및 스킬을 적용하는 능력. 비고 1: 입증된 역량은 때로는 자격인정이라고 언급된다. 비고 2: 이 용어와 정의는 ISO/IEC Directives, 제1부의 통합 ISO 보충판의 부속서 SL에 제시된 ISO 경영시스템 표준을 위한 공통 용어와 핵심 정의 중의 하나이다. 본래의 정의는 비고 1을 추가함으로써 변경되었다.

7.2.1. 적격성 - 보충사항

조직은 제품 및 공정의 적합성을 달성하기 위해 인식(7.3.1항)을 포함한 교육훈련의 니즈를 파악해야 한다. 그리고 연간 계획된 일정에 따라 실행함으로써 그 효과성을 높여야 한다. 교육훈련의 니즈는 문서화된 프로세스를 통해 운용해야 한다.

특별한 업무를 수행하는 인원은 설계 엔지니어, 검사 요원, 시험 요원, 교정 요원, 재작업 및 수리 요원, 내부심사원 등을 말한다. 이들은 특별한 업무를 수행하는 만큼 요구되는 역량 또한 다르다. 조직과 고객은 이들의 역량에 크게 의존하고 있다. 따라서 학문이 깊고, 다양한 교육훈련과 풍부한 경험이 있는 인원들로 현장에 배치해야 한다. 한명의 전문가를 양성하는 데 연간 들어가는 비용이 상당하다. 따라서 전문가 양성을 회피하는 경우가 있는데 이는 제품 및 공정의 적합성 달성에 부정적인 영향을 미칠 수 있다.

7.2.2. 적격성 - 직무교육훈련

조직은 신규 입사한 인원, 재배치된 인원, 계약직 또는 대행 인원에 대해 법적, 규제적 요구사항, 고객 요구사항을 포함한 '직무교육훈련(OJT, On the job training)'을 해야 한다. 직무교육훈련은 담당 직무와 직원이 보유한 교육 수준과 상응해야 한다. 예를 들면 설계 엔지니어에 대한 직무교육훈련의 수준(C++, C#, CATIA, CAD/CAM 등)은 공학사(Bachelor of Engineering) 이상의 수준에 상응해야 한다. 필자는 경력으로 입사한 엔지니어는 기본적인 업무 지식과 경험이 있다는 이유로 직무교육훈련 프로그램을 운영하지 않거나 소홀히 운영하는 경우를 많이 봐왔다. 이것은 품질경영시스템이 잘 갖추어진 조직의 모습이 아니다. 조직은 신입사원과 경력사원에 적합한 직무교육훈련 프로그램을 운영해야 한다.

설계 및 개발, 구매, 생산기술, 생산, 공정품질관리, 고객품질관리 등의 업무를 수행하는 인원(품질관리와 관련된 업무를 수행하는 인원)은 부적합품 발생 시 고객에게 미치는 부정적인 영향에 대해 인식하고 있어야 한다. 이를 위해서는 '품질 기반의 기업 문화' 정착이 매우 중요하다.

7.2.3. 내부심사원 적격성

조직은 고객 요구사항을 고려하여 내부심사원의 역량 및 적격성을 검증할 수 있는 문서화된 프로세스를 수립해야 한다. 이를 위해 조직은 ISO 19011(경영시스템 심사 가이드라인) 표준을 참조하여 인증된(역량 및 적격성이 확보된) 내부심사원의 목록을 유지해야 한다. 품질경영시스템 심사원, 제조공정 심사원, 제품 심사원은 최소 다음의 역량 및 적격성이 요구된다.

a) 표준에서는 RBT(Risk Based Thinking)를 포함한 프로세스 접근법을 강조하고 있으므로 내부심사원은 이를 이해할 수 있어야 한다.

b) 내부심사원은 고객의 CSR(Customer Specific Requirement)을 이해할 수 있어야 한다. 표준의 조항에 추가로 요구되는 고객지정 요구사항을 말한다.

c) 내부심사원은 ISO 9001과 IATF 16949의 요구사항을 이해할 수 있어야 한다. 일반 제조 산업의 경우, IATF 16949 요구사항을 이해하기가 다소 어려울 수 있다. 그러다 보니 이를 포기하는 경우가 많은데, ISO 9001에 IATF 16949 요구사항이 더해

진다면 내부심사원의 역량이 한층 강화될 것이다.

d) 내부심사원은 AIAG의 Core Tool을 이해할 수 있어야 한다. Core Tool은 APQP, PPAP, FMEA, SPC, MSA를 말하는데, ISO 9001과 IATF 16949가 'What'에 대한 요구사항이라면 Core Tool은 'How'에 대한 요구사항이라고 할 수 있다.

e) 내부심사원은 심사계획, 심사수행, 보고서 작성, 발견사항에 대한 대책수립 방법을 이해할 수 있어야 한다. (ISO 19011: 경영시스템 심사 가이드라인)

추가적으로 공정 심사원은 관리계획서, PFMEA와 같은 리스크 분석 툴을 포함하여 제조공정의 기술적 요구사항을 이해할 수 있어야 한다. (예: 제품/공정특성, 특별 특성, 관리항목 등)

제품 심사원 은 제품의 적합성을 검증하기 위해 시험 장비, 측정기기 등을 사용할 수 있어야 한다. 그리고 조직이 수립한 연간 심사 프로그램에 따라 제품(반제품)의 기능, 성능, 외관, 치수, 자재, 포장, 라벨의 상태 등을 도면, 엔지니어링 스펙, 자재 스펙, 포장 스펙, 최종 검사 성적서(COA) 등과 비교하여 제품(반제품)의 적합성을 검증해야 한다. 역량 및 적격성을 유지 및 개선하기 위해서는 다음을 통해 실증할 수 있다. (VDA6.5 제품 심사원 자격 취득 권고)

f) 조직이 수립한 연간 심사 프로그램에 따라 내부심사원의 최소 심사 횟수가 충족(리드 심사원)되어야 역량 및 적격성이 유지될 수 있다. 품질경영시스템 심사원, 공정 심사원, 제품 심사원의 최소 심사 횟수는 조직의 상황(리스크와 기회)에 따라 다르게 규정될 수 있다. 단 수립된 모든 심사 범위에 대해서는 심사가 진행되어야 한다.

g) 내부심사원의 지식은 요구사항의 변경 시에도 동일하게 유지되고, 개발되어야 한다. 예를 들어 제품의 스펙이 변경되어 이를 충족하기 위한 공정의 파라미터가 변경되었을 경우나, IATF 16949의 요구사항이 일부 개정되어 Sanctioned Interpretations가 발행되었을 경우 내부심사원은 이를 숙지해야 한다. (예: 제품, 공정 기술, ISO 9001, IATF 16949 SIs, Core Tools, 고객지정 요구사항 등)

제품 심사원	부품, 반제품, 완제품의 기능, 성능, 외관, 치수, 자재, 포장, 라벨의 상태 등을 확인하여 제품의 적합성(요구사항)을 보장하는 것이 목적임. 이를 수행하기 위한 심사원을 말함. 'VDA6.5 Product Auditor' 제품 심사원 매뉴얼 참조(6: 평가, 5: 제품을 의미함)

7.2.4. 2자 심사원 적격성

2자 심사원이란 조직의 입장에서는 '고객'이고, 협력사의 입장에서는 '조직'이다. 2자 심사원의 경우에도 최소 다음과 같은 심사원 자격이 요구되는데, 내부심사원 자격 항목과 거의 동일하다. 그러나 내부심사원과 2자 심사원의 역량 및 적격성은 별개로 수립되어야 혼란을 줄일 수 있다. 필자는 2자 심사원의 역량 및 적격성을 매우 강조하는 편이다. 협력사에 방문하여 심사를 수행할 때 이들에게 보여지는 심사원의 전문성, 사회성, 신뢰성 등은 심사의 분위기와 흐름을 바꿀 만큼 매우 중요하기 때문이다.

a) 2자 심사원은 RBT(Risk Based Thinking)를 포함한 프로세스 접근법에 대해 이해할 수 있어야 한다. (내부심사원과 동일)
b) 2자 심사원은 조직과 고객의 CSR(Customer Specific Requirement)을 이해할 수 있어야 한다. (내부심사원과 동일)
c) 2자 심사원은 ISO 9001과 IATF 16949 요구사항을 이해할 수 있어야 한다.
d) 2차 심사원은 관리계획서, PFMEA와 같은 리스크 분석 툴을 포함하여 제조공정의 기술적 요구사항을 이해할 수 있어야 한다.
e) 2자 심사원은 Core Tool을 이해할 수 있어야 한다.
f) 2자 심사원은 심사계획, 심사수행, 보고서 작성, 발견사항에 대한 대책수립 방법을 이해할 수 있어야 한다. (ISO 19011: 경영시스템 심사 가이드라인)

7.3. 인식

조직은, 조직의 관리하에 업무를 수행하는 인원이 다음 사항을 인식하도록 보장하여야 한다.

a) 품질방침
b) 관련된 품질목표
c) 개선된 성과의 이점을 포함하여, 품질경영시스템의 효과성에 대한 자신의 기여
d) 품질경영시스템의 요구사항에 부적합한 경우의 영향

표준에서는 인식(Awareness)을 '인원이 자신의 책임과 행동이 조직의 목표 달성에 어떻게 기여하는지를 이해할 때 인식이 조성된다'고 했다. 즉 조직의 인원은 자신의 책임에 따른 행동을 해야 한다. 산업 현장의 품질 사고와 낭비는 대부분 인식의 부족으로 인해 발생한다. 낭비는 과잉 생산, 과잉 재고, 일시 정지, 작업자로 인한 불량 발생, 재작업 등을 말한다. 만약 조직의 인원이 '1~2개 정도의 불량은 발생할 수 있다'는 인식을 가지고 있다면 '밑빠진 독에 물붓기'를 하고 있는 것이다. 매일 같은 일을 반복하게 되면 인식 또한 무디어지기 때문에 주기적인 인식 교육(품질 결의대회, GEMBA WALK, 일일 품질 현황 공유 등)이 필요하다. 특히 다음의 요구사항에 대한 인식이 보장되어야 한다.

a) 조직은 5.2항에서 수립한 '품질방침'을 인식해야 한다. 일부 조직에서는 품질방침을 형식적인 문서 하나로 생각하는 경우가 있는데 이는 비즈니스를 위한 전략적 의도와 방향을 무시한 것이다. 품질방침이라는 '길'을 인식하고 있어야 다른 길로 우회하지 않는다.

b) 조직은 품질방침과 연계된 '품질목표'를 인식해야 한다. 품질방침이 길이라면 품질목표는 '목적지(Destination)'라고 할 수 있다. 품질목표는 조직, 집단, 개인의 수준에서 수립되어야 하는데, 모두가 이를 인식하고 있어야 계층별 목표 달성이 가능하다.

c) 조직은 개선된 성과의 이점을 포함하여 품질경영시스템의 효과성에 대한 자신의 '기여도'를 인식해야 한다. 특히 품질목표의 달성, 부적합에 대한 시정조치, 내외부의 심사 결과, 외부 공급자의 성과 등에서 자신의 기여도를 인식하는 것이 중요하다.

d) 조직은 품질경영시스템의 요구사항에 부적합한 경우, 발생할 수 있는 부정적인 영향에 대해 인식해야 한다. 예를 들어 부적합품이 고객에게 인도되었거나 내부심사가 제대로 수행되지 않았거나 품질목표가 미달성된 경우, 이에 따라 발생하는 부정적인 영향을 말한다. (Performance Metrics and Review)

7.3.1. 인식 - 보충사항

IATF 16949에서는 인식의 범위가 좀 더 구체화되었다. 조직은 1) 고객 요구사항, 2) 부적합품 유출의 위험, 3) 제품 품질을 달성하고 유지, 개선하는 활동의 중요성을 인식해야 한다. 따라서 조직은 이를 촉진하는 활동(교육 훈련, 캠페인, 품질 결의대회, 분임조 대회, 품질의 날 등)과 인식을 실증하는 문서화된 정보를 보유해야 한다. 조직의 규모가 크면 품질관리 상황실을 구축하여 운용하기도 한다. 여기에서는 라인별 제품 생산 현황, 부적합품 발생 및 처리 현황(고객 생산라인 중단, 리콜, 보상 등), 라인 정지 현황, 자재 공급 정보, 기타 리스크 등, 생산활동에 필요한 모든 정보가 문서화되어 모니터링 및 후속 조치된다.

7.3.2. 직원 동기 부여 및 권한 위임

동기부여 프로세스의 목적은 구성원들이 1) 품질목표를 달성하고, 2) 지속적인 개선(Continual improvement)을 실행하고, 3) 혁신(Innovation)을 촉진하는 환경을 조성하는 데 있다. 동기부여의 핵심은 '공감'이다. 크던 작던 조직을 이끌고 있는 리더라면 공감 능력을 키워야 한다. 상대의 입장을 헤아려 볼 줄 아는 공감 능력은 구성원의 사기를 높이는 데 크게 작용한다. 만약 리더로서 공감 능력이 부족하다고 판단되면 구성원의 감정과 행동에 적극적으로 반응하는 연습을 해야 한다. 경청 후 긍정적이고, 건설적인 피드백을 전달하는 것도 좋은 방법이다. 그렇지 않으면 구성원의 사기가 떨어져 본 조항에서 강조하는 품질목표를 달성하고, 지속적 개선을 실행하고, 혁신을 촉진할 수 없게 된다. 동기부여 프로세스에는 조직 전체가 품질과 기술적 인식이 증진될 수 있도록 관련 활동이 포함되어야 한다.

a) 품질목표의 달성은 구성원의 참여 없이는 불가능하다. 따라서 구성원의 참여를 유도하는 동기부여 프로그램이 필요한데 금전적 인센티브 제도가 대표적이다. 인센티브 제도에는 이익 공유제(PS, Profit Sharing), 개인 성과제(PI, Performance Incentive), 그리고 동기 성과제(MI, Motivate Incentive)가 있다. 중요한 것은 조직과 개인의 성과를 어떻게 정량적으로 측정하여 보상으로 이어지도록 하느냐에 있다. 조직은 이를 위한 보상 수준, 보상 구조, 결정 요소, 차별화 등을 개발해야 한다.

b) 지속적 개선을 유도하는 동기부여 프로그램에는 제안, 품질 분임조, 6시그마, Lean Six Sigma, Design For Six Sigma, 교육훈련, Zero-Defect 활동, 워크숍 등이 있다.

c) 조직은 혁신을 목표로 개선 활동을 해야 한다. 혁신은 개선과는 차원이 다른 것이다. 일반적으로 개선을 뛰어넘는 경우가 혁신이다. 만약 지속적 개선의 결과가 기업 가치를 더욱 높여 사회적 가치로 이어졌다면 혁신으로 봐야한다.

7.4. 의사소통

조직은 다음 사항을 포함하여 품질경영시스템에 관련되는 내외부 의사소통을 결정하여야 한다.

a) 의사소통 내용
b) 의사소통 시기
c) 의사소통 대상
d) 의사소통 방법
e) 의사소통 담당자

의사소통은 인원의 적극적인 참여를 유도하고, 조직의 상황, 고객을 포함한 이해관계자의 니즈와 기대, 그리고 품질경영시스템에 대한 이해를 증진시킨다. 중요한 것은 품질경영시스템의 이해를 증진하기 위한 의사소통 '환경'이 조성되어야 한다는 것이다. 본 조항에서는 품질경영시스템과 관련된 내외부 의사소통에 어떤 항목이 포함되어야 하는지에 대해 알아본다.

a) 표준에서는 의사소통에 포함되어야 할 항목을 다음과 같이 정의하고 있지만 이 외에도 조직의 품질목표와 달성 현황, 품질경영시스템의 요구사항, 고객의 요구사항, 불량 발생 현황, 시방서, 도면, 구매 발주서, 변경관리 등이 정의될 수 있다.
> 5.2.2항 품질방침에 대한 의사소통
> 5.3항 조직의 역할, 책임 및 권한
> 6.2.1항 품질목표
> 8.2.1항 고객과의 의사소통

b) 의사소통에 포함되어야 할 항목이 정의되었다면 이제 그 긴급성과 중요성을 고려하여 의사소통의 일정과 빈도가 정의되어야 한다. 예를 들어 조직의 품질목표와 달성 현황은 연 1회, 품질경영시스템의 요구사항은 연 2회 등으로 정의할 수 있다.

c) 의사소통은 모든 이해관계자를 대상으로 해야 한다. 조직에서 '정보의 비대칭'을 지향하는 구성원이 있다면 즉시 바로 잡아야 한다. 모두가 알아야 할 정보를 혼자만 알고 있거나 먼저 안다고 해서 도움이 되는 것은 아니기 때문이다.

d) 의사소통을 위한 방법에는 정기적인 회의체, Briefing, 공지, 이메일, 전화, 문자메시지, Intranet, 경영검토, 캠페인, 게시판, 품질속보, 언론사, 신문 등이 있을 수 있다.

e) 의사소통 담당자는 각 부서에서 'Window 역할'을 하는 사람이다. 이는 중복해서 의사소통하거나 혼선을 방지하기 위해 각 의사소통의 항목에 따라 담당자를 선정하는 것이다. 담당자는 대표이사, 공장장, 라인 매니저, 감독관, 팀장, 팀원 모두가 될 수 있다.

조직은 의사소통 프로세스 수립 시 효율성과 효과성을 고려해야 한다. 의사소통은 내용뿐만 아니라 그 빈도 또한 고려되어 효율성과 효과성이 보장되도록 해야 한다. 예를 들어 팬데믹 상황으로 재택근무가 권장되면서 효율적이지도 효과적이지도 않은 불필요한 정기 회의가 늘어났다. 이는 형식에 불과한 것이며, 무엇보다 자원의 낭비를 초래한다. 따라서 건전한 회의문화를 조성하는 것이 매우 중요한데 이를 위해 회의의 필요성, 참석자의 적절성, 진행의 효율성, 결론의 적합성, 소통 방법(수평적 소통) 등이 고려되어야 한다. 지나친 마이크로 의사소통 체계는 구성원의 자율성을 억제하여 변화에 뒤처지고 생산성을 저하시키므로 지양하기를 바란다.

내용	시기	대상	방법	담당자
고객 불만	접수 시	고객	방문회의	품질매니저
성과 지표	연 1회	전 직원	전사품질회의	대표이사
책임과 권한	연 1회	전 직원	면담회의	전 팀장
매출 실적	분기 1회	전 직원	전사회의	대표이사
1 On 1	분기 1회	전 직원	면담회의	전 팀장
품질방침	연 1회	전 직원	인트라넷	대표이사
교육훈련	분기 1회	전 직원	온라인	인사 팀장

조직의 의사소통 예시

7.5. 문서화된 정보

7.5.1. 일반사항

조직의 품질경영시스템에는 다음 사항이 포함되어야 한다.

a) 이 표준에서 요구하는 문서화된 정보
b) 품질경영시스템의 효과성을 위하여 필요한 것으로, 조직이 결정한 문서화된 정보

비고: 품질경영시스템을 위한 문서화된 정보의 정도는, 다음과 같은 이유로 조직에 따라 다를 수 있다.

- 조직의 규모, 그리고 활동, 프로세스, 제품 및 서비스의 유형
- 프로세스의 복잡성과 프로세스의 상호 작용
- 인원의 역량

4.4.2항에서 설명했듯이 조직의 품질경영시스템은 문서화된 정보로 유지되고, 보유되어야 한다. 다시 한번 상기하면 문서화된 정보의 유지란 품질방침, 품질 매뉴얼, 절차서, 지침서 등과 같이 프로세스 운용에 필요한 이전의 문서를 말한다. 문서화된 정보의 보유는 프로세스 운용 결과를 기록한 문서라고 이해하면 된다. 이러한 문서화된 정보는 품질경영시스템의 효과적인 운용을 위한 '수단'으로써 활용되어야 한다. 예를 들어 각 기능 간의 의사소통과 제품과 서비스의 적합성을 증명하고, 관련 지식을 공유하는 데 사용될 수 있다.

a) ISO 9001에서 언급한 문서화된 정보가 포함되어야 한다.
b) 그리고 조직이 정한 문서화된 정보가 포함될 수 있다.

ISO 9001에서는 문서화된 정보의 유지를 'Shall maintain'으로, 보유를 'Shall retain'으로 언급하고 있다. 이렇게 언급된 문서화된 정보는 조직의 규모, 프로세스의 복잡성과 상호작용, 그리고 제품과 서비스에 따라 그 관리의 정도가 다르다. 따라서 조직은 '문서관리 시스템'을 통해 유지와 보유로 언급된 문서화된 정보를 체계적으로 관리해야 한다. 참고로 7.5.3항은 문서화된 정보의 관리를, 7.5.2항은 문서화된 정보의 작성과 개정을, 본 조항에서는 문서화된 정보의 대상에 대해 언급하고 있다.

문서화된 정보	Organization charts, Process maps, process flow charts and/or process descriptions, Procedures, Work and/or test instructions, Specifications, Production schedules etc.

7.5.1.1. 품질경영시스템 문서화

ISO 9001에서는 품질매뉴얼 수립을 권장하고 있지만 의무화하고 있지는 않다. 품질매뉴얼이란 '품질경영시스템을 구성하는 최상위 레벨의 문서'를 말한다. 여기에는 조직의 품질경영에 필요한 품질방침과 국제 및 단체 표준의 접근방법, 책임과 권한 등이 명기되어 있다. 조직의 품질경영시스템에는 품질매뉴얼이 포함되어야 하고, 품질매뉴얼에 정의된 국제 및 단체 표준의 접근방법과 구조에 따라 관련 절차서와 지침서 등이 제정되어야 한다. 품질매뉴얼은 조직의 규모, 문화, 복잡성 등을 고려하여 제정되기 때문에 조직마다 그 구조와 내용이 다르다. 다음은 품질매뉴얼에 포함되어야 하는 항목이다.

a) 품질경영시스템의 적용 범위가 포함되어야 한다. 만약 설계 및 개발과 같은 적용 제외 항목이 있다면 이에 대한 정당성이 증명되어야 한다.

b) 표준에서 요구하는 문서화된 프로세스가 포함되어야 한다. 보통 프로세스 목록을 만들어 첨부로 관리하는 것이 일반적이다.

c) 조직의 프로세스와 순서, 그리고 입력(Input)과 출력(Output)이 포함된 상호작용(Interaction)은 'Process Map'을 만들어 포함하는 것이 일반적이다. 만약 외주 처리된 프로세스가 있다면 이 또한 조직의 프로세스에 포함되어야 한다.

d) 국제 및 단체 표준의 요구사항에 기반한 고객사별 추가 요구사항이 포함되어야 한다. 표준에서는 이를 'CSR(Customer Specific Requirement)'이라고 정의했다. 파악된 요구사항은 표준과 품질매뉴얼의 특정 조항과 연계하여 Matrix 형태로 수립되어야 한다. (4.3.2항 참조)
> 품질 매뉴얼 내 조직의 프로세스 포함
> 조직의 프로세스와 IATF 16949 조항과 연결
> IATF 16949 조항을 고객지정 요구사항과 연결
> 고객지정 요구사항 개정 내용 모니터링

고객 요구사항(CR, Customer Requirement)은 고객에 의해 규정된 모든 요구사항을 말하는데, 여기에는 기술적, 상업적, 일반 용어 및 조건, 제품 및 제조 공정과 관련된 요구사항, 고객지정 요구사항을 포함한다.

7.5.2. 작성 및 갱신

문서화된 정보를 작성하거나 갱신할 경우, 조직은 다음 사항의 적절함을 보장하여야 한다.

a) 식별 및 내용(Description)(예: 제목, 날짜, 작성자 또는 문서번호)
b) 형식(예: 언어, 소프트웨어 버전, 그래픽) 및 매체(예: 종이, 전자 매체)
c) 적절성 및 충족성에 대한 검토 및 승인

7.5.1항에서 조직은 품질경영시스템을 운용하는데 필요한 문서화된 정보를 결정했다. 이제 결정된 문서화된 정보를 작성하고, 갱신하는 데 필요한 요구사항에 대해 살펴보자.

a) 문서화된 정보는 그 유형이 쉽게 확인될 수 있도록 조직이 규정한 적절한 방법으로 식별되어야 한다. 식별 방법에는 제목, 문서번호, 작성자, 날짜, 보안등급 등의 정보를 표지에 직접 기재하는 방법과 식별 태그나 여러 색상의 테이프를 활용하는 방법이 있다. 그리고 내용(Description)에는 목차, 범위, 책임 및 권한(RASI Chart), 적용시점, 검토일자, 승인일자, 변경 이력 등이 포함될 수 있다.

b) 문서화된 정보의 형식(Format)은 문서화된 정보의 등급, 예를 들면 품질매뉴얼, 절차서, 지침서, 기록 등과 매체(전자 및 종이문서)에 따라 규정되어야 하고, 형식에 사용되는 언어, 소프트웨어 버전, 그래픽 등도 사전에 정의되어야 한다.

c) 문서화된 정보는 동일한 규정에 따라 작성, 갱신되어 그 통일성이 보장되어야 한다. 그리고 내용의 적절성과 충족성을 보장하기 위해 관련 팀과의 검토, 승인권자의 승인이 이루어져야 한다. 이를 위해 체크시트를 활용하는 방법이 있다. (Document Criteria)

7.5.3. 문서화된 정보의 관리

7.5.3.1.

QMS 및 이 표준에서 요구되는 문서화된 정보는, 다음 사항을 보장하기 위하여 관리되어야 한다.

a) 필요한 장소 및 필요한 시기에 사용 가능하고 사용하기에 적절함
b) 충분하게 보호됨(예: 기밀유지 실패, 부적절한 사용 또는 완전성 훼손으로부터)

작성된 문서화된 정보를 적절하게 관리하지 않으면 문서화된 정보의 온전성을 보장할 수 없다. 그렇게 되면 문서화된 정보의 기능이 상실되어 제품과 서비스를 위한 비즈니스 활동을 할 수 없다. 문서화된 정보의 관리는 비단 '문서분류 체계'에 따른 관리만이 해당하는 것이 아니다. 최근 국가 핵심기술이 중국에 유출되면서 많은 국내 기업이 비상사태에 직면하고 있다. 따라서 조직은 다음과 같은 적절한 관리를 해야 한다.

a) 문서화된 정보는 규정된 장소에서 관리되어야 하고, 필요한 시기에 사용할 수 있어야 한다. 이를 위해서는 문서화된 정보를 관리하기 위한 내부 규정이 있어야 하고, 여기에는 문서화된 정보의 분류, 코드, 보관 장소, 보안 등급, 보관 시기, 책임부서 등의 내용이 포함되어야 한다. 그렇지 않으면 수입검사의 문서가 생산라인에 있거나 생산라인의 문서가 품질관리 부서에 있는 혼란한 상황이 얼마든지 발생할 수 있다.

b) 조직은 문서화된 정보를 보호해야 한다. 보호는 크게 세 가지로 생각해볼 수 있는데, 첫째는 외부로 무단 유출이 되지 않도록 등급별 보안관리를 해야 한다. 특히 해외 사업장의 경우, 등급별 보안관리가 더욱 요구된다. 두 번째는 문서화된 정보의 내용이 임의 수정되어 사용되지 않도록 해야 한다. 세 번째는 물리적으로 훼손되지 않도록 안전하게 보관되어야 한다. 전자문서의 경우에는 일일 실시간 백업 관리가 되도록 하고, 종이 문서의 경우에는 집중식, 분산식, 절충식으로 각 환경에 맞게 보관하는 것이 좋다.

3.8.10 기록	기록(Record)은 달성된 결과를 명시하거나 수행한 활동의 증거를 제공하는 문서를 말한다. 예를 들면 추적성을 위한 생산이나 재작업 이력, 부적합품 처리를 위한 시정조치, 각종 검증 활동 등이 있을 수 있다. 기록은 그 자체로 의미가 있기 때문에 개정 관리할 필요가 없다. <필자> 기록이 잘못되어 수정 후 재기록하는 경우에도 그 이력을 남기는 것이 좋다.

7.5.3.2.

문서화된 정보의 관리를 위하여, 다음 활동 중 적용되는 사항을 다루어야 한다.

a) 배포, 접근, 검색 및 사용
b) 가독성 보존을 포함하는 보관 및 보존
c) 변경 관리(예: 버전 관리)
d) 보유 및 폐기

품질경영시스템의 기획과 운용을 위하여 필요하다고, 조직이 정한 외부 출처의 문서화된 정보는 적절하게 식별되고 관리되어야 한다. 적합성의 증거로 보유 중인 문서화된 정보는, 의도하지 않은 수정으로부터 보호되어야 한다.

비고: 접근(Access)이란 문서화된 정보를 보는 것만 허락하거나, 문서화된 정보를 보고 변경하는 허락 및 권한에 관한 결정을 의미할 수 있다.

7.5.2항에서는 문서화된 정보의 작성과 갱신, 7.5.3.1항에서는 문서화된 정보의 보관 장소와 시기, 그리고 보호에 대해 다루었다. 본 조항에서는 문서화된 정보의 배포, 접근, 검색, 사용, 폐기 등과 같은 좀 더 구체적인 내용에 대해 살펴보자.

a) 문서화된 정보를 관리하기 위한 내부 데이터베이스가 있다면 이를 통해 문서화된 정보를 배포하고, 접근, 검색, 사용을 보장할 수 있다. 배포의 범위와 대상이 결정되면 접근 권한이 부여된 조직은 검색을 통해 해당 문서화된 정보를 열람하여 사용할 수 있다. 만약 데이터베이스가 없다면 물리적인 방법으로 본 요구사항을 충족시켜야 한다.

b) 가독성(Legibility)은 사전적 의미로 '얼마나 쉽게 읽히는가 하는 능률의 정도'를 말한다. 따라서 문서화된 정보의 가독성이 보존(Preservation)되어야 한다는 것은 쉽게 읽힐 수 있도록 보호하고 간수하라는 말이다.

예를 들어 생산 라인의 최종 검사 공정에서 한 작업자가 제품의 특별 특성에 해당하는 중요 치수를 종이에 기록으로 남겨놓았다고 하자. 제품을 고객에게 인도하였으나 부적합품으로 판정되었다면 조직은 해당 기록물을 확인해야 한다. 그러나 해당 기록물이 고온 다습한 환경에서 보관되어 기록 자체를 확인할 수 없다면 부적합품이 생산 당시부터 부적합품이었는지, 아니면 양품과 혼입된 것인지, 고객 인도 후 보관 조건의 불충족으로 발생한 것인지 알 수 없다. 실제 조직의 문서를 공장의 외부와 연결된 습한 창고에 보관하여 훼손되는 경우가 많다.

c) 문서화된 정보가 제정된 이후에는 수없이 많은 개정이 이루어진다. 중요한 것은 현재의 개정 정보와 이전의 개정 이력이 함께 식별, 유지되어야 앞뒤의 개정 정황을 확인할 수 있다. 그리고 상위의 문서화된 정보가 개정되면 그에 따른 하위의 문서화된 정보 또한 개정되어야 혼란을 줄일 수 있다.

d) 모든 문서화된 정보에는 보존 연한이 있어야 한다. 문서화된 정보는 규정된 보존 연한에 따라 보존되어야 하고, 폐기 절차에 따라 폐기되어야 한다.

7.1.6항에서는 조직의 지식에 대해 다루었다. 조직의 지식에는 조직의 지적재산권, 경험을 통해 얻은 지식, 실패 또는 성공한 프로젝트에서 얻은 교훈 등의 내부 출처가 있고, 학계, 협회, 고객, 콘퍼런스 등으로부터 얻은 외부 출처가 있다. 이러한 외부 출처의 문서화된 정보는 적절한 형태로 식별되어야 한다. 특히 고객이 제공한 도면과 시방서는 고객의 소중한 영업비밀이 담겨 있으므로 외부에 유출되지 않도록 특별한 관리가 요구된다.

적합성의 증거로 보유 중인 문서화된 정보란 기록(Record)을 말한다. 기록은 달성된 결과를 명시하거나 수행한 활동의 증거를 제공하는 문서이다. 예를 들면 추적성을 위한 생산이나 재작업 이력, 부적합품 처리를 위한 시정조치, 각종 검증 활동 등이 있다. 기록은 그 자체로 의미가 있기 때문에 불필요한 수정으로부터 보호하고, 개정할 필요가 없다.

7.5.3.2.1. 기록보유

조직은 법적, 규제적, 고객의 기록 보유 요구사항을 만족하도록 관련 방침과 규정을 정의하고, 문서화해야 한다. 예를 들어 공공기록물 관리에 관한 법률 시행령 제 26조(보존기간)에 따르면 각 기록물에 따라 법적 보존기간을 영구, 반영구, 30년, 10년, 5년, 3년, 1년으로 규정하고 있다. 이처럼 제품과 서비스에 필요한 각종 기록물에 대해서도 보존 기간이 정의되고, 문서화되어야 한다. 본 조항에서는 각종 기록물에 대한 범위를 다음과 같이 정의하고 있다.

a) 양산부품승인(PPAP, Production Part Approval Process)
b) 치공구 기록(보전 및 소유권 포함)
c) 제품 및 공정 설계 기록
d) 구매 주문서(PO, Purchase Order)
e) 계약서 및 개정사항

관련법을 비롯해 고객이 별도로 규정한 보존 기간이 없다면 제품과 서비스의 활동 기간(생산, 검사, 구매, 수리, 재작업 등)에 1년을 더하여 보존 관리를 해야 한다. 자동차 산업의 경우에는 대부분 안전과 관련되어 있기 때문에 기록 보존 기간을 10~15년, 내장된 소프트웨어의 경우에는 20년을 요구하기도 한다.

7.5.3.2.2. 엔지니어링 시방서

고객은 신규 개발이나 설계 변경 시 엔지니어링 시방서인 기술문서, 즉 'Engineering Specification'과 'Material Specification'을 제공한다. 이러한 명칭의 문서는 아니더라도 조직의 제품 또는 공정에 반영되어야 할 규격이 포함된 'Supplier Standards'가 제공될 수 있다. 조직은 이러한 요구사항이 접수되면 고객의 비즈니스 일정에 맞추어 일련의 활동(검토, 배포, 실행 등)이 유기적으로 전개될 수 있도록 문서화된 프로세스를 보유해야 한다.

만약 고객이 제공한 시방서가 설계 변경이나 제품실현(양산) 프로세스의 변경(사람, 설비, 자재, 방법, 측정, 환경 등)과 관련되어 있다면 고객이 요구하는 적용 시점에 따라 내부 검토와 승인이 가능한 빨리 이루어져야 한다. 본 조항에서는 그 검토일자 기준을 시방서가 접수된 날로부터 10일 이내로 규정하고 있다. 그리고 모든 관련 조직은 시방서와 제품을 일치시키기 위해 일사불란하게 움직여야 한다. 시방서가 변경되었으니 하위 품질 문서인 PFMEA, 관리계획서, MSA, SPC, PPAP 관련 문서는 수직 개정되어야 하고, 고객의 추가 승인을 받아야 한다.

8.3.7 시방서	시방서(Specification)는 요구사항을 명시한 모든 문서를 말한다. 품질경영시스템과 관련된 요구사항이나 제품의 외관, 기능, 성능, 치수, 재질, 자재, 시험 등과 관련된 요구사항을 명시한 도면, 엔지니어링, 품질관리 문서와 관련될 수 있다.

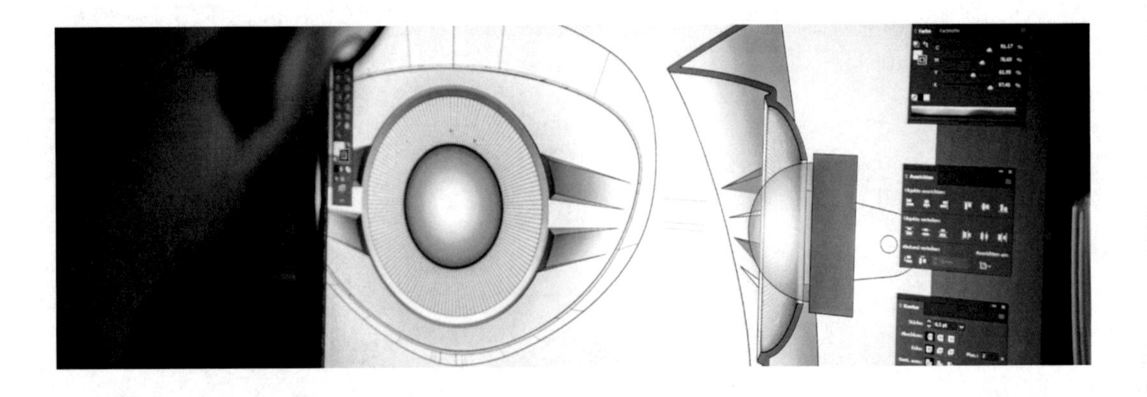

생각해 보기

조직의 성과지표는 전사 차원에서 수립되어 사업부별 단위 조직과 개인 수준까지 전개되어야 한다. 조직은 성과지표를 수립하기 전 전사 차원의 비전과 미션, 행동 원칙, 그리고 이를 달성하기 위한 거시적인 전략 목표를 수립해야 한다. 그리고 목표를 어떻게 달성할 것인지에 대한 전략과 과제를 도출해야 한다. 비전을 달성하기 위한 미션인지, 미션을 통해 비전으로 가는 것인지, 목표를 달성하기 위한 전략인지, 아니면 전략을 달성하기 위한 목표인지는 조직과 협회, 그리고 학계마다 정의가 다르다. 닭이 먼저냐, 알이 먼저냐의 차이가 아닐까 생각한다.

전략 목표를 위해 재무, 고객, 프로세스, 학습과 성장의 4가지 관점에서 하향 전개한 것이 BSC(Balance Score Card)이다. BSC는 CSF(Critical Sucess Factor)와 KPI(Key Performance Indicator)로 구성되는데, CSF는 BSC의 4가지 관점에 따라 조직의 전략 목표를 달성하기 위해 반드시 수행되어야 하는 '핵심 요소'이고, KPI는 CSF에 대한 구체적인 측정 지표이다. 조직의 핵심성과지표를 달성하기 위한 세부 핵심 과제가 수립되고, 이는 단위 조직과 개인 수준까지 전개되어야 한다. 만약 단위 조직의 리더(팀장, 파트장)가 구성원에게 올해 해야 할 과제를 요구한다면 전사 차원에서 수립한 전략적 과제와 동떨어질 수 있다. 리더는 구성원 개인이 수립한 과제의 진척 상황을 모니터링하고, 개인의 성과를 단위 조직의 성과로 가져가서는 안 된다. 리더는 전사 차원에서 수립한 전략적 과제에 어떻게 기여할지에 대한 고민을 해야 하고 구성원이 이를 인지할 수 있도록 해야 한다. (TOP - DOWN 방식)

전사 차원 BSC	비전	최고경영자에 의해 표명된 조직이 되고 싶어하는 것에 대한 열망
	미션	최고경영자에 의해 표명된 조직이 존재하는 목적(What)
	행동 원칙	조직의 비전, 미션 달성을 위한 기본적인 행동 원칙
	방침	최고경영자에 의해 공식적으로 표명된 조직의 의도 및 방향
	전략 목표	달성되어야 할 결과(거시적인 관점)
	세부 전략 (전략체계도)	장기 또는 종합적인 목표를 달성하기 위한 계획 (재무, 고객, 프로세스, 학습과 성장 관점)
	핵심성공요인	목표, 전략 달성을 위해 반드시 수행해야 하는 핵심 요소
	핵심성과지표	핵심성공요인에 대한 구체적인 측정 지표
	핵심 과제	실행 계획(예산 포함)

전사 차원에서의 목표 수립 전개

운용

제품과 서비스를 본격적으로 제공하기 위한
요구사항에 대해 살펴본다.

8. 운용

8.1. 운용 기획 및 관리

조직은 다음 사항을 통하여, 제품 및 서비스의 제공을 위한 요구사항을 충족하기 위해 필요한, 그리고 6절에서 정한 조치를 실행하기 위해 필요한 프로세스(4.4 참조)를 계획, 실행 및 관리하여야 한다.

a) 제품 및 서비스에 대한 요구사항 결정

b) 다음에 대한 기준 수립
1) 프로세스
2) 제품 및 서비스의 합격 판정

c) 제품 및 서비스 요구사항에 대한 적합성을 달성하기 위해 필요한 자원의 결정
d) 기준에 따라 프로세스 관리의 실행

e) 다음을 위해 필요한 정도로 문서화된 정보의 결정, 유지 및 보유
1) 프로세스가 계획된 대로 수행되었음에 대한 신뢰 확보
2) 제품과 서비스가 요구사항에 적합함을 실증

이 기획의 출력은 조직의 운용에 적절하여야 한다. 조직은 계획된 변경을 관리하고, 의도하지 않은 변경의 결과를 검토해야 하며, 필요에 따라 모든 부정적인 영향을 완화하기 위한 조치를 취하여야 한다. 조직은 외주처리 프로세스가 관리됨을 보장하여야 한다(8.4 참조).

우리는 4.4항에서 품질경영시스템 전체를 구성하는 프로세스에 대해 살펴봤다. 8.1항에서는 8항 전체를 구성하는 제품과 서비스의 제공을 위한 '운용(Operations) 프로세스'에 대해 살펴볼 것이고, 8.3항에서는 '설계 및 개발 프로세스'에 대해 범위를 좁혀 살펴볼 것이다. 따라서 4.4항은 8.1항을, 8.1항은 8.3항을 포함한다고 할 수 있다. 지금부터 비슷한 내용들이 반복되어 설명되니 잘 정리하여 기억하길 바란다. 실제 많은 조직에서 가장 어려워하고, 혼란스러워하는 조항이다.

> 4.4항 품질경영시스템을 구성하는 전 프로세스
> 8.1항 제품 및 서비스 제공에 필요한 운용 프로세스
> 8.3항 설계 및 개발에 필요한 프로세스

조직은 4.4항에서 조직의 품질경영시스템을 구성하는 전 프로세스를 수립했다. 그리고 6.1항에서 제품과 서비스에 대한 리스크와 기회를 결정하고, 수용, 회피, 감수, 제거 등의 조치를 취했다. 예를 들어 6.1항에서 신규 비즈니스라는 기회와 유럽의 환경 법규 강화라는 위험이 찾아

찾아왔을 때 해당 제품과 서비스를 제공하기 위한 프로세스(4.4항)를 계획하고, 실행, 그리고 관리했다. 신규 비즈니스와 유럽의 환경 법규 강화는 'Default value'가 아니다. 고객사, 국가, 지역 그리고 제품과 서비스마다 다르다. 따라서 조직은 제품과 서비스 제공을 위해 4.4항을 계획하고, 실행, 그리고 관리할 때 최소 다음의 요구사항(8.1항)을 고려해야 한다.

a) 조직은 제품과 서비스에 적용되는 요구사항을 결정하기 위한 프로세스를 계획하고 실행, 그리고 관리해야 한다. 4.3.2항에서 다룬 고객지정 요구사항(CSR, Customer Specific Requirement)은 조직의 품질경영시스템과 관련된 고객 요구사항이다. 본 조항에서 언급하는 요구사항은 제품과 서비스에 적용되는 기능, 성능, 재질, 외관, 치수, 포장 등으로 해석된다. 신규 비즈니스라는 기회와 유럽의 환경 법규 강화는 Default value가 아니라고 했다. 제품과 서비스마다 매번 다르게 적용되기 때문에 이를 결정하기 위한 '프로세스'가 필요하다. 흔히 '제품 실현 기획' 단계에서 본 과정을 수행하기 때문에 운용 프로세스 기획 시 본 Activity를 포함하면 된다. 요구사항은 과정에 대한 요구사항과 결과에 대한 요구사항 모두가 해당한다. 고객이 제공하는 Specification 자체가 과정(설계, 생산 등) 또는 결과에 대한 요구사항이 될 수 있고, 단순히 고객의 VOC(Voice Of Customer)가 결과에 대한 요구사항이 될 수 있다. VOC는 추상적이기 때문에 제품과 서비스에 적용하기 위해서는 엔지니어링이나 자재 시방서(스펙)로 전환하는 과정이 필요하다.

b) 프로세스 기획 시 다음에 대한 기준이 고려되어야 한다.

1) 제품과 서비스의 요구사항을 결정하기 위한 프로세스가 수립되었다면 다음은 이를 실현하기 위한 프로세스가 수립되어야 한다. 4.4항에서 정한 프로세스 중 제품과 서비스의 실현을 위한 프로세스를 말한다. 여기에는 영업, 설계 및 개발, 생산(제조 공정), 검사, 시험, 배송 등 제품과 서비스 제공에 필요한 모든 프로세스가 포함되어야 한다.

2) 1)항에서 정한 일련의 프로세스에서 a)항의 모든 요구사항이 식별되어야 한다. 과정에 대한 요구사항과 결과에 대한 요구사항 모두가 식별되어야 하고, 각 요구사항에 대한 '합격 판정 기준'이 수립되어야 한다.

c) 4.4.1항에서는 프로세스에 필요한 자원의 결정과 자원의 가용성이 보장되어야 하고, 7.1.1항에서는 품질경영시스템에 필요한 자원이 결정되고 제공되어야 한다고 했다. 즉 프로세스에 필요한 자원이 결정되고, 언제든지 사용 가능한 상태로 제공되어야 한다. 이제 범위를 좁혀 제품과 서비스 요구사항의 적합성을 달성하기 위한 자원이 결정되어야 한다.

만약 조직의 제품과 서비스가 단일 품목이라면 7.7.1항에서 결정한 자원을 그대로 사용하면 된다. 그러나 조직의 제품과 서비스가 다양하게 분포(모델, 파생 제품, 상품성 개선 제품, 변경 제품, 저가 사양, 고급 사양 등)되어 있다면 그에 맞는 자원이 결정되고, 제공되어야 한다. 예를 들어 특정 고사양 제품에 대한 요구사항의 적합성을 달성하기 위해서는 고도로 숙련된 작업자, 정확도와 정밀도가 보장된 측정기기와 검사자(Gage R%R 10% 미만), Cmk≥1.67의 검사 설비, 그리고 Poka-yoke 설비가 요구될 수 있다.

d) b)에서 정한 프로세스와 합격판정 기준에 따라 운용 결과의 적합성이 보장되어야 한다. 운용 관리 기준은 4.4.1항에서 정의한 프로세스 다이어그램과 하위 규정인 운용 절차에 포함되어야 하고, 해당 제품과 서비스에 대한 주요 성과 지표의 모니터링 주기, 측정 방법, 검토 주기 등으로 정의될 수 있다.

e) 조직은 다음을 위해 문서화된 정보를 결정하고, 유지, 그리고 보유해야 한다. 앞서 문서화된 정보는 4.4.2항 품질경영시스템의 문서화된 정보의 유지 및 보유에서 다뤘다. 또 7.5항에서는 문서화된 정보의 적용 범위, 작성 및 갱신, 관리 등에 대해 살펴봤다. 본 조항에서는 제품과 서비스 제공의 과정과 결과의 적합성에 대해 문서화된 정보로 실증해 줄 것을 요구하고 있다. 문서화된 정보를 보유하는 이유는 프로세스 운용 결과의 신뢰성을 확보하고 제품과 서비스의 적합성을 실증하기 위함이다.

1) 운용을 위한 절차서, 지침서, 작업표준서, 검사기준서, 양식 등이 수립되고, 실행의 결과를 기록한 '기록 대장'을 통해 프로세스 운용 결과의 신뢰성을 확보할 수 있다.

2) 제품과 서비스의 요구사항이 시방서(Specification)로 전환되고, 합격판정 기준과의 비교 검사, 확인을 통해 제품과 서비스의 적합성을 실증할 수 있다.

제품과 서비스 제공에 필요한 프로세스를 계획, 실행, 그리고 관리하기 위한 기획(제품실현기획) 활동이 조직의 운용에 적절해야 한다. 6.3항에서는 품질경영시스템의 변경에 대해 다루었다. 조직은 제품과 서비스를 제공하는 과정에서 계획된 변경이나 계획되지 않은 변경의 결과를 검토하고, 필요에 따라 부정적인 영향을 완화하기 위한 조치를 해야 한다.

이러한 변경관리 활동은 프로세스 내에서 조직 간의 유기적인 활동을 통해 진행되어야 하고, 변경 이력 또한 문서화된 정보로 보유되어야 한다. 또 8.4항에서 다루게 되는 외주처리 프로세스가 조직의 품질경영시스템 내에서 운용 관리됨을 보장해야 한다.

8.1.1. 운용 기획 및 관리 - 보충사항

앞서 제품과 서비스 제공을 위한 기획 활동과 여기에 포함되어야 하는 몇 가지 항목에 대해 살펴봤다. 여기에 더하여 다음의 요구사항이 추가 포함되어야 한다. 8.1 c)에서 파악된 자원은 제품의 특성과 합격판정 기준에 대한 검증, 타당성 확인, 모니터링, 측정, 검사 및 시험 활동에 필요한 자원을 말한다.

a) 고객의 제품 요구사항 및 기술 시방서
b) 물류 요구사항(제품 포장, 라벨, 바코드)
c) 제조 타당성(Feasibility Study 또는 Feasibility Commitment)
d) 프로젝트 기획(8.3.2항 설계 및 개발 기획 참조)
e) 합격 판정기준

8.1.2. 기밀유지

조직은 고객과 계약하여 개발 중인 프로젝트에 대한 정보를 외부에 유출해서는 안된다. 대부분은 신차가 출시될 시점에 도로에서 시험 주행 중인 카무플라주 패턴의 위장막을 씌운 차를 본 적이 있을 것이다. 이는 고객사가 신차 출시 전 디자인의 유출을 막기 위한 것이다. 조직에서도 수년간 공들여 개발한 소중한 프로젝트의 정보가 외부에 유출되지 않도록 주의하길 바란다.

8.2. 제품 및 서비스 요구사항

8.2.1. 고객과의 의사소통

고객과의 의사소통에는 다음 사항이 포함되어야 한다.

a) 제품 및 서비스 관련 정보 제공
b) 변경을 포함하여 문의, 계약 또는 주문의 취급
c) 고객 불평을 포함하여 제품 및 서비스에 관련된 고객 피드백 입수
d) 고객 재산의 취급 및 관리
e) 관련될 경우, 비상조치를 위한 특정 요구사항 수립

본 조항부터는 기획된 활동의 '실현'에 대한 요구사항으로 이해하면 된다. 8.1항에서는 제품과 서비스에 대한 요구사항의 충족을 위해 해당 프로세스를 계획하고, 실행, 그리고 관리했다. 8.1항에서 'a) 제품 및 서비스에 대한 요구사항 결정'이라는 언급이 있었지만 구체적으로 여기에 포함되어야 하는 항목에 대해서는 언급하지 않았다. 이제 고객과의 의사소통 프로세스에 포함되어야 하는 항목에 대해 살펴봐야 한다.

조직은 제품과 서비스를 제공하기 위해서 어떤 요구사항에 따라 제품과 공정을 설계하고 개발해야 하는지 고객과 의사소통해야 한다. 그리고 제품과 서비스에 적용되어야 할 각각의 요구사항을 결정하고, 결정된 요구사항을 실현할 수 있는지 조직의 능력 또한 검토해야 한다. 만약 고객의 요구사항이 변경될 경우, 이를 제품과 서비스에 적용하기 위한 일련의 프로세스 또한 고려되어야 한다. 이러한 요구사항을 8.2항에서 다룬다. 보통 조직의 영업부서에서 본 조항을 담당한다. 고객과의 의사소통 시 포함되어야 하는 각 항목은 다음과 같다.

a) 조직의 목적과 비즈니스 전략에 따라 기 생산된 제품(노트북, 휴대폰, 자동차 등)을 대리점을 통해 고객(소비자)에게 판매하는 경우, 시장의 경향 분석(고객이 원하는 기능, 성능, 디자인 등)이 선행되어야 한다. 이를 통해 얻은 정보는 신제품 개발 시 고려되어야 한다.

   만약 완제품을 생산하는 고객 요구사항에 의해 조직의 제품과 서비스가 개발되고 제공되어야 하는 사업 구조라면 고객으로부터 개발의 참여 의사를 묻는 'RFx(Request For x)'를 받아 제안서나 견적서를 제출한다. 여기에는 제품과 서비스에 대한 개요, 개발 일정, 품질목표, 기존 제품과 서비스와의 차이점, 공정 흐름도 등의 정보가 포함된다. 조직의 제품과 서비스에 대한 관련 정보를 제공하는 것이다.

b) 고객과의 공급 계약이 체결되면 고객의 요구사항을 바탕으로 조직의 제품과 서비스가 제공되어야 하므로 이에 대한 문의, 계약, 주문, 변경 등을 할 수 있는 의사소통 채널이 마련되어야 한다.

c) 만약 조직에서 제공한 제품과 서비스에 문제가 발생되었을 경우, 이를 처리하기 위한 의사소통 채널(콜센터, 고객 불만 ARS, 필드 서비스 등)이 마련되어야 한다.

d) 조직은 기술력, 재정, 환경 등의 문제로 고객이 제공한 생산, 검사, 시험 설비, 지그, 금형, 소프트웨어 등을 사용하여 조직의 제품을 생산하는 경우가 있다. 이는 조직의 자산이 아니므로 이에 대한 취급과 관리에 대한 정보를 고객과 공유해야 한다. 예를 들어 금형 설비를 고객으로부터 제공받았을 경우, 금형 타수 현황을 주기적으로 공유해야 고객이 유지 보수 시 참고할 수 있다.

e) 조직에 비상 상황이 발생할 경우에 대비하여 이에 대처하기 위한 의사소통 채널이 마련되어야 한다. 예를 들어 생산 설비에 화재가 발생했거나 폭우로 인해 창고의 재고가 손상되어 공급에 문제가 발생했을 경우, 고객에게 즉시 관련 내용이 통보되어야 한다. 또 조직의 제품이 유해한 화학 물질이어서 소비자의 실수로 눈에 들어간 경우나 피부에 노출된 경우, 즉시 응급조치를 위한 채널도 마련되어야 한다.

8.2.1.1. 고객과의 의사소통 - 보충사항

조직은 제품과 서비스의 요구사항과 관련하여 고객과 의사소통 시 '합의된 언어'를 사용해야 한다. 조직은 고객이 정한 컴퓨터 언어(CAD/CAM)나 어떠한 형식으로 만들어진 데이터를 비롯하여 고객과의 의사소통을 위한 능력을 갖추어야 한다. 예를 들어 조직이 고객이 제공한 Supplier APQP(Advanced Product Quality Planning) 프로세스에 따라 각 단계별 활동을 수행한다고 했을 때 고객이 정한 목적, 용어 및 정의, 책임 및 권한, 사용된 품질 방법론, 소프트웨어(CAD/CAM, CATIA, ProEngineer, Minitab 등) 호환성, 언어, 입출력물 등을 이해할 수 있어야 한다.

APQP(Advanced Product Quality Planning)는 자동차산업에서 조직 또는 협력사의 제품을 개발하기 위해 사용하는 방법론으로 양산 전 제품의 품질을 조기에 확보하여 고객 만족에 기여하는 것이 주된 목적이라고 할 수 있겠다.

8.2.2. 제품 및 서비스에 대한 요구사항의 결정

고객에게 제공될 제품 및 서비스에 대한 요구사항을 결정할 경우, 조직은 다음 사항을 보장하여야 한다.

a) 제품 및 서비스 요구사항은 다음을 포함하여 규정됨
1) 적용되는 모든 법적 및 규제적 요구사항
2) 조직에 의해 필요하다고 고려된 요구사항

b) 조직은 제공하는 제품 및 서비스에 대한 요구(Claim)를 충족시킬 수 있음

8.2.1항에서 고객의 요구사항이 파악되면 다음은 제품과 서비스에 적용될 요구사항이 결정되어야 한다. 모든 요구사항을 반영한 제품과 서비스를 실현하면 좋겠지만, 조직은 국가별 법적, 규제적 문제, 가격, 비용, 이익, 기술력, 클레임 발생 시 처리 능력(조직이 보유한 자산을 뛰어넘는 천문학적 클레임 비용) 등을 분석하여 감당할 수 있는 요구사항을 결정해야 한다. 고객의 요구사항을 포함하여 다음 두 가지 사항은 반드시 보장되어야 한다.

a) 제품과 서비스 요구사항에 다음 사항을 포함해야 한다.

1) 적용되는 모든 법적, 규제적 요구사항이 결정되어야 한다.
   > 미국 FCC(Federal Communications Commission) 인증
   > 유럽 CE(European Communities) 인증
   > 한국 KC(Korea Certification Mark) 인증
   > 기타 각 국가별 규제기관에서 인증(배출가스, 소음 등)

2) 조직에 의해 필요하다고 판단되는 요구사항이 결정되어야 한다. 조직의 비즈니스 전략에 따라 제품의 기능, 성능, 외관, 치수, 포장, 재질별 차별화된 요구사항이 결정되어야 시장에서 경쟁력을 높일 수 있다. 최근 들어 자동차나 기타 제조 산업에 들어가는 구리 케이블이 알루미늄 케이블로 대체되고 있다. 알루미늄 케이블은 구리 케이블에 비해 40% 이상 가볍고, 가격 또한 비교적 저렴해서 리튬이온 배터리(약 450kg)가 장착되는 전기자동차에 최적화된 자재이다.

b) 조직이 제공한 제품과 서비스에 문제가 발생할 경우, 수리, 환불, 교환, 벌금, 합의금 등으로 보상할 수 있는 능력이 보장되어야 한다. 조직의 제품으로 인해 고객의 안전이 위협되는 경우, 엄청난 비용이 발생한다. 미국의 도로교통안전국(National Highway Traffic Safety Administration)은 자동차의 교통안전을 명분으로 많은 완성

차 업계에 리콜을 실시해왔다. 리콜의 규모는 그 정도에 따라 다르지만 수십, 수백만 대에 해당하기 때문에 이를 감당할 수 있는 조직의 능력이 요구되는 것이다.

8.2.2.1. 제품 및 서비스에 대한 요구사항의 결정 - 보충사항

8.2.2항에서는 제품과 서비스에 적용되는 모든 법적, 규제적 요구사항에 대해 살펴봤다. 여기에는 제품 및 제조 공정에 대한 지식의 결과로써 파악된 재활용, 환경적 영향과 특성이 포함되어야 한다. 쉬운 예로 대부분의 산업에서 사용하고 있는 플라스틱이 있을 수 있다. 플라스틱의 종류에 따라 환경적 특성과 영향이 결정되고, 그 특성에 따라 재활용이 가능하다.

> 법적, 규제적 요구사항에 이를 포함해야 한다.
> PET(PolyEthylene Terephthalate): 재활용 불가(환경호르몬)
> HDPE(High Density PolyEthylene): 재활용 가능
> PVC(PolyVinyl Chloride): 식품 용기로 사용 금지(발암물질)
> LDPE(LowDensity Polyethylene): 재활용 불가
> PP(PolyPropylene): 재활용 가능
> PS(PolyStyrene): 식품 용기로 사용 금지(발암물질)

제품뿐만 아니라 제조 공정에서도 가공, 열처리하는 '과정'에서 환경적 영향(오염)이 있을 수 있기 때문에 조직은 법적, 규제적 요구사항에 이를 포함해야 한다. 또 자재의 구매, 보관, 취급, 재활용, 제거 또는 폐기와 관련된 적용 가능한 모든 정부, 안전, 환경적 규제사항이 포함되어야 한다. 대표적인 환경 규제로는 화학물질 관리, 대기 총량규제, 대기 농도규제, 화학물질 등록 및 평가, 폐기물 관리, 통합환경관리, 자원 순환관리, 미세먼지 저감조치 등이 있다. 조직의 입장에서는 각종 환경규제에 대응하기 위한 투자 비용을 안고 있지만 정부의 각종 지원 정책도 있으니 이를 잘 활용하길 바란다.

배출	개별 밀폐포장하고 전용봉투에 배출
보관	보관일은 15일(냉장 보관 시 30일) 이내, 별도 보관 장소, 보관 장소는 주 1회 소독
운반	냉장차량으로 운반(기저귀만 별도 운반)
처리	일반 소각장에서 처리

폐기물 관리법(일회용 기저귀 예시)

8.2.3. 제품 및 서비스에 대한 요구사항의 검토

8.2.3.1.

조직은 고객에게 제공될 제품 및 서비스에 대한 요구사항을 충족시키는 능력이 있음을 보장하여야 한다. 또한 조직은 고객에게 제품 및 서비스의 공급을 결정하기 전에, 다음 사항을 포함하여 검토를 실시하여야 한다.

a) 인도 및 인도 이후의 활동에 대한 요구사항을 포함하여, 고객이 규정한 요구사항
b) 고객이 명시하지 않았으나 알려진 경우, 규정되거나 의도된 사용에 필요한 요구사항
c) 조직에 의해 규정된 요구사항
d) 제품이나 서비스에 적용되는 법적 및 규제적 요구사항
e) 이전에 표현된 것과 상이한 계약 또는 주문 요구사항

조직은 이전에 규정한 요구사항과 상이한 계약 또는 주문 요구사항이 해결되었음을 보장하여야 한다. 고객이 요구사항을 문서화된 상태로 제시하지 않는 경우, 고객 요구사항은 수락 전에 조직에 의해 확인되어야 한다.

비고: 인터넷 판매 등과 같은 상황에서는, 각각의 주문에 대한 공식적인 검토가 비현실적이다. 이러한 경우, 카탈로그와 같은 관련 제품정보를 검토하는 것으로 대신할 수 있다.

8.2.2항에서 제품과 서비스에 적용될 요구사항을 결정했다면, 이제 그 요구사항을 충족시킬 수 있는 조직의 '능력'을 보장해야 한다. 조직은 제품과 서비스에 적용될 요구사항을 면밀히 검토하여 생산과 공급 능력이 있음을 실증해야 한다. 조직에서는 이를 'Feasibility Study', '타당성 검토'라고 부른다. 조직의 능력은 다음 사항의 검토를 통해 보장될 수 있다.

a) 인도 활동은 배송(Delivery), 인도 후 활동은 제품의 보관, 취급, 사용, 설치, 주의사항, A/S 등에 대한 요구사항을 말한다. 이 요구사항을 포함하여 8.2.2항에서 결정된 제품과 서비스에 적용될 고객의 요구사항이 검토되어야 한다.

b) 고객이 명시하지는 않았지만 필수적으로 적용되어야 하는 제품과 서비스 고유의 기능, 성능, 성분, 서비스 행위 등이 검토되어야 한다. (자동차 브레이크 - 제동력)

c) 8.2.2항에서 조직이 결정한 요구사항이 검토되어야 한다.

d) 8.2.2항에서 결정된 법적, 규제적 요구사항이 검토되어야 한다.

e) 조직은 고객의 주문이나 계약 요구사항이 이전과 다른 경우, 새로운 요구사항이 반영되었는지 검토해야 한다. 특히 고객이 작업성 문제로 인해 설계 변경을 요청했을 경우, 최신 도면(Drawing)과 시방서(Specification)가 식별되어야 하고, 이를 만족시키기 위한 조직의 능력(Capacity, Capability 등)이 검토되어야 한다.

조직은 e) 항에서 검토한 내용이 문제없이 해결되었음을 보장해야 한다. 또 대부분의 고객 요구사항은 문서로 제공되지만 그렇지 않은 경우, 수락하기 전 반드시 내부적으로 확인되어야 한다. 인터넷 판매 등과 같은 상황에서는 각각의 주문에 대한 공식적인 검토가 비현실적일 수 있다. 이러한 경우, 조직이 제공할 수 있는 제품과 서비스에 대한 정보를 카탈로그에 담아 고객이 선택하도록 하는 방법이 있다.

8.2.3.1.1. 제품 및 서비스에 대한 요구사항의 검토 - 보충사항

조직의 상황, 이해관계자의 니즈와 기대, 그에 따른 리스크와 기회의 조치(예: 면제 요청, 수용 불가, 합의 요구 등)에 따라 제품과 서비스에 적용될 요구사항이 면제(Waiver)될 수 있다. 이러한 경우, 공식적인 면제를 위해 고객의 승인을 받아야 하고, 문서화된 정보로 보유되어야 한다. 조직에서는 'Vendor Addendum'이라는 별도의 시트를 사용하기도 하고, 타당성 검토 시 각 요구사항별 조직의 능력을 Yes/No로 평가하여 고객의 승인을 받기도 한다. 중요한 것은 조직의 품질 수준을 고객과 검토하라는 것이다.

고객사에서 제공한 요구사항의 최종 승인은 품질 부서에서 하는 것이 일반적이다. 그러나 필자는 고객사에서 제공한 요구사항을 내부 검토 없이 연구소(영업)에서 승인하는 조직을 많이 봐왔다. 이후 품질 문제 발생 시 기술적 한계점이라는 핑계를 대곤 한다. 이것은 품질보다 당장 눈앞의 신규 비즈니스를 우선으로 생각하여 향후 비즈니스의 연속성을 보장할 수 없는 결과를 낳는다. 고객은 늘 냉정하다는 것을 명심해야 한다.

조직은 정의된 모든 특별 특성에 대해 Cpk 1.67 이상, Ppk 2 이상을 충족할 수 있는가?	N	Cpk 1.33 이상 충족 가능
조직은 PFMEA를 생성하기 전 DFMEA를 내부 검토하고, 사전 생성할 수 있는가?	Y	MDT팀 DFMEA 생성 가능
조직은 본 Waiver 사항에 대해 고객과 협의함(2023.00.00)		

Customer requirement waiver 예시

8.2.3.1.2. 고객지정 특별 특성

특별 특성은 안전, 보안, 정부의 규제 또는 고객의 특정 요구사항에 영향을 미치는 제품 또는 공정의 특성을 말한다. 특별 특성은 품질의 심각도와 영향력에 따라 '보안 특성(Critical characteristics)'과 '중요 특성(Significant characteristics)'으로 구분한다. 보안 특성은 정부의 차량 안전, 배기, 소음, 도난 방지 등 법규 및 안전과 관련된 특성을 말하고, 중요 특성은 기능, 외관, 치수, 장착성 등의 품질에 영향을 미치는 특성을 말한다. 조직은 제품과 서비스에 적용될 특별 특성을 지정하고, 승인, 그리고 관리에 대해 문서화된 정보를 보유해야 한다.

보안 특성과 중요 특성은 다시 제품 특성과 공정 특성으로 구분한다. 제품 설계 및 개발 단계에서 파악된 제품 특성은 이후 공정 설계 및 개발 단계에서 파악된 공정 특성과의 인과 관계가 보장되어야 한다. 보통 DFMEA와 PFMEA가 연계되어 각 심각도의 수준에 따라 보안 특성과 중요 특성이 결정된다. 다시 말해 심각도가 높거나 RPN 지수가 높으면 특별 특성으로 지정하고, 승인, 그리고 관리해야 한다.

본 조항에서의 관심 사항은 이러한 특별 특성을 결정하고, 검토, 승인, 그리고 관리하는 활동이 고객의 요구사항과 일치하는가에 있다. 따라서 조직은 고객의 요구사항과 조직이 지정한 특별 특성의 적합성을 실증할 수 있도록 일련의 프로세스를 수립하고, 이를 실행할 수 있는 조직의 능력을 보장해야 한다. 표준에서는 특별 특성에 대한 언급을 몇 차례 하고 있는데 이를 정리하면 다음과 같다.

> 5.3.1항 조직의 역할, 책임 및 권한 - 보충사항
> 7.1.5.1.1항 측정시스템분석
> 8.2.3.1.2항 고객지정 특별 특성
> 8.3.3.1항 제품 설계 입력
> 8.3.3.2항 공정 설계 입력
> 8.3.3.3항 특별 특성
> 8.3.5.1항 설계 및 개발 출력 - 보충사항
> 8.3.5.2항 제조 공정 설계 출력
> 8.4.3.1항 외부 공급자를 위한 정보 - 보충사항
> 8.5.1.1항 관리계획서
> 9.1.1.1항 특별 특성을 포함하여 공정능력을 검증

8.2.3.1.3. 조직의 제조 타당성

본 조항의 핵심은 조직의 공정에서 고객의 요구사항을 충족하는 제품과 서비스를 일관되게 생산할 수 있어야 한다는 것이다. 이를 위해 조직은 '전문 분야 협력 접근법'을 활용하고, 이전의 지식과 경험을 참조하여 '제조 타당성'을 검토해야 한다. 이는 모든 신규 또는 변경된 제품 및 공정의 설계 및 개발 단계에서 시행되어야 한다. 그리고 양산에 들어가기 전 생산 가동(Production runs 또는 Run@Rate), 벤치마킹 조사, 공정 심사 등 기타 다른 방법을 통해 시방서의 요구사항을 충족하는 제품이 만들어졌는지 확인해야 한다. 제조 타당성 검토에는 다음과 같은 내용이 포함된다.

> 모든 법적, 규제적 요구사항을 만족하고 있는가?

> 프로젝트 일정에 대해 이해하고 있는가?

> APQP의 모든 입출력물에 대해 이해하고 있는가?

> 모든 제품 및 공정의 특별 특성에 대해 이해하고 있는가?

> Deviation 없이 고객의 시방서를 충족할 수 있는가?

> 장기공정능력(Ppk) 1.67이상을 충족할 수 있는가?

> PPAP Checklist가 검토되었는가?

> 제조, 시험, 검사, 금형 등의 Capacity는 보장되는가?

8.2.3.2.

조직은 적용되는 경우, 다음 사항에 대한 문서화된 정보를 보유하여야 한다.

a) 검토결과
b) 제품 및 서비스에 대한 모든 새로운 요구사항

조직은 제품과 서비스 요구사항의 검토 결과에 대한 문서화된 정보를 보유해야 한다. 보통 'Feasibility Study', 'Feasibility Commitment' 등의 문서에 기록되고, 내부 및 고객과의 서명본을 관리한다.

a) 요구사항이 잘 반영되었는지에 대한 검토 결과
b) 제품 및 서비스에 대한 모든 신규 요구사항

8.2.4. 제품 및 서비스에 대한 요구사항의 변경

제품 및 서비스에 대한 요구사항이 변경된 경우, 조직은 관련 문서화된 정보가 수정됨을, 그리고 관련 인원이 변경된 요구사항을 인식하고 있음을 보장하여야 한다.

조직의 상황에 따라 4M이 변경되고, 고객의 상황, 예를 들면 조립성 개선, 품질 개선, 원가 절감 등의 사유로 설계가 변경된다. 제품과 서비스에 대한 요구사항이 변경될 경우, 해당 문서화된 정보 또한 개정되어야 한다. 그리고 모든 관련 부서가 이를 인식하고 있어야 한다. 이를 위해 조직은 단순 이메일로 변경 건을 처리하기보다는 조직의 변경관리 프로세스를 통해 처리해야 다음의 문서화된 정보를 보장할 수 있다.

a) 제품과 서비스에 대한 요구사항의 식별과 이해
b) 변경에 대한 리스크 평가
c) 모든 관련 문서 검토: 메뉴얼, 절차서, 작업 지침서, 시방서 등
d) 변경에 해당하는 b) 문서 개정
e) 개정 이력 관리: 버전, 일자, 승인 등
f) 변경과 관련된 모든 이해관계자를 대상으로 교육훈련과 의사소통
g) 변경에 대한 검증과 타당성 확인: 검사, 시험, 제품 심사 등
h) 모니터링 및 지속적 개선: 고객의 피드백에 따른 추가 개선
i) 해당되는 경우, 법적, 규제적 요구사항 준수
j) 문서화된 정보 보유

변경 요청자	제품과 서비스에 대한 변경을 요청하는 사람 또는 부서 > 자재 변경의 경우 구매 > 공정 변경의 경우 생산 또는 생산기술 > 설계 변경의 경우 연구소
변경 검토자(Reviewer)	변경에 대한 평가와 검토를 하는 사람 또는 부서 > CCB(Change Control Board) 운영
변경 승인권자(Approver)	변경에 대한 승인 또는 거절할 수 있는 권한을 가진 사람 또는 부서
문서관리자(Controller)	변경에 대한 문서화된 정보를 개정하고 유지하는 사람 또는 부서
품질관리자	변경에 대한 최종 승인을 하는 사람 또는 부서

변경관리에 필요한 책임과 역할

8.3. 제품 및 서비스의 설계와 개발

8.3.1. 일반사항

조직은 제품 및 서비스의 설계와 개발 이후의 공급을 보장하기에 적절한 설계와 개발 프로세스를 수립, 실행 및 유지하여야 한다.

우리는 8.2항에서 조직의 제품과 서비스에 적용될 요구사항을 결정하고, 검토했다. 요구사항은 대부분 추상적인 언어로 되어 있다. 이를 조직의 제품과 서비스에 일괄 적용하기 위해서는 수치화(Digitalization, 설계)하여 형상화(Figuration, 개발)하는 과정이 필요하다. 본 조항에서는 이를 위해 필요한 '프로세스', '입력 항목', '관리 항목', '출력 항목' 그리고 '변경 항목'에 대해 하나씩 살펴볼 것이다.

조직은 설계 및 개발 이후 제품과 서비스의 원활한 공급(Subsequent provision)을 보장해야 한다. 설계 및 개발 단계에서는 제품과 서비스에 드러나지 않은 잠재된 변동(Variance)이 무수히 존재한다. 따라서 양산 후 잠재된 변동을 최소화하려면 적절한 설계 및 개발 프로세스를 수립하고, 실행, 그리고 유지해야 한다. 설계 및 개발 이후의 프로세스에는 생산, 검사, 포장, 물류, 인도 후 서비스 등이 있다. 그렇다면 왜 설계 및 개발 프로세스에서 후속되는 작업까지 고려해야 할까? 이는 설계 및 개발 프로세스에서 나오는 사양서(도면, 제품 및 공정 특성, 시험 조건, 검사 조건, 취급 조건, 보관 조건, 포장 사양 등)를 기반으로 후속되는 생산, 검사, 포장, 물류 등의 작업이 전개되기 때문이다.

국내 자동차 산업에서는 'APQP(Advanced Product Quality Planning, 사전제품품질기획)'라는 방법론을 통해 설계 및 개발 프로세스를 진행한다. 만약 조직에서 APQP 방법론을 사용하지 않는다면 이와 동등한 프로세스를 수립해야 한다. APQP는 크게 6단계로 1) 기획, 2) 제품 설계 및 개발, 3) 공정 설계 및 개발, 4) 제품 및 공정의 유효성 확인, 5) 양산, 6) 피드백 평가 및 시정조치 순으로 되어 있다. 이러한 활동이 원활하게 진행되려면 절차서를 포함한 프로세스가 먼저 수립되어야 한다.

a) 4.4항 품질경영시스템을 구성하는 전 프로세스를 수립
b) 8.1항 제품 및 서비스의 제공에 필요한 프로세스를 수립
c) 8.3항 설계 및 개발에 필요한 프로세스를 수립

8.3.1.1. 제품 및 서비스의 설계와 개발 - 보충사항

조직은 8.3.1항의 요구사항을 제품뿐만 아니라 공정을 설계하고 개발할 때도 적용해야 한다. 앞서 설명한 바와 같이 APQP 방법론에는 '공정 설계 및 개발' 프로세스를 포함한다. 따라서 조직이 이를 운용하고 있다면 본 조항을 충족하고 있는 것이다.

공정에서의 작업은 대부분 사람이 하기 때문에 기계보다는 더 많은 변동(Variance)을 유발한다. 따라서 조직은 공정을 설계하고 개발 과정에서 검출(Detection)보다는 예방(Prevention) 활동에 초점을 두어야 한다. 뒤에서 살펴보겠지만 예방은 원하지 않는 잠재적 상황의 원인을 제거하는 것이다. 예방 활동은 모든 4M 측면에서 고려되어야 하는데, 특히 공정의 PFMEA에 따라 불량을 받지도 만들지도 보내지도 않는 PokaYoke 기능의 적용은 필수적이다. 사람의 경우에는 '4 eyes principle'이라는 방법론을 사용해 두 명의 작업자가 오류 여부를 확인하고 승인함으로써 Human error를 예방할 수 있다.

8.3.2. 설계와 개발 기획

설계와 개발에 대한 단계 및 관리를 결정할 때, 조직은 다음 사항을 고려하여야 한다.

a) 설계와 개발 활동의 성질, 기간 및 복잡성
b) 적용되는 설계와 개발 검토를 포함하여, 요구되는 프로세스 단계
c) 요구되는 설계와 개발 검증 및 실현성 확인/타당성 확인(Validation) 활동
d) 설계와 개발 프로세스에 수반되는 책임 및 권한
e) 제품 및 서비스의 설계와 개발에 대한 내부 및 외부 자원 필요성
f) 설계와 개발 프로세스에 관여하는 인원 간 인터페이스의 관리 필요성
g) 설계와 개발 프로세스에 고객 및 사용자의 관여 필요성
h) 제품 및 서비스의 설계와 개발 이후의 공급을 위한 요구사항
i) 설계와 개발 프로세스에 대해 고객 및 기타 관련 이해관계자가 기대하는 관리의 수준
j) 설계와 개발 요구사항이 충족되었음을 실증하는데 필요한 문서화된 정보

이제 범위를 좁혀 설계 및 개발 프로세스를 구성하는 각 단계와 여기에 포함되어야 하는 관리 활동에 대해 살펴보자. 앞서 8.1항 운용 프로세스 기획 시 제품과 서비스에 적용될 최소한의 요구사항(CSR, 특정 개발 프로세스, 합격 판정기준 등)에 대해 살펴봤다. 본 조항은 'd) 기준에 따라 프로세스 관리의 실행'에 대한 여러 조항 중 하나이다. 설계 및 개발 또한 제품과 서비스에 따라 고려되어야 하는 항목이 다르기 때문에 기획 활동이 필요한 것이다.

본 조항에서 언급하는 Verification(검증)과 Validation(타당성 확인)의 용어에 대해 이해야 한다. Verification은 제품수명주기(PLC, Product Life Cycle)의 특정 단계에서 시방서(Design Specification)와 자재, 부품(Part), 모듈(Module), 하위 시스템(Subsystem), 시스템(System)과의 적합성을 확인하는 것이고, Validation은 고객의 요구사항과 최종 결과물(제품과 서비스)이 '의도된 사용 목적'에 적합한지를 확인하는 것이다. 따라서 Verification은 개발자 입장에서 제품을 올바르게 만들고 있는가에 대한 과정 중심의 절차이고, Validation은 사용자 입장에서 올바른 제품을 만들었는가에 대한 결과 중심의 절차이다. 조직의 시험실에서 특정 부품 또는 최종 제품의 환경 시험, 안전 시험, 노이즈 시험, 기구적 시험 등을 하는 것은 Verification과 Validation 모두를 위한 것이다. 조직은 설계 및 개발을 위한 각 단계와 관리 항목을 결정할 때 다음 사항을 고려해야 한다.

a) 조직은 설계 및 개발 활동의 성질(기계류, 전자소자류, 건축물, 서비스, 소프트웨어 등)과 신규 또는 변경된 제품과 서비스의 복잡성(직렬, 병렬, 순차적 접근, 동시 공학적 접근), 개발 일정(개발 기간에 따라 단계와 관리 항목이 다름) 등을 고려해야 한다.

b) 조직은 '검토' 활동을 포함하여 요구되는 프로세스 단계를 고려해야 한다. 요구되는 프로세스 단계는 자동차 산업 표준인 AIAG APQP에 따라 결정되고, 여기에는 '설계 검토(Design Review)' 활동이 포함되어야 한다. (체크 시트, 시기, 참석자 등 정의)

c) 조직의 설계 및 개발 프로세스에는 '검증(Verification)'과 '타당성 확인(Validation)' 활동이 포함되어야 한다. 검증 활동에는 소프트웨어 검사, 설계 검토, 부품 또는 시스템 수준의 시험 활동 등이 포함되고, 타당성 확인에는 제품 수준의 시험 활동이 포함된다.

d) 조직의 설계 및 개발 프로세스에는 단계별 담당자와 책임 및 권한이 명확하게 수립되어야 한다. 특히 의사소통 채널, 권한 부여, 승인권자 등이 사전 정의되어야 한다.

e) 설계 및 개발 과정에서 필요한 내외부 자원이 고려되어야 한다. 우리는 이미 4.4항, 7.1항, 8.1.1항에서 요구되는 내외부 자원을 고려했다. 특정 제품과 서비스에서 요구되는 자원을 검토하여 적용하면 된다.

f) 프로젝트에 참여하는 인원 간에 조화를 이룰 수 있도록 '인터페이스(Interface)'가 보장되어야 한다. 서로 다른 기능 간 원활하게 업무가 진행될 수 있도록 정보 공유 채널, 회의체, 책임과 역할, 에스컬레이션 등이 고려되어야 한다.

g) 설계 및 개발 시 계약된 고객뿐만 아니라 제품을 직접 사용하고 서비스를 받게 될 사용자의 의견이 고려되어야 한다. (고객과 사용자의 니즈와 기대 반영)

h) 제품과 서비스의 '인도'나 '후속되는 과정'에서 요구되는 사항도 고려되어야 한다. 만약 조직의 제품이 자동차 생산 공장에서 다시 여러 공정을 거쳐 최종 고객에게 판매된다면 좀 더 견고한 재질의 부품이 사용되어야 한다. 또 배송, 수리, 재작업, 교환, 소프트웨어 업데이트 등의 활동과 이를 위한 매뉴얼, 진단 가이드 등도 고려되어야 한다.

i) 고객과 이해관계자의 니즈와 기대를 충족하기 위한 '관리 수준'이 고려되어야 한다. 고객과의 협력 정도, 투명성, 기밀 정보, 검토와 승인, 지적재산권 등이 고려될 수 있다.

j) 설계 및 개발 단계에서는 내외부 요구사항의 충족(적합성) 여부를 검증하기 위해 많은 산출물이 요구된다. 이러한 산출물은 문서화된 정보로 보유되어야 요구사항의 충족 여부를 실증할 수 있다. 설계 및 개발이 완료되고, 고객에게 최종 승인을 받기 위한 PPAP 문서 또한 기획 시 고려되어야 한다.

8.3.2.1. 설계와 개발 - 보충사항

조직은 제품과 공정의 설계 및 개발 기획 시 '전문 분야 접근법(MDT, Multi-Disciplinary Team)'을 사용해야 한다. 여기에는 조직의 설계, 생산, 품질, 구매뿐만 아니라 조직의 공급망에 영향을 주는 모든 이해관계자가 포함되어야 한다. 참고로 한가지 알아두어야 할 점은 TFT(Task Force Team), CFT(Cross Functional Team), MDT(MultiDisciplinary Team) 간의 차이점이다. TFT는 특정 과업을 완수하기 위해 여러 또는 일부 부서에서 사람을 차출해 만든 한시적인 조직을 말한다. 큰 의미에서 CFT는 TFT에 포함되지만 CFT는 기능적인 개념이 강하다. 즉 여러 기능(설계, 생산, 품질, 구매, 협력사 등)에서 특수한 목적(신규 제품 설계 및 개발, 변경품 개발 등)을 위해 구성된 팀이라고 할 수 있다. MDT는 CFT와 개념이 비슷하지만 각 기능별로 '전문가'들이 모여 팀을 구성한다는 뉘앙스가 강하다. 따라서 품질경영시스템에서 요구하는 팀은 MDT를 말하고, MDT 활동의 예는 다음과 같다.

a) 프로젝트 관리(Project Management): APQP, VDA-RGA 등
b) 제품 및 제조공정 설계 활동: DFM(Design For Manufacturing)
c) 제품/공정 설계 리스크 분석 개발: DFMEA, PFMEA

8.3.2.2. 제품 설계 스킬

조직은 설계 책임을 가진 인원이 모든 요구사항을 이해하고, 제품 설계 도구, 기법 등에 숙련되어 있음을 보장해야 한다. 따라서 설계 인원에 대해서는 주기적인 '숙련도 평가(Skill)'가 수행되어야 한다. 평가 대상 항목의 예(수치화된 수학적 기반의 데이터 적용)는 다음과 같다.

> GD&T, 품질기능전개(QFD)
> 제조성 및 조립성을 고려한 설계(DFX)
> 가치공학(VE), 실험계획법(DOE)
> FMEA(DFMEA, PFMEA)
> 한정요소해석(FEA)

8.3.2.3. 소프트웨어가 내장된 개발

조직에서 개발하는 제품에는 소프트웨어가 내장될 수 있다. 만약 이러한 요구사항이 검토되었다면 설계 및 개발 기획 시 소프트웨어의 품질을 평가할 수 있는 프로세스가 기획되어야 한다. 이는 고객의 잠재적인 영향과 리스크를 기반으로 우선순위에 따라 특정 방법론에 의해 평가될 수 있고, 평가된 결과는 문서화된 정보로 보유되어야 한다. 소프트웨어의 품질은 다음과 같은 방법론에 의해 보증될 수 있다.

> Automotive SPICE
> ISO 26262 자동차 기능안전
> ISO 21434 자동차 사이버보안
> CMM(Capability Maturity Model, 능력 성숙도 모델)
> Autosar(AUTomotive Open System ARchitectur)

```
x <= a + ww + ax) {

    //trigger the custom event
    if (!t.appeared) t.trigger('appear', settings.data);

} else {

    //it scrolled out of view
```

8.3.3. 설계와 개발 입력

조직은 설계와 개발이 될 특정 형태의 제품 및 서비스에 필수적인 요구사항을 정하여야 한다. 조직은 다음 사항을 고려하여야 한다.

a) 기능 및 성능/성과 요구사항
b) 이전의 유사한 설계와 개발 활동으로부터 도출된 정보
c) 법적 및 규제적 요구사항
d) 조직이 실행을 약속한 표준 또는 실행지침
e) 제품 및 서비스의 성질에 기인하는 실패의 잠재적 결과

입력은 설계와 개발 목적에 충분하며, 완전하고 모호하지 않아야 한다. 상충되는 설계와 개발 입력은 해결되어야 한다. 조직은 설계와 개발 입력에 대한 문서화된 정보를 보유하여야 한다.

우리는 설계 및 개발 프로세스를 수립하고, 실행, 그리고 유지해야 한다는 것을 이해했다. 그리고 범위를 좁혀 구체적으로 여기에 포함되어야 하는 각 단계와 관리 활동에 대해 살펴봤다. 다음은 8.2.2항에서 결정되고, 8.2.3항에서 검토된 제품과 서비스의 요구사항이 실제 엔지니어링 특성으로 변환될 경우, 고려되어야 하는 세부 사항에 대해 살펴볼 것이다.

a) 8.2.2항에서 결정되고, 8.2.3항에서 검토된 제품과 서비스의 기능과 성능이 설계 및 개발의 입력 항목에 모두 포함되어야 한다. 중요한 것은 검토된 요구사항이 모두 식별되어야 미반영되거나 후속 단계에서 뒤늦게 반영 또는 변경되는 사고를 예방할 수 있다.

b) 조직이 과거에 유사한 제품과 서비스를 설계하고 개발한 경험이 있다면 이때 얻은 지식, 노하우, 정보 등이 입력 항목에 포함되어야 한다. 과거에 발생한 품질 문제, 재발 방지 사례, 지식 창고, Best Practice, 지속적 개선, 벤치마킹 등이 있을 수 있다.

c) 8.2.2항에서 결정되고, 8.2.3항에서 검토된 모든 법적, 규제적 요구사항이 입력 항목에 포함되어야 한다. (제품과 서비스 - 법적, 규제적 요구사항에 대한 통합 관리 시스템)

d) 'Codes of Practice(윤리적 실행지침)'나 '표준(Standards)'이 입력 항목에 포함되어야 한다. ASTM, ASME, Industry Codes of Practice(조직과 고객 간의 공정거래 지침) 등이 있을 수 있다.

e) 조직의 제품과 서비스에는 잠재적 고장 모드가 존재한다. 이는 제품과 서비스의 수명 주

기에 따라 또는 사용자의 보관, 취급 환경에 따라 나타날 수 있다. 이러한 잠재적 고장 모드는 설계 및 개발의 입력 항목에 포함되어야 한다.

설계 및 개발의 입력 항목은 그 목적에 충분하고, 완전해야 하며 애매모호한 것이 아니라 정확하게 표현되어야 한다. 상충하는 입력 항목도 없어야 한다. 조직은 입력과 관련된 문서화된 정보를 보유해야 이후 출력과의 적합성을 실증할 수 있다.

8.3.3.1. 제품 설계 입력

조직은 계약검토의 결과로써 제품 설계와 관련된 구체적인 요구사항을 파악하고, 문서화해야 한다. 특히 a) 제품 규격과 관련된 항목이 눈에 띄는데, 조직은 8.3.3.3항에서 언급된 특별특성 외 조직이 결정한 모든 제품 규격을 입력 항목에 포함해야 한다. 또 과거의 제품 설계 프로젝트, 경쟁사 제품 분석, 공급자 피드백, 내부 입력사항, 필드 데이터로부터 얻어진 정보를 반영, 전개하는 프로세스를 수립해야 한다.

설계 대체 방법으로는 '트레이드 오프 곡선'을 사용한다. 트레이드 오프 곡선이란 새로운 설비를 설계할 때 신뢰성, 보전성, 성능, 비용, 납기 등 '상충하는 요인'을 차질 없이 마무리하는 것을 말한다. 조직은 여러 가지 인자 사이의 균형을 생각하고 절충하는 노력을 해야 한다.

a) 먼저 8.3.3.3항에서 언급된 특별 특성(Special Characteristics)에 국한되지 않는 제품 규격(Product Specification)이 입력 항목에 포함되어야 한다.

b) 제품과 서비스의 범위와 상호 연계된 요구사항이 입력 항목에 포함되어야 한다. 제품과 서비스의 기능에 대한 범위와 각 기능과 상대 부품, 시스템 간의 인터페이스(통합, 호환성)를 보장하기 위함이다.

c) 제품의 식별, 추적성 그리고 포장에 대한 요구사항이 입력 항목에 포함되어야 한다. 식별과 추적성은 8.5.2항에서 자세히 살펴볼 것이다. 포장은 제품의 외관, 기능, 성능 품질(특성)에 상당한 영향을 미치므로 여러 방면에서 검토되어야 한다.

d) 조직은 설계 시 수없이 많은 선택에 부딪힌다. 서로 다르거나 비슷한 재질의 자재 사이에서 최선의 자재를 선택하고, 제품의 안전을 위해 최적의 하드웨어와 소프트웨어 로직 등

을 고려해야 한다. 표준에서는 이를 '설계 대안'이라고 정의하였다.

e) 입력 요구사항에 대한 리스크 분석과 타당성 검토를 포함하여 이를 완화하기 위한 조직의 능력과 전략 또한 고려되어야 한다.

f) 설계 및 개발 시 보존성(Preservation), 신뢰성, 내구성, 유용성, 보건성, 안전성, 환경성, 개발 일정, 개발 시점, 원가 등에 대한 목표가 고려되어야 한다.

g) 고객 사용처(도착 국가)의 법적, 규제적 요구사항이 고려되어야 한다.
h) 내장되는 소프트웨어의 요구사항이 고려되어야 한다.

8.3.3.2. 제조 공정 설계 입력

조직은 '제조 공정 설계'와 관련된 구체적인 요구사항을 파악하고, 문서화해야 한다. 따라서 제조 공정 설계 시 다음의 입력 항목이 추가 고려되어야 한다.

a) 특별 특성을 포함하여 제품 설계의 출력물이 고려되어야 한다. 즉 APQP 2단계의 출력물이 3단계의 입력물이 된다. 대표적인 출력물로는 DFMEA, 엔지니어링 시방서, 자재시방서, 측정 및 시험 요구사항, 금형, 치공구, 엔지니어링 변경 이력 등이 있다.

b) FPY(First Pass Yield), 공정능력(Cp/Cpk, Pp/Ppk), 개발 시점(Cycle & Lead Time), 원가에 대한 목표가 고려되어야 한다. APQP 1단계에서는 설계, 품질, 신뢰성에 대한 목표가 수립되는데, 제조 공정 설계 입력 시 이를 반영하면 된다.

c) 비용 절감, 생산성 등을 고려한 '제조 기술 대안(Manufacturing Technology Alternatives)'이 입력 항목에 포함되어야 한다. (최적의 제조 조건 연구 및 개발)

d) 고객 요구사항이 있다면 이 또한 고려되어야 한다.
e) 이전 개발로부터의 실패 경험, 노하우 등이 고려되어야 한다.
f) 새로운 자재가 고려되어야 한다. (새로운 자재와 기존 제조 공정의 호환성 고려)

g) 제품 취급과 인체공학적 요구사항이 고려되어야 한다. 작업자는 동일한 생산라인에서 장

시간 반복적인 작업을 한다. 따라서 생산 라인은 작업자가 최상의 자세를 유지하며 작업이 진행될 수 있도록 인체공학적으로 설계되어야 한다.

h) 제조성(DFM) 및 조립성(DFA)을 고려하여 설계되어야 한다.

8.3.3.3. 특별 특성

8.2.3.1.2항에서 검토한 '특별 특성'이 설계 및 개발의 입력 항목에 포함되어야 한다. 특별 특성(SC)은 8.2.3.1.2항에서 설명했으므로 본 조항에서는 추가 설명을 생략한다. 조직은 고객과 조직에 의해 결정된 특별 특성을 관리하기 위한 문서화된 프로세스를 수립해야 한다.

a) 도면, PFMEA, 관리계획서, 작업표준서, 표준작업 등에 특별 특성이 식별되어야 한다. 특히 각 문서 간 특별 특성의 '연결 고리(Cascading)'가 보장되어야 한다.

b) 제품 및 공정의 특별 특성에 대해 모니터링되고 관리되어야 한다.
c) 요구되는 경우, 특별 특성은 고객의 승인을 받아야 한다.

d) 고객 또는 조직이 정한 특별 특성의 '심볼'을 준수해야 한다. 특별 특성을 관리하기 위한 절차서에 보안 특성과 중요 특성을 구분하고 조직과 고객이 규정한 특별 특성 심볼을 Matrix 형태로 제정하면 된다. (Symbol coversion table)

3.8.12 검증 (Verification)	규정된 요구사항이 충족되었음을 객관적 증거의 제시를 통하여 확인하는 것. 비고 1: 검증에 필요한 객관적 증거는 검사의 결과 또는 대체계산 수행이나 문서 검토와 같이 다른 형태의 확인결정의 결과일 수 있다. 비고 2: 검증을 위해 수행된 활동은 때로는 자격인정 프로세스라 불린다. 비고 3: '검증된'이란 단어는 부합하는 상태를 지정하기 위해 사용된다.
3.8.13 실현성 확인/타당성 확인 (Validation)	특정하게 의도된 용도 또는 적용에 대한 요구사항이 충족되었음을 객관적 증거의 제시를 통하여 확인하는 것. 비고 1: 실현성 확인에 필요한 객관적 증거는 시험의 결과, 또는 대체계산 수행이나 문서 검토와 같은 확인결정의 다른 형태이다. 비고 2: '실현성 확인된'이란 단어는 부합하는 상태를 지정하기 위해 사용된다. 비고 3: 실현성 확인을 위한 사용 조건은 실제 또는 모의 상황일 수 있다.

8.3.4. 설계와 개발 관리

조직은, 설계와 개발 프로세스에 다음 사항을 보장하기 위하여 관리/통제하여야 한다.

a) 달성될 결과의 규정
b) 설계와 개발 결과가 요구사항을 충족하는지의 능력을 평가하기 위한 검토 시행
c) 설계와 개발의 출력이 입력 요구사항에 충족함을 보장하기 위한 검증활동 시행
d) 결과로 나타난 제품 및 서비스가 규정된 적용에 대한, 또는 사용 의도에 대한 요구사항을 충족시킴을 보장하기 위한 실현성 확인 활동의 시행
e) 검토 또는 검증 및 실현성 확인 활동 중 식별된 문제점에 대해 필요한 모든 조치의 시행
f) 이들 활동에 대한 문서화된 정보의 보유

비고: 설계와 개발 검토, 검증 및 실현성 확인에는 별개의 다른 목적이 있다. 설계와 개발 검토, 검증 및 실현성 확인은 조직의 제품 및 서비스에 적절하도록 별도로 또는 조합하여 시행될 수 있다.

조직은 설계 및 개발 프로세스를 시행하는 과정에서 의도된 출력물이 제때 나올 수 있도록 모니터링하고, 관리해야 한다. 8.3.2항에서 기획한 프로세스의 단계에 따라 설계 및 개발 활동이 진행되고, 8.3항에서 결정된 입력사항이 출력물로 나올 수 있도록 관리해야 한다는 것이다. 보통 이러한 요구사항을 보장하기 위해서는 Project Manager의 역할이 매우 크다.

a) 8.3.2항에서 기획한 프로세스에 따라 설계 및 개발 활동이 진행되어야 한다. 각 단계별 활동에 필요한 입력과 출력 사항은 사전에 정의되어야 하는데, 이는 조직과 고객의 요구사항에 따라 다르다. 특히 8.2.4항에 따라 의도된 출력물이 도출될 수 있도록 요구사항의 변경 관리를 체계적으로 해야 한다.

b) 검토(Review)는 수립된 목표 달성을 위한 대상의 적절성, 충족성 또는 효과성에 대해 확인하는 것이다. 여기서 중요한 것은 사전에 정의된 요구사항의 충족 여부를 확인하기보다는 수립된 목표를 달성하기 위한 대상의 충족율을 확인하는 것이다. 8.3.2항에서는 설계 및 개발 기획 시 적용되는 설계 및 개발 검토를 포함하여, 요구되는 프로세스 단계를 고려해야 한다고 했다. 여기서 설계 검토는 관련 기능(설계, 제조, 품질, 물류 등)이 수립된 개발 일정에 따라 각 단계별로 요구되는 대상(도면, 작업표준서, 관리계획서, 개발 일정, 연구 비용 등)의 목표(적절성, 충족성, 효과성)를 확인하는 것으로 이해하면 된다.

c) 검증은 요구사항이 충족되었음을 객관적 증거의 제시를 통해 확인하는 것이다. 따라서 설계 검증(Design Verification)은 8.2항, 8.3항에서 결정한 요구사항의 충족 여

부를 객관적 증거를 통해 확인하는 것을 말한다. 객관적 증거는 시험, 검사, 시연, 문서 등을 통해 도출될 수 있다.

d) 타당성 확인(Validation)은 특정하게 의도된 용도 또는 적용에 대한 요구사항이 충족되었음을 객관적 증거의 제시를 통해 확인하는 것이다. 따라서 조직은 설계 및 개발의 결과로 나타난 제품과 서비스가 사용자의 시점에서 요구사항에 맞게 만들어졌는지 해당 기능, 성능, 외관, 서비스 등을 확인해야 한다.

e) 조직은 a)~d) 중 문제 발생 시 개선 조치를 해야 한다. 검토된 모든 사항과 미해결 이슈(Open issue), 조치 사항(Action Plan)은 문서화되어야 한다. 보통 APQP Sheet 또는 데이터베이스 상에서 'Open Issue List'를 만들어 관리하는 것이 일반적이다.

f) 조직은 설계 및 개발과 관련된 모든 활동을 문서화된 정보로 보유해야 한다. 제품과 공정의 설계 및 개발 활동이 얼마나 잘 진행되어 왔는지는 기록의 질을 통해 확인이 가능하다. 각종 입출력 항목이 누락되지 않도록 철저한 관리가 요구된다.

8.3.4.1. 모니터링

모니터링은 사물이나 현상을 자세히 관찰하는 행위이고, 측정은 사물의 양을 확인하기 위해 데이터를 얻는 행위를 말한다. 분석은 데이터를 유효한 정보로 변환하기 위한 행위이고, 평가는 정보의 수준을 평하는 행위라고 할 수 있다. 본 조항에서 말하는 모니터링은 설계 및 개발 프로세스의 각 단계에서 모니터링과 측정 항목(입출력물)을 사전에 정의하고, 경영검토의 입력사항으로 활용될 수 있도록 '요약 결과'를 보고하는 일련의 과정을 말한다. 조직이 설계 및 개발 활동의 진척사항을 모니터링하고, 측정하는 것은 어떻게 보면 당연한 것이다. (9.3.2.1 참조) 조직은 고객이 요구하는 경우, 설계 및 개발 프로세스의 합의된 단계에서 모니터링과 측정 결과를 보고해야 한다. 모니터링과 측정 항목에는 여러 가지가 있겠지만 품질 리스크, 품질 비용, 리드타임, 핵심 경로(Critical Path) 및 기타 측정이 포함될 수 있다.

PMO(Project Management Office)란 조직에서 진행하는 모든 프로젝트를 통합하고 포트폴리오를 관리하는 조직을 말한다. 이들은 프로젝트 진행 시 투입되는 비용을 절감하고 잠재적인 위험 요소들을 제거하는 데 집중한다. 조직의 프로젝트가 다양해지면서 프로젝트 관리의 효율성을 높이기 위해 꼭 필요한 조직이다.

8.3.4.2. 설계 및 개발 타당성 확인

타당성 확인(Validation)은 특정하게 의도된 용도 또는 적용에 대한 요구사항이 충족되었음을 객관적 증거의 제시를 통해 확인하는 것이다. 개발자가 아닌 '사용자의 관점'에서 의도된 요구사항에 맞게 잘 만들어졌는지 해당 제품의 기능, 성능, 외관이나 서비스 등을 확인하는 것이 목적이다. 조직에서의 타당성 확인은 '시험(Test)'을 통해 진행된다. 시험을 통해 제품과 서비스의 적합성 여부를 확인하는 것이다. 타당성 확인의 시점은 고객의 APQP 일정에 맞춰 진행되어야 하고, 완성차의 시스템 내에서 부품 간, 기능 간 소프트웨어의 상호작용에 대한 평가가 포함되어야 한다.

8.3.4.3. 시제품 프로그램

조직은 고객이 요구하는 경우, 시작품과 해당 관리계획서를 수립해야 한다. 시작품 관리계획서는 제조 공정과 직접 연계되는 '양산 선행'과 '양산' 관리계획서와는 다르다. 시작품 관리계획서는 시작품 제작에 필요한 공정과 관리 항목, 관리 기준을 담은 문서이다. 보통 도면과 제품 사양서가 완성되면, 이를 바탕으로 시작품 관리계획서를 작성한다. 그러나 개발 초기에 작성되기 때문에 내용의 완성도가 그리 높지 않다. 시작품 관리계획서가 작성되면 이를 바탕으로 별도의 공간(연구소, 양산 공정일 수도 있음)에서 시작품이 만들어 진다. 시작품 제작을 위한 작업 환경(협력사, 측정기기, 설비, 자재, 협력사 등)은 양산 작업 환경과 거의 동일해야 양산(이관) 전 문제를 최소화할 수 있다. 만약 시작품 제작을 외주 처리하는 경우, 조직의 품질경영시스템 범위에 이를 포함해야 기술지도, 시작품 제작, 문제점에 대한 조치를 보장할 수 있다.

8.3.4.4. 제품 승인 프로세스

조직은 고객 요구사항이 반영된 '제품 승인 프로세스'를 수립하고 실행, 그리고 유지해야 한다. 조직은 검증 완료된 제품과 서비스에 대하여 Customer PPAP(Production Part Approval Process)을 받아야 하고, 반대로 검증 완료된 부품 및 서비스에 대하여 Supplier PPAP을 해야 한다. 제품 승인은 제조 프로세스의 검증 활동인 Run@Rate 이후에 이루어져야 하고, PPAP Package는 각 수준(Level 1 - Level 5)에 맞게 제출되어야 한다. 만약 최종 사용자에게 판매되지 않는 경우에는 내부 PPAP 승인이 진행되어야 한다.

요구사항		수준				
		수준1	수준2	수준3	수준	수준5
01	설계기록 a) > 독점 구성품/상세품 b) > 모든 기타 구성품/상세품	R	S	S	*	R
02	엔지니어링 변경문서(있는 경우)	R	R	R	*	R
03	고객 엔지니어링 승인(요구 시)	R	S	S	*	R
04	설계 FMEA	R	S	S	*	R
05	공정 흐름도	R	R	S	*	R
06	공정 FMEA	R	R	S	*	R
07	관리계획서	R	R	S	*	R
08	측정시스템분석 조사	R	R	S	*	R
09	치수결과	R	S	S	*	R
10	자재, 성능시험 결과	R	S	S	*	R
11	초기 공정능력조사	R	R	S	*	R
12	자격 부여된 시험실 문서화	R	S	S	*	R
13	외관승인 보고서(AAR)	S	S	S	*	R
14	샘플 제품	R	S	S	*	R
15	마스터 샘플	R	R	R	*	R
16	검사 보조구	R	R	R	*	R
17	고객 지정 요구사항을 보합하는 기록	R	R	S	*	R
18	부품제출보증서(Part Submission Warrant)	S	S	S	S	R
	대량 자재 체크리스트	S	S	S	S	R

S - 조직은 고객에게 제출해야 하고, 적절한 장소에 기록 또는 문서의 사본을 보유해야 한다.
R - 조직은 적절한 장소에 보유해야 하고, 요청 시 고객에게 제시해야 한다.
* - 조직은 적절한 장소에 보유해야 하고, 요청 시 고객에게 제출해야 한다.

> 수준1: Bulk Material에 대한 기준 수준. 외관 품목
> 수준2: 수준3 이후 설계 변경 부품
> 수준3: 기준 수준으로 일반적인 승인 수준
> 수준4: 고객의 특별 요구사항 (4M 변경 부품)
> 수준5: 양산 설비가 있는 협력사의 현장에서 검토(품질 문제, 안전 부품, 대물 부품, 금형 부품 등)

AIAG PPAP 수준

PPAP에서 가장 중요한 것은 양산부품에 대하여 제품(샘플)을 승인하는 것이기 때문에 해당 제품이 양산 조건과 동일한 환경에서 생산되었는지 확인해야 한다. 양산 조건은 '고객에 의해 달리 지정되지 않은 한 1시간에서 8시간까지 최소 300개 이상의 연속 생산 수량이 보장되는 것'을 말한다. 대량 자재(Bulk material)의 경우에는 개별 수량보다는 LOT로 대체될 수 있다.

일부 기업에서는 이를 'ISIR(Initial Sample Inspection Report)'이라고 부른다. 그러나 용어에서도 알 수 있듯이 ISIR은 '초도품 검사 성적서'이다. 필자는 ISIR을 PPAP의 '최종 결과물(문서)'로 정의한다. PPAP은 고객의 승인을 받기 위한 '프로세스'이고, 여기에는 사전 정의된 PPAP의 최종 결과물(문서)이 포함되는 것이다. 또 한 가지 중요한 것은 'PSW(Part Submission Warrant, 부품 제출 보증서)'이다. PSW는 PPAP을 구성하는 모든 문서를 대표하는 'Summary Document 또는 Cover Page'이다. 여기에는 기본적인 조직 정보, 부품 정보, 요구되는 제출 수준, IMDS 정보, 제출 사유, 제출 결과, 그리고 내부 및 고객 승인 정보가 포함된다.

8.3.5. 설계 및 개발 출력

조직은 설계와 개발 출력이 다음과 같음을 보장하여야 한다.

a) 입력 요구사항 충족
b) 제품 및 서비스 제공을 위한 후속 프로세스에 대해 충분함
c) 모니터링과 측정 요구사항의 포함 또는 인용, 그리고 합격 판정기준의 포함 또는 인용
d) 의도한 목적에, 그리고 안전하고 올바른 공급에 필수적인 제품 및 서비스의 특성 규정

조직은 설계와 개발 출력에 대한 문서화된 정보를 보유하여야 한다.

설계 및 개발의 출력은 APQP의 단계별 입력에 대한 출력을 보장하는 것이다. 즉 APQP 1단계의 출력은 2단계의 입력이 되어야 하고, 2단계의 출력은 3단계의 입력이 되어야 한다. 여기에서 가장 중요한 것은 각 단계별 출력이 입력 요구사항을 충족해야 한다는 것이다. 그렇지 않으면 후속되는 프로세스에서 상당한 낭비 요소들이 발생할 수 있다. 설계 및 개발의 단계별 출력이 다음 사항을 보장하도록 요구하고 있다.

a) 조직은 8.3.3항에서 다룬 모든 입력 사항이 각 출력에 반영되어 있는지를 확인해야 한다. 체크 시트를 통해 각 입력과 출력 간의 인과 관계와 상호 작용에 대해 확인해야 하고, 특히 최신 변경 건에 대한 반영 여부를 보장해야 한다.

b) 조직은 설계 및 개발 프로세스의 출력물이 후속되는 프로세스에서 입력물로 사용될 수 있도록 그 역할을 보장해야 한다. 후속되는 프로세스에는 구매, 외주 처리, 생산, 검사, 시험, 납품 등이 있다. 후속되는 프로세스에서 요구되는 활동이 원활하게 진행될 수 있도록 설계 및 개발 프로세스의 출력물이 제 역할을 할 수 있어야 한다.

c) 설계 및 개발 프로세스의 출력물은 후속되는 모든 프로세스에서 모니터링과 측정에 사용(인용)될 수 있다. 일반적으로 제조 공정, 검사 공정, 시험 공정 등에서 사용될 수 있는데, 이러한 활동을 하기 위해서는 치수(도면)와 합격판정 기준이 출력물에 포함되어야 한다. (생산된 제품의 검사를 위한 모든 출력 정보)

d) 설계 및 개발된 제품이 의도한 목적에 따라 안전하게 사용될 수 있도록 사용설명서 또는 매뉴얼이 만들어져야 한다. 매뉴얼에는 제품과 서비스의 고유 특성이 포함되어야 한다. 예를 들어 취급과 보관 방법, 보관 기간, 위험에 노출 시 후속 처리 방법 등이 포함될 수 있다. 고객에게 제공하는 TDS(Technical Data Sheet)에 본 항목을 포함한다.

8.3.5.1. 설계 및 개발 출력 - 보충사항

본 조항에서는 제품 설계 및 개발 시 추가로 도출되어야 하는 출력물에 대해 보다 상세히 설명하고 있다. 고객이 본 출력물 외 추가적인 출력물을 요구하기도 하니 이를 확인하길 바란다. 조직은 각 출력물이 왜 필요한지, 의도된 목적이 무엇인지를 이해할 수 있어야 한다.

a) '설계 위험 분석'이란 제품에서 발생할 수 있는 잠재적 고장 유형을 사전에 찾아내어 향후에 문제가 발생하지 않도록 예방 활동에 적극적으로 활용하는 것을 말한다. (DFMEA)

b) 신뢰성 조사 결과는 시작품에 대한 DV(Design Validation) 시험을 통해 도출된다.

c) '제품 특별 특성'이 도출되어야 한다. 이는 조직의 절차서, 고객 요구사항(CSR/CR), 도면, 엔지니어링 스펙, 자재 스펙, 시험 항목, 관리계획서 내 관리 항목과 검사 항목이 상호 연결(Linkage)되어 있어야 한다.

d) 제품 설계 실수방지(Error-Proofing)는 DFSS(Design For Six Sigma), FTA(Fault Tree Analysis)와 같은 방법론을 사용하여 도출할 수 있다. DFSS란 6시

그마 수준의 품질을 갖는 신제품을 설계 및 개발하기 위한 방법론을 말한다. 최적의 기능, 성능, 치수의 파라미터를 찾아내어 설계 시 적용할 수 있다.

e) 3D 모델, 기술 데이터 패키지, 제품 제조 정보, 그리고 기하학적 치수 및 허용공차(GD&T)를 포함한 제품이 정의(출력)되어야 한다.

f) 2D 도면, 제품 제조 정보, 기하학적 치수 및 허용공차(GD&T)가 도출되어야 한다. 기하공차의 종류로는 대표적으로 평면도, 진원도, 원통도, 직각도, 경사도, 위치도 등이 있다.

g) 제품 '설계 검토(Design Review)' 결과가 도출되어야 한다.

h) 진단 가이드라인과 서비스를 위한 지침이 있어야 한다. 이는 필드에서 문제 발생 시 반송되어 들어오는 제품에 대해 분석하고 필드에서 제품을 수리하는 데 활용될 수 있다.

i) 서비스 부품에 대한 요구사항은 다양하게 해석될 수 있다. 만약 조직의 제품이 여러 하위조립품(Sub-Assembly)으로 구성되어 부분적인 서비스가 가능하다면 제품 자체를 통째로 수리하거나 교체하는 것보다 비용, 시간, 편의성 측면에서 훨씬 유리할 것이다.

j) 선적을 위한 포장 및 Labelling에 대한 요구사항이 도출되어야 한다. 이는 보통 APQP 3단계에서 도출되나 포장이 제품 특성에 영향을 미친다면 APQP 2단계에서 도출될 수 있다. 주로 정전기 보호, 화학물질 보호, 습도 민감도, 충격 민감도, 부식 보호, 취급 방법, 라벨 정보, 라벨 사이즈 등의 요구사항(Spec.)이 도출된다.

8.3.5.2. 제조 프로세스 설계 출력

공정 설계 및 개발은 조직의 제품과 서비스를 본격적으로 양산하기 위해 제조 환경을 구축하는 과정으로 이해할 수 있다. 제조 환경을 구축하기 위해서는 제품 설계 및 개발의 출력물(도면, 사양서 등)이 필요하다. 제품 설계 및 개발의 출력물(도면, 사양서 등)에 기록된 각종 파라미터를 충족시킬 수 있는 제조 환경이 요구되기 때문이다. 본 조항에서는 공정 설계 및 개발 후 도출되어야 하는 출력물에 대해 상세히 설명하고 있다. 고객이 본 출력물 외 추가적인 출력물을 요구하기도 하니 이를 확인하길 바란다. 조직은 각 출력물이 왜 필요한지, 의도된 목적이 무엇인지를 이해할 수 있어야 한다.

a) 시방서(제조 공정 특성) 및 도면(금형, 배치)이 도출되어야 한다.
b) 제품 및 제조 공정의 특별 특성이 도출되어야 한다.
c) 제품 특성에 영향을 주는 공정 파라미터가 도출되어야 한다.
d) 공정능력조사를 포함하여 생산에 필요한 설비와 금형, 치공구가 도출되어야 한다.
e) 제조공정 흐름도, 배치도(Layout Plan)가 도출되어야 한다.
f) 생산능력(Capacity)이 분석되고 도출되어야 한다.
g) PFMEA가 도출되어야 한다.
h) 보전 계획 및 지침이 도출되어야 한다.
i) 선행 양산 및 양산 관리계획서가 도출되어야 한다.
j) 표준작업(Standard work)과 작업지침서가 도출되어야 한다.
k) 공정 승인을 위한 '합격 판정 기준'이 도출되어야 한다.
l) 품질, 신뢰성, 보전성 및 측정에 대한 데이터가 도출되어야 한다.
m) 해당되는 경우, 실수방지 식별 및 검증의 결과가 도출되어야 한다.
n) 부적합품에 대한 검출, 피드백, 시정 방법 등이 도출되어야 한다.

8.3.6. 설계 및 개발 출력 (8.3.6.1. 보충사항 포함)

조직은 제품 및 서비스의 설계와 개발 과정, 또는 이후에 발생된 변경사항을 요구사항의 적합성에 부정적 영향이 없음을 보장하는 데 필요한 정도까지 식별, 검토 및 관리하여야 한다. 조직은 다음 사항에 대한 문서화된 정보를 보유하여야 한다.

a) 설계와 개발 변경
b) 검토 결과
c) 변경의 승인
d) 부정적 영향을 예방하기 위해 취한 조치

본 조항은 '설계 변경'을 의미한다. 8.5.6항은 생산 및 서비스 활동에서 발생하는 조직의 '4M 변경'을 의미하는 것이니 두 조항의 차이를 이해하길 바란다. 제품과 서비스가 출시되고, 조립성, 양산성, 상품성 개선 등의 이유로 설계 변경이 진행된다. 설계 변경을 위해서는 해당 요구사항이 결정되고, 검토와 승인, 그리고 변경으로 인해 발생할 수 있는 부정적 영향을 예방하기 위한 조치 사항이 문서화된 정보로 보유되어야 한다. 여기에는 양산에 들어가기 전 고객의 요구사항과 비교하는 유효성 확인 활동이 포함되어야 하고, 요구되는 경우, 고객의 승인 또는 면제 승인을 얻어야 한다. 소프트웨어가 내장된 제품이 변경되는 경우에도 개정 정보가 문서화되어야 하는데, 조직이 정한 규칙에 따라 작성되어야 관련 이해관계자가 이해할 수 있다.

8.4. 외부에서 제공되는 프로세스, 제품 및 서비스의 관리

8.4.1. 일반사항

조직은 외부에서 제공되는 프로세스, 제품 및 서비스가 요구사항에 적합함을 보장하여야 한다. 조직은 다음의 경우, 외부에서 제공되는 프로세스, 제품 및 서비스에 적용할 관리방법을 결정하여야 한다.

a) 외부공급자의 제품 및 서비스가 조직 자체의 제품 및 서비스에 포함되도록 의도한 경우
b) 제품 및 서비스가 조직을 대신한 외부공급자에 의해 고객에게 직접 제공되는 경우
c) 프로세스 또는 프로세스의 일부가 조직에 의한 결정의 결과로, 외부공급자에 의해 제공된 경우

조직은 요구사항에 따라 프로세스 또는 제품 및 서비스를 공급할 수 있는 능력을 근거로, 외부공급자의 평가, 선정, 성과 모니터링 및 재평가에 대한 기준을 결정하고 적용하여야 한다. 또한 조직은 이들 활동에 대한, 그리고 평가를 통해 발생한 모든 필요한 조치에 대한 문서화된 정보를 보유하여야 한다.

본 조항은 구매 프로세스이다. 조직에서 운용하는 핵심 프로세스 중 하나로 조직의 목적과 전략적 방향에 매우 중요한 역할을 한다. 조직이 결정한 외주화 전략에 따라 조직의 공급망과 수입 구조가 다를 것이다. 어떤 조직은 설계 및 개발을 위한 기반구조가 없어서 설계 및 개발 기능을 외주화할 수도 있고, 또 다른 조직은 제조 공정 내 검사 공정의 Capacity 문제로 검사 기능을 외주화할 수도 있다. 또 조직의 기능이 설계 및 개발이라면 이를 양산할 수 있는 다양한 협력사를 개발할 수도 있다.

조직이 어떠한 전략을 선택하든 외부에서 제공되는 프로세스, 제품과 서비스는 해당 요구사항(시방서)과의 적합성이 보장되어야 하고, 이를 위한 관리 방법이 결정되어야 한다. 관리방법에는 Capacity, Capability, 수입검사, Supplier PPAP, 심사 등이 있는데, 이러한 관리 활동을 통해서 요구사항과의 적합성이 보장되도록 하는 것이다. 다음의 외주화 프로세스에 해당되는 경우라면 모두 요구된다.

a) 원재료, 부품, 임가공 등을 구입하여 조직의 제품 생산(In-house)에 투입되는 경우를 말한다. 가장 일반적인 경우이며 조직의 제품 생산(In-house)에 문제가 발생하지 않도록 자재별 관리방법을 정의하고, 관리해야 한다.

b) 협력사에 의해 조직의 제품과 서비스가 고객에게 직접 제공되는 경우를 말한다. 만약 협력사에서 생산된 조직의 제품이 조직의 수입검사나 창고를 경유하지 않고, 직접 고객의 창고로 배송되는 경우, 더욱 특별한 관리가 요구된다. 또 협력사에 의해 조직의 제품이

설치되거나 배송되는 경우에도 마찬가지이다. (에어컨 시공, 설치)

c) 조직의 프로세스(영업~물류) 또는 제조 공정(조립, 가공, 용접, 도금 등)의 일부가 협력사에 의해 제공되는 경우를 말한다. 앞서 설명한 b) 항과의 차이점은 고객에게 직접 제공하지 않는다는 점이다. 흔히 OEM(Original Equipment Manufacturing)으로 생산하는 경우가 해당된다.

조직은 비즈니스와 관련된 모든 협력사가 고객 또는 조직에서 결정한 요구사항을 충족시킬 수 있는지 그 양적 및 질적 능력을 확인해야 한다. 먼저 협력사의 생산능력, 설비능력, 재무능력, 납기능력 등을 평가하고, 합격 판정기준에 따라 협력사를 선정해야 한다. 일부 조직에서는 각 평가 항목별 과락 제도를 도입하지 않거나 무시한 채, 최종 점수 또는 등급에 따라 협력사를 선정하는 경향이 있다. 이는 일부 평가 항목의 능력 불충족으로 향후 비즈니스에 심각한 위험을 초래할 수 있다.

이후 제품과 서비스의 성과를 모니터링하고, 항목별 성과에 따라 협력사를 재평가하는 기준을 수립하여 적용해야 한다. 평가 주기는 조직의 상황에 따라 다르지만, 신규 또는 갱신 평가의 경우, 1회/3년 정도가 적당하고, 사후 평가의 경우, 1회/1년 정도가 적당하다.

7.2.4항에서 살펴보았듯이 협력사의 품질경영시스템뿐만 아니라 기술적 요소를 평가하기 위해서는 평가자의 역량이 협력사를 뛰어넘는 수준이어야 한다. 그러지 않으면 의사소통에 문제가 발생하고, 품질 문제 발생 시 개선점 도출의 한계에 부딪히게 된다. 또 이러한 활동을 통해 도출된 모든 필요 조치는 문서화된 정보로 보유되어야 한다.

8.4.1.1. 일반사항 - 보충사항

조직의 협력사 관리 범위에는 다음 항목이 포함되어야 한다. 여기에는 외부에서 제공되는 프로세스, 제품과 서비스뿐만 아니라 고객의 요구사항에 영향을 미치는 조립, 가공, 검사, 시험, 포장, 설비 및 치공구 항목이 포함된다.

> 하위 조립(Sub Assembly)
> 서열 납품(Sequencing or Just In Sequence): 제품과 서비스를 생산 일정, 순서, 재고량(수량)에 따라 납품하는 방식. 보통 2차 부품 물류업체의 자체 서열장에서 진행함

> 선별(Sorting)
> 재작업(Rework)
> 교정(Calibration)
> 그 외 고객 요구사항에 영향을 주는 모든 제품 및 서비스(Production and test equipment, Inspection jig/fixture 등)

8.4.1.2. 공급자 선정 프로세스

8.4.1항에서 협력사의 생산능력, 설비능력, 재무능력, 납기능력 등을 평가하고, 합격 판정기준에 따라 협력사를 선정해야 한다고 했다. 조직이 협력사를 선정하기 위해서는 무엇보다 객관성, 투명성, 공정성을 보장해야 한다. 이를 위해서는 합리적인 '협력사 선정 프로세스'를 수립하고, 여기에는 비즈니스의 목적에 맞는 '평가 항목'이 포함되어야 한다. 신규 협력사의 경우, 조직의 비즈니스 성과가 없기 때문에 보통 타사의 프로젝트로 대체하여 기술적, 재정적, 윤리적, 위험적 요소를 평가하고, 기존 협력사의 경우, 조직의 비즈니스 성과를 참조하여 동일 요소를 평가한다. 자동차 산업에서는 협력사 선정 시 최소 다음 항목을 포함해야 한다.

a) 선정된 협력사의 제품 적합성과 공급이 중단될 가능성에 대한 리스크가 평가되어야 한다. 여기서 중요한 것은 '정의된 리스크의 발생 가능성'을 평가하는 것이다. 예를 들어 협력사의 재정적 능력에 문제가 없는지, 수립된 생산라인에서 조직의 생산량을 충족시킬 수 있는지, 충분한 인프라가 구축되어 있는지 등의 잠재적 위험 가능성을 말한다.

b) 협력사의 품질과 납기 성과가 평가되어야 한다. 일반적으로 QCD(Quality, Cost, Delivery)라고 부르는 평가 항목이다. 최근에는 여기에 Morale과 Safety 항목이 추가되었다. (품질과 납기 성과, 품질 심사, 고객 피드백, 동기부여, 안전 등 고려)

c) 협력사의 품질경영시스템이 평가되어야 한다. 일반 제조업의 경우, ISO 9001 인증이 요구되고, 자동차 관련 제조업의 경우, IATF 16949 인증이 추가 요구된다.

d) 전문 분야 협력팀의 의사결정이 고려되어야 한다. 협력사 선정을 위한 평가항목에는 설계, 생산, 물류, 품질, 시험, 재정 등의 다양한 항목이 포함된다. 따라서 구매 부서나 연구소에서 일방적으로 협력사를 선정하는 것은 지양해야 하고, MDT(Multi-Disciplinary Team) 인원이 협력사 선정 프로세스에 참여하여 의사결정을 지원해야 한다.

e) 해당하는 경우, 소프트웨어 개발 능력이 평가되어야 한다.

조직은 협력사 선정 시 다음 항목을 추가 고려해야 한다.
> 자동차산업 비즈니스의 생산량(전체 비즈니스 대비 비율 고려)
> 재정 안전성
> 구매된 제품, 재료, 또는 서비스 복잡성
> 요구되는 기술(제품 또는 공정)
> 이용 가능한 자원의 적절성
> 설계 및 개발 능력, 제조 능력
> 변경 관리 프로세스, 비지니스 연속성 기획
> 물류 프로세스
> 고객 서비스

8.4.1.3. 고객 지정 공급원

고객의 비즈니스 전략에 따라 특별한 품질이나 기술적 특성이 요구될 수 있다. 또 물리적인 위치 문제와 제품의 시장 가격을 형성하는 데 특별한 공급망이 요구되는 경우 고객에 의해 조직의 협력사가 지정될 수 있다. 이를 'Customer-directed sources' 또는 'Directed-Buy' 라고 한다. 이러한 경우 조직은 해당 협력사로부터 제품, 자재 또는 서비스를 구매해야 한다. 그리고 고객이 지정한 협력사라고 할지라도 조직과 고객 간의 계약된 협정이 없다면 해당 협력사의 품질은 조직에서 관리해야 한다. (8.4.1.2항을 제외하고, 8.4항의 모든 요구사항을 적용)

8.4.2. 관리의 유형과 정도

조직은 외부에서 제공되는 프로세스, 제품 및 서비스가, 적합한 제품 및 서비스를 고객에게 일관되게 인도하는 조직의 능력에 부정적인 영향을 미치지 않음을 보장하여야 한다. 조직은 다음 사항을 수행하여야 한다.

a) 외부에서 제공되는 프로세스가 조직의 품질경영시스템 관리 내에서 유지됨을 보장
b) 외부공급자에게 적용하기로 한 관리와, 결과로 나타나는 출력에 적용하기로 한 관리를 규정
c) 다음에 대한 고려
1) 고객 요구사항과 법적 및 규제적 요구사항을 일관되게 충족시켜야 하는 조직의 능력에 미치는, 외부에서 제공되는 프로세스, 제품 및 서비스의 잠재적 영향
2) 외부공급자에 의해 적용되는 관리의 효과성
d) 외부에서 제공되는 프로세스, 제품 및 서비스가 요구사항을 충족시킴을 보장하기 위하여 필요한 검증 또는 기타 활동의 결정

8.4.1항에서는 외부에서 제공되는 '프로세스와 제품과 서비스'에 적용될 관리 방법을 결정할 때 협력사와 협력사 선정을 위한 평가 항목에 대해 살펴봤다. 다시 한번 보면 1) 협력사로부터 원재료, 부품, 임가공 등을 공급받는 경우, 2) 협력사에 의해 조직의 프로세스, 제품과 서비스가 고객에게 직접 제공되는 경우, 3) 또 조직의 프로세스(영업~물류) 또는 제조 공정(조립, 가공, 용접, 도금 등)의 일부가 협력사에 의해 제공되는 경우가 있었다. 어떠한 경우라도 외부에서 제공되는 프로세스와 제품과 서비스는 일관되고 지속적인 품질이 보장되어야 한다. 따라서 조직은 관리의 유형(항목)과 정도(수준)를 정의하고, 협력사로 인해 조직의 공급(생산) 능력에 부정적인 영향이 발생하지 않도록 관리해야 한다.

a) 조직은 외부에서 제공되는 프로세스가 조직의 품질경영시스템 내에서 관리되고, 유지되고 있음을 보장해야 한다. 외부에서 제공되는 프로세스는 설계 프로세스가 될 수도 있고, 생산 프로세스 내 제조 공정의 일부가 될 수도 있다. 어떠한 경우라도 해당 프로세스는 인적 및 물적자원, 입력, 활동, 출력, 방법, 성과지표 등이 조직의 통제하에서 관리되어야 한다. 협력사의 경영권을 침해하는 행위로 보는 사람도 있지만 본 조항의 목적은 협력사와 조직의 프로세스 간에 '상호작용'을 보장하는 요구사항으로 이해하면 된다.

b) 본 조항은 조직에서 운용하는 '수입검사의 관리 항목'을 말한다. 표준에서 '외부 공급자에게 적용하기로 한 관리'는 조직이 제공한 요구사항(기능, 성능, 외관, 자재, 치수, 포장 등)을 말하고, '결과로 나타나는 출력에 적용하기로 한 관리'는 해당 요구사항의 충족 여부를 검증하는 것이다. 이러한 관리 항목은 프로세스와 제품과 서비스에 적용되어야 한다.

조직의 수입검사 관리 항목은 협력사의 관리계획서 내 검사항목과 일치해야 하고, 이는 양사 간 별도로 체결한 검사 협정서(Inspection Agreement)와 검사 기준서(Inspection Standards)를 통해 운용되어야 한다.

c) 조직은 다음 항목에 대해 고려해야 한다.

1) 외부에서 제공되는 프로세스와 제품과 서비스가 법적, 규제적, 그리고 고객 요구사항과 관련되어 있을 경우, 해당 요구사항이 일관되고, 지속적으로 충족될 수 있도록 그 잠재적인 영향을 고려해야 한다. 환경과 관련된 법적, 규제적 요구사항이 있다면 5대 유해 중금속의 사용 여부를 '정기 성적서'를 통해 검증할 수 있고, 성능이나 치수와 관련된 고객 요구사항이 있다면 특별 특성 항목으로 선정하여 관리할 수 있다.

2) 외부에서 제공되는 프로세스와 제품과 서비스의 관리에 대한 '효과성'을 파악하기 위해 주요성과지표(납기 준수, 자재 불량, 재고 정확도, 출하이행 등)를 설정하고, 이를 모니터링하고, 관리해야 한다.

d) 조직은 요구사항의 충족 여부를 '검증'하고, 기타 필요 활동을 '결정'해야 한다. 앞서 조직은 검사 활동을 위해 협력사와 검사 협정서와 검사 기준서를 체결했다. 이제 입고되는 자재에 대한 검사 성적서의 내용 확인과 추가적인 검증 활동(샘플링 또는 전수 검사)을 통해 요구사항(기능, 성능, 외관, 자재, 치수 등)의 충족 여부를 확인해야 한다. 만약 기준을 벗어난 경우, 개선 활동(시정 및 예방조치)이 후속 전개되어야 한다. 이러한 일련의 활동을 본 조항에서 결정한다. 본 요구사항의 '실행'은 8.6.4항과 연계된다.

8.4.2.1. 관리의 유형과 정도 - 보충사항

조직은 외주 프로세스의 파악과 외부에서 제공되는 프로세스와 제품과 서비스의 적합성을 검증하기 위한 문서화된 프로세스를 수립해야 한다. 문서화된 프로세스 내에서 적합성을 검증하기 위한 관리의 유형과 정도를 선정하기 위함이다. ISO 9001에서는 외부에서 제공되는 프로세스는 조직의 품질경영시스템 내에서 관리되고, 유지되어야 한다고 했다. 여기에는 문서화된 프로세스의 수립을 간접적으로 내포하고 있다.

문서화된 프로세스에는 협력사의 공급 성과와 제품, 자재 또는 서비스의 리스크 평가를 기반으로 한 관리의 유형과 정도(수준)가 포함되어야 한다. 또 품질 문제의 정도에 따라 협력사의 개발 활동을 줄이거나 에스컬레이션하기 위한 기준과 필요 조치가 포함되어야 한다.

> 공급자 성과에 따른 리스크 평가 방법 정의: 대형 사고를 초래했을 경우, 'Red Alert' 발행
> 리스크 평가 결과에 따른 단계적 조치 방법 정의: 신규 비즈니스 보류

8.4.2.2. 법적, 규제적 요구사항

조직은 외부에서 제공되는 프로세스와 제품과 서비스가 출하 국가, 입하 국가 그리고 고객이 정한 도착지 국가의 법적, 규제적 요구사항을 만족하기 위한 문서화된 프로세스를 수립해야 한다. 예를 들어 대부분의 국가에서는 기업의 사회적 책임으로 인해 '분쟁 광물(Conflict minerals)'의 사용을 법적으로 규제하고 있다. 분쟁 광물이란 콩고 민주공화국과 그 주변국인 르완다, 우간다 등에서 채굴되는 4대 광물인 주석, 탄탈륨, 텅스텐, 금을 말한다. 이런 국가들의 반군 세력들 또는 무장 단체들은 광물을 얻기 위해 어린아이부터 노인에 이르기까지 강제 노역을 시키고, 이를 통해 얻은 판매 수익은 대량으로 무기를 구입하는 데 사용한다. 따라서 국제연합에서는 지난 2009년부터 분쟁 광물의 사용을 강력히 규제해오고 있다. 뿐만 아니라 각종 환경관리법, 산업안전보건법, 화학물질 규제 등을 파악하여 관리해야 한다.

8.6.5항은 8.4.4.2항의 '실행' 조항이다. 뒤에서 설명하겠지만 조직은 외부에서 제공되는 제품을 불출하기 전 고객이 정한 국가의 도착지 또는 해당 제조 국가의 법적, 규제적, 기타 요구사항에 적합함을 확인하고 이에 대한 증빙을 제공할 수 있어야 한다.

8.4.2.3. 공급자 품질경영시스템 요구사항

조직은 자동차 산업에 종사하는 협력사에 ISO 9001로 인증된 품질경영시스템을 개발, 실행, 개선하도록 요구해야 한다. 궁극적인 최종 목표는 ISO 9001을 포함하여 IATF 16949로 인증된 품질경영시스템을 개발, 실행, 개선하도록 하는 것이다. 서두에서 설명했듯이 IATF 16949는 단체표준으로 ISO 9001 국제표준을 기반으로 한 자동차 산업의 추가적인 요구사항을 말한다. 따라서 ISO 9001을 수립한 상태에서 IATF 16949를 추가 수립해야 한다. IATF 16949의 요구사항이 워낙 까다롭고, 어렵다 보니 영세한 협력사는 시간적, 금전적, 관리의 문제에 직면하게 된다. 따라서 조직은 협력사에서 IATF 16949 기반의 품질경영시스템을 개발하고, 실행, 개선할 수 있도록 적극적인 교육훈련과 지원을 해야 한다.

참고로 필자의 경우에는 협력사의 관련 지식 계발을 위해 지원을 아끼지 않았다. ISO 9001을 포함한 IATF 16949의 요구사항 그 자체를 설명하기보다 실제 협력사에서 운용할 수 있는 방법론을 제공하고, 설명하는 것이 효과성 측면에서 더 좋은 방법이다. 고객에 의해 달리 규정되지 않는 한 다음 순서로 품질경영시스템의 요구사항을 충족해야 한다.

a) 2자 심사를 통해 ISO 9001이 인증되어야 한다. 그러나 조직이 전 협력사를 심사하여 ISO 9001을 인증해주는 경우는 매우 드물다. 고객이 조직을 심사하여 ISO 9001을 인증해주는 경우도 마찬가지 이다. (현실적으로 어려움)

b) 3자 심사를 통해 ISO 9001 이 인증되어야 한다. ISO 9001은 IAF(International Accreditation Forum, 국제인정기구포럼), MLA(Multilateral Recognition Arrangement, 상호인정협정)의 '인정 로고'를 포함하여 인증기관에 의해 발행되어야 하고, 한국의 인정기관(KAB, Korea Accreditation Board, 한국인정지원센터)은 MLA 범위에 ISO/IEC 17021(경영시스템 인증)을 포함해야 한다. (IAF MLA 로고 단독 사용 불가. KAB 로고와 함께 사용)

c) 2자 심사를 통해 고객 지정 요구사항을 포함하여 ISO 9001이 인증되어야 한다. 국내외 고객이 규정한 협력사의 고객 지정 요구사항이 있다. 고객 지정 요구사항을 포함하여 ISO 9001를 인증하는 것은 드물지만 고객 지정 요구사항에 대한 추가적인 인증이 요구될 수 있다. 우리나라의 대표 자동차 기업인 현대자동차그룹은 SQ(Supplier Quality) 인증 제도를 도입했다. SQ 인증 범위에는 사출, 도장, 도금, 전기전자, 와이어링, 용접, 열처리, 납땜 등이 있고, 조직에서 각 분야의 전문 심사원을 양성(SQ 업종별 전문 심사원 자격 부여)하여 매년 2차 협력사의 SQ 인증 심사를 수행해줄 것을 요구하고 있다.

d) 2자 심사를 통해 IATF 16949의 수립, 운용 여부가 확인되고 ISO 9001이 인증되어야 한다. 그러나 조직이 IATF 16949의 준수 여부를 확인하고 ISO 9001을 인증을 해주는 경우도 매우 드물다. (현실적으로 어려움)

e) 3자 심사(기관)를 통해 ISO 9001을 포함하여 IATF 16949가 인증되어야 한다. 본 조항의 최종 목표이고, 조직이 지향해야 할 방향이기도 하다. 조직의 제품이 복잡해지고, 그에 따라 다양한 원자재와 부품이 사용되는데 조직이 이 모두를 감당하는 것은 사실상 불가능하다. 그래서 3자 심사를 통해 ISO 9001을 포함하여 IATF 16949가 인증되어야 하고, 조직은 인증의 유효기간이 만료되지 않도록 모니터링하고, 관리해야 한다.

8.4.2.3.1. 제품 관련 소프트웨어 또는 소프트웨어가 내장된 제품

조직은 협력사로부터 자동차 제품이나 부품과 관련된 소프트웨어나, 소프트웨어가 내장된 자동차 제품이나 부품을 공급받는 경우가 있을 것이다. 이러한 경우, 조직은 소프트웨어의 품질이 보장될 수 있도록 해당 프로세스를 실행하고, 유지해줄 것을 협력사에 요구해야 한다. 과거 생산되는 자동차의 대부분은 기계식이었다. 1980년대 중후반부터 생산되는 자동차에는 ECU(Electronic Control Unit), VCU(Vehicle Control Unit), BMS(Battery Management System), MCU(Motor Control Unit), EPCU(Electric Power Control Unit) 등 수많은 차량 제어 시스템이 탑재되고 있다.

최근 많은 자동차 회사에서는 전기차를 본격적으로 대량 생산하면서 수많은 차량 제어 시스템을 추가 개발하고 있다. 이러한 차량 제어 시스템에는 대부분 소프트웨어가 내장되어 있다. 차량 제어 시스템이 복잡해질수록 그만큼 기능적 결함은 늘어나기 마련이다. 따라서 차량 제어 시스템과 관련된 기능 안전의 중요성은 더욱 커질 수밖에 없다. 이러한 문제를 해결하기 위해 조직은 ISO 26262, Automove SPICE , CMMI , AUTOSTAR 등의 방법론을 사용하여 소프트웨어 개발 프로세스가 평가될 수 있도록 협력사에 요구해야 한다. 또 협력사의 품질 문제로 인해 고객의 제품에 어떠한 위험이나 잠재된 부정적 영향(결함)이 발생할 수 있다. 예를 들어, 협력사의 제품에 소프트웨어 결함이 발생했다면 조직과 고객의 제품에도 동시다발적인 결함이 발생될 수 있다. 이러한 경우, 그 우선순위에 따라 소프트웨어 개발 능력을 자체 평가하고, 이를 문서화된 정보로 보유해줄 것을 협력사에 요구해야 한다.

ISO 26262 Road vehicles - 기능안전

> 제01부: 용어
> 제02부: 기능안전성 경영
> 제03부: 구상단계
> 제04부: 제품 개발: 시스템 레벨
> 제05부: 제품 개발: 하드웨어 레벨
> 제06부: 제품 개발: 소프트웨어 레벨
> 제07부: 생산 및 운전
> 제08부: 지원 프로세스
> 제09부: ASIL 및 안전 지향 분석
> 제10부: 가이드라인

8.4.2.4. 공급자 모니터링

외부에서 제공되는 프로세스와 제품과 서비스의 적합성이 보장되어야 한다. 이를 위해 조직은 내외부 고객의 요구사항을 파악하고, 이를 기반으로 한 협력사 성과지표를 수립하여 지속적으로 모니터링하고 관리해야 한다. 이는 문서화된 프로세스를 통해 시스템적으로 접근해야 하고, 여기에는 성과지표에 대한 데이터 수집과 추적, 평가 방법, 등급화, 지속적 개선을 위한 조치사항, 리스크 평가, 협력사 심사 등의 활동이 포함되어야 한다. 조직은 최소 다음의 협력사 성과지표를 모니터링하고 관리해야 한다.

a) '인도된 제품의 적합성'이란 협력사에서 공급되는 제품의 품질 수준을 말한다. 공급된 제품 수량 대비 부적합품 수량의 비율로 PPM(Parts Per Million)을 성과지표로 정의하는 것이 일반적지만 이는 공급되는 제품의 특성에 따라 다르다. 예를 들어 Lead Frame과 같은 제품은 Bobbin(철사, 실, 전선 등을 감아서 쓰는 통) 등에 감겨 공급되고, 산업용 테이프나 필름과 같은 원자재는 종이나 플라스틱 지관에 감겨 공급된다. 이러한 경우, 정의된 길이 또는 제곱미터 당 결함 수를 성과지표로 정의한다.

b) 협력사의 품질 문제로 인해 고객사의 생산라인이 멈추고, 야적장, 선적장에서 작업이 중단된 경우를 말한다. 이러한 경우, 고객은 작업 중단 시점부터 종료 시점까지 M/H(Man/Hour) , UPH(Unit Per Hour) 를 계산하여 손실 비용을 조직에 청구한다. 이 또한 협력사의 성과지표로 관리될 수 있다.

c) '납기 성과(Delivery schedule performance)'를 말한다. 조직의 생산 일정과 밀접한 관련이 있기 때문에 반드시 관리해야 한다. 일반적으로 Lead Time을 성과지표로 정의하여 관리한다.

d) '추가 운임(Premium freight) 발생 건수'를 말한다. 추가 운임은 계약된 배송 운임에 더하여 추가로 발생된 운임 비용을 말한다. 이는 품질 문제, 납기 수량 부족, 추가 주문 등의 이유로 발생한다. 그러나 조직 또는 고객사의 생산 일정, 생산 수량, 기타 사정으로 발생된 추가 운임을 협력사의 성과지표로 정의하는 것은 불공평할 수 있다.

앞에서 살펴본 성과지표는 조직의 관점에서 정의한 것이고, 다음은 고객의 관점에서 정의한 것이다. 고객에 의해 정의된 협력사 성과지표는 다음 사항이 포함될 수 있다.

e) 고객은 고객의 생산라인이나 자재 창고에서 품질 또는 납기 문제가 발생했을 경우, 이와 관련된 특별한 상황을 조직에 통보할 수 있다. 예를 들어 고객의 생산 라인에서 조직이 공급한 커넥터 타입의 엔진 센서가 품질 문제를 일으켜 이를 조직에 통보했다고 하자. 만약 협력사에서 커넥터를 오사양으로 조립하여 발생한 경우라면 조직은 이를 협력사의 성과지표에 포함해야 한다.

f) 제품의 보증기간 내에 필드에서 일반 보증 또는 리콜 등의 품질 문제가 발생했을 경우, 조직은 고객, 협력사, 연구소, 품질 기능과 협업하여 합동 조사를 실시해야 한다. 문제의 원인이 협력사에 있다면 이 또한 협력사의 성과지표에 포함해야 한다.

8.4.2.4.1. 2자 심사

조직은 협력사 관리 프로세스에 2자 심사 항목을 포함해야 한다. 2자 심사는 조직이 협력사의 품질경영시스템, 제조공정, 제품 등을 심사하는 것을 말한다. 본 조항에서는 자격이 인증된 조직의 2자 심사원이 협력사의 하기 항목을 평가할 수 있음을 강조하고 있다. 중요한 것은 7.2.4항에서 다룬 2자 심사원의 역량 및 적격성이다. 2자 심사원은 협력사의 품질경영시스템, 제조 공정, 제품을 심사하기 때문에 해당 분야의 충분한 지식과 경험이 있는 사람이 수행해야 한다. 그러나 아직도 갑을 관계를 이용해 협력사에 득이 되는 심사보다는 형식에 가까운 심사가 수행되고 있다. 조직의 매니저는 2자 심사원의 역량 및 적격성을 강화하고, 방문 지도를 통해 조직 간에 득이 되는 방향으로 심사가 진행될 수 있게 지원해야 한다. 2자 심사를 통해 다음 항목이 심사될 수 있다.

a) 공급자의 리스크 평가
b) 공급자 모니터링
c) 공급자 품질경영시스템 개발
d) 제품 심사(Product Audit)
e) 공정 심사(Process Audit)

조직은 제품에 대한 법적, 규제적 요구사항, 품질경영시스템 인증 수준, 협력사의 주요 성과를 포함하여 2자 심사의 필요성, 형태, 빈도, 범위에 대한 기준을 문서화해야 한다. 또 2자 심사 보고서의 기록은 보존되어야 하고, 2자 심사 범위에 품질경영시스템이 포함되어 있다면 이는 자동차 산업의 프로세스 접근법과 일관성이 있어야 한다. (예: ISO 19011 참고)

8.4.2.5. 공급자 개발

공급자 개발(Supplier development)은 협력사의 역량과 성과를 지속적으로 향상시키기 위해 개선 영역을 식별하고, 해결하는 프로세스이다. 이를 위해 조직은 조직의 매출과 품질 실적 등을 고려하여 협력사를 분류해야 한다. 매우 신뢰할 수 있는 협력사, 중요한 협력사, 중요하지 않는 협력사 등으로 분류하여 추가 요구되는 개선 항목(Type)과 우선순위(Priority), 그리고 그 정도(Extent)와 시기(Timing)를 결정해야 한다. 앞에서 살펴본 다양한 활동을 통해 필요한 조치를 결정할 수 있지만 이에 한정할 필요는 없다.

a) 8.4.2.4항 협력사 모니터링에서 협력사의 성과가 미달성된 경우, 필요한 조치를 결정해야 한다. 연초 수립된 협력사의 성과지표는 월, 분기, 상하반기의 주기에 따라 검토하는 것이 일반적이다. 그러나 하루에도 제품과 공정에서 끊임없는 변동이 발생하기 때문에 이를 각 성과지표와 연결하여 필요한 조치를 유동적으로 결정하는 것이 좋다.

b) 8.4.2.4.1 항 2자 심사에서 발견된 필요한 조치를 결정해야 한다. 필요한 조치는 일회성으로 끝나는 것이 아니라 지속될 수 있도록 시스템적인 개선이 요구된다. 본 요구사항에서도 개선 항목과 우선순위, 그리고 그 정도와 시기가 고려될 수 있다.

조직에서 발생할 수 있는 가장 안 좋은 예를 들어보자. 보통 2사 심사의 조치 결과로 고객에게 개선 현황을 통보한다. 그러나 실제 현장 개선보다는 담당자 선에서 형식적으로 개선 현황을 문서화하여 고객에게 통보하는 경우가 있다. 이러한 부정행위 적발 시 고객 불만족으로 이어져 조직의 비즈니스에 부정적인 영향을 미칠 수 있으니 신중하길 바란다. 어려운 상황은 피하는 것도 아니고 누구에게 전가하는 것도 아니다. 부족해도 스스로 대응할 수 있어야 발전한다.

c) 3자 품질경영시스템 인증 현황이 관리되어야 한다. 각 협력사별 요구되는 품질경영시스템 인증은 목록화하고, 만료일 전 갱신될 수 있도록 해야 한다. 중요한 것은 인증 시스템이 만료되기 전 조직이 이를 인식할 수 있어야 한다는 것이다.

d) 조직은 협력사의 리스크 분석을 통해 필요한 조치를 결정해야 한다. 리스크 분석의 예로는 개발 일정 지연, 인적 자원의 이탈, 라인 정지, 부적합품 발생, 특채 승인된 부품의 입고, 재작업, 수리 등이 있다.

8.4.3. 외부공급자를 위한 정보

조직은 외부공급자와 의사소통하기 이전에 요구사항이 타당함/충분함을 보장하여야 한다. 조직은 다음 사항에 대한 조직의 요구사항을 외부공급자에게 전달하여야 한다.

a) (외부공급자가) 제공하는 프로세스, 제품 및 서비스
b) 다음에 대한 승인
1) 제품 및 서비스
2) 방법, 프로세스 및 장비
3) 제품 및 서비스의 불출

c) 요구되는 모든 인원의 자격을 포함한 역량/적격성
d) 조직과 외부공급자의 상호 작용
e) 외부공급자의 성과에 대하여 조직이 적용하는 관리 및 모니터링
f) 조직 또는 조직의 고객이 외부공급자의 현장에서 수행하고자 하는 검증 또는 실현성 확인 활동

본 조항에서는 조직과 고객의 요구사항을 협력사에 효과적으로 전달하는 것을 목표로 한다. 조직은 협력사와의 원활한 의사소통과 후속 업무를 처리하기 위해 협력사가 제공하는 프로세스, 제품과 서비스에 대한 최신 정보를 제공해야 한다. 최신 정보가 아닌 더 이상 유효하지 않은 불용 정보가 제공되면 제품과 서비스의 적합성에 문제가 발생한다. 따라서 최신 요구사항에 대한 타당성(적절성)이 먼저 보장되어야 하는 것이다.

요구사항의 타당성은 프로세스, 제품과 서비스에 대한 기능, 성능, 외관, 치수 등의 엔지니어링 스펙(Engineering Specification)과 재질 스펙(Material Specification), 그리고 프로세스(설계 및 개발, 생산, 부적합품 처리, 작업 방법, 검사 방법, 시험 방법 등) 영역에서 모두 보장되어야 한다. 이러한 요구사항은 항상 최신 버전으로 유지되어야 하고, 요구사항을 전달하기 위한 수단과 방법 또한 정의되어야 한다. 조직은 다음 사항에 대하여 조직의 요구사항을 협력사에 전달해야 한다.

a) 조직은 외부에서 제공되는 프로세스와 제품과 서비스에 대한 요구사항을 제공해야 한다. 요구사항은 조직의 각 기능에서 제공할 수 있는데, 내부 의사소통에 혼선이 발생하지 않도록 충분한 사전 검토 후 제공하는 것이 좋다. 예를 들어 설계 및 개발 조직에서는 기술도면이나 엔지니어링과 재질 스펙에 대한 정보를 제공할 것이고, 구매 조직에서는 발주 방법, 발주 수량, 발주 일자 등의 정보를 제공할 것이다. 이러한 정보는 관련 이해관계자와 충분한 사전 검토 후 제공해야 한다. 또 협력사와 개방적이고 효과적인 의사소통을 유지해야 요구사항을 충족하는 프로세스와 제품과 서비스를 제공받을 가능성이 높아진다.

b) 조직은 '승인'에 대한 요구사항을 제공해야 한다.

1) 협력사에 제품과 서비스와 관련된 요구사항이 전달되었다면 요구사항의 충족 여부를 확인하고 승인하기 위한 요구사항이 전달되어야 한다. 자동차 산업에서는 협력사 PPAP 활동으로 이해하면 된다. 협력사 PPAP 활동은 AIAG 표준을 따르는 것이 일반적이지만 특정 고객사의 요구사항에 따라 PPAP 패키지 외의 문서가 요구될 수 있다.

2) 방법, 프로세스 및 장비에 대한 요구사항은 협력사 PPAP 패키지의 일부라고 할 수 있다. 여기에는 협력사로부터 제공되는 제품과 서비스에 대한 생산, 검사, 시험, 측정 방법, 프로세스 및 사용된 장비에 대한 사양의 승인이 포함될 수 있다.

3) 제품과 서비스의 불출은 수입검사에서 LOT 별 시험 성적서(Certificate Of Analysis)를 추가 검증하여 승인하는 것으로 생각할 수 있다. 이러한 요구사항은 검사 협정서, 검사 기준서 등으로 제공될 수 있다.

c) 협력사 인원의 역량 및 적격성에 대한 요구사항을 제공해야 한다. 예를 들어 사출 제품을 생산하는 협력사의 경우, 사계절 미세한 변형 문제로 어려움을 겪고 있다. 이때 협력사는 조직과 고객의 승인하에 재작업을 진행하는 경우가 있다. 만약 칼이나 기타 도구를 사용하여 재작업을 진행한다면 제품의 원형이 손상될 수 있기 때문에 이를 수행하는 협력사 인원의 역량 및 적격성이 매우 중요하다. 협력사 인원의 역량 및 적격성에 대한 요구사항을 제공하는 것은 인원의 숙련도에 의존도가 높고, 전반적인 품질에 기여하기 때문이다.

d) 조직은 부서, 담당자, 의사소통 내용과 방법을 협력사에 전달하여 원활한 의사소통이 보장되도록 해야 한다. 어떠한 조직은 품질 문제 발생 시 영업팀을 통해 고객 불만을 접수하는 경우도 있고, 어떠한 조직은 단체 커뮤니케이션 방을 만들어 직접 의사소통하는 경우도 있다. 어떠한 방법이든 상호 동의하에 진행되어야 한다. (상호 작용 방법 제공)

e) 8.4.2항에서는 협력사의 성과지표에 대해 다루었다. 조직은 성과 관리와 관련된 정보를 협력사에 제공해야 한다. 이를 통해 협력사는 제품과 서비스, 그리고 품질경영시스템의 문제점을 지속적으로 개선할 수 있다.

f) 경우에 따라서는 조직의 고객이 협력사에서 직접 검사 또는 검수를 수행할 때가 있다. 이러한 경우 조직의 고객이 협력사에서 수행하려는 검사 또는 검수에 대한 범위, 방법, 기준, 목표 등을 문서화된 정보로 제공해야 한다.

8.4.3.1. 외부공급자를 위한 정보 - 보충사항

조직은 적용되는 모든 a) 법적, 규제적 요구사항을 협력사에 제공해야 한다. 이러한 요구사항을 협력사에 제공하는 것은 외부에서 제공되는 프로세스와 제품과 서비스가 해당 법적, 규제적 요구사항을 충족하도록 하는 데 있다. 따라서 요구사항을 협력사에 올바르게 제공하는 것이 매우 중요한 데, 의사소통 채널을 마련하여 법적, 규제적 요구사항이 담긴 문서화된 정보를 공문서로 제공하는 것이 가장 효과적이다. 만약 협력사가 해당 법적, 규제적 요구사항을 준수하지 않는 것으로 확인되면 즉시 주문을 중단해야 한다. 또 적용되는 모든 b) 특별 특성을 협력사에 제공해야 한다. 법적, 규제적 요구사항과 특별 특성은 c) 최하위 협력사(Tier n)의 제조 지점까지 단계적으로 전개(Cascading)되어야 하는 데, 이는 전 공급망에서 균일한 품질을 유지하고 결함을 줄이며 조직의 니즈와 기대를 충족시키는 데 매우 중요한 역할을 하기 때문이다.

a) 법적, 규제적 요구사항을 협력사에 제공
b) 제품과 공정의 특별 특성을 협력사에 제공
c) 법적, 규제적 요구사항과 특별 특성을 최하위 협력사의 제조 지점까지 단계적으로 전개

8.5. 생산 및 서비스 제공

8.5.1. 생산 및 서비스 제공의 관리

조직은 제품 및 서비스 제공을 관리되는 조건하에서 실행하여야 한다. 관리되는 조건에는 해당되는 경우, 다음 사항이 포함되어야 한다.

a) 다음을 규정하는 문서화된 정보의 가용성
1) 생산되어야 하는 제품의, 제공되어야 하는 서비스의, 또는 수행되어야 하는 활동의 특성
2) 달성되어야 하는 결과

b) 적절한 모니터링 자원 및 측정 자원의 가용성 및 활용
c) 프로세스 또는 출력의 관리에 대한 기준, 그리고 제품 및 서비스에 대한 합격 판정기준이 충족되었음을 검증하기 위하여, 적절한 단계에서 모니터링 및 측정 활동의 실행
d) 프로세스 운용을 위한 적절한 기반구조 및 환경의 활용
e) 요구되는 모든 자격을 포함하여, 역량이 있는 인원의 선정
f) 결과로 나타난 출력이, 후속되는 모니터링 또는 측정에 의해 검증될 수 없는 경우, 생산 및 서비스 제공을 위한 프로세스의 계획된 결과를 달성하기 위한 능력의 실현성 확인 및 주기적 재확인
g) 인적 오류를 예방하기 위한 조치의 실행
h) 불출, 인도 및 인도 후 활동의 실행

조직은 일관된 품질의 제품과 서비스를 제공해야 한다. 이를 위해서는 조직의 생산과 서비스 활동이 관리 조건에서 실행되고 있음을 보장해야 한다. 관리 조건에 있다는 것은 품질의 특성에 영향을 주는 내외부 리스크가 관리되고 있음을 의미한다. 요구사항을 충족하는 제품과 서비스를 제공하기 위해 특정 프로세스에 해당하는 모든 절차서, 작업표준서, 검사기준서, 인원, 장비, 품질목표, 성과지표 등이 수립되고, 관리되어야 한다.

a) 다음을 규정하는 문서화된 정보의 가용성을 보장해야 한다.
1) 제품과 서비스의 품질 특성을 포함하는 문서화된 정보의 가용성이 보장되어야 한다. 품질 특성을 포함하는 문서화된 정보에는 제품 도면, 시방서, FMEA, 관리계획서, 작업표준서, 검사기준서 등이 있다. 이러한 문서는 항상 최신 상태로 유지되어야 하고, 담당자가 쉽게 이용할 수 있어야 한다. (작업 공간에 파일링, 태블릿 형태로 항상 비치)

2) '달성되어야 하는 결과'를 정의한 문서화된 정보에는 목표 대비 실적을 모니터링하고, 측정한 결과가 포함되어야 한다. 일일 생산량, 작업량, 납품량, 불량률, 보전, 지속적 개선 등의 정보가 해당되고, 이는 생산 라인의 작업 현황판에 보통 기록된다.

b) 7.1.5항에서 정의한 모니터링과 측정 자원을 생산과 서비스를 제공하는 단계에서 이용할 수 있어야 한다. 소프트웨어를 포함한 결정된 자원은 식별, 교정, 보관, 취급, 유지보수, 수리 등의 관리 조건에서 그 가용성이 보장되어야 한다.

c) '적절한 단계에서 모니터링과 측정 활동을 실행'하라는 것은 조직과 고객의 결정에 따라 다르겠지만, 일반적으로 시작 공정부터 최종 공정까지 모든 단계에서 모니터링과 측정 활동이 실행된다. 이를 위해 제품과 서비스를 포함한 단계별 출력물에 대한 합격 판정 기준이 수립되고, 모니터링과 측정 방법이 개발되어야 한다. 측정된 데이터는 분석되어 지속적 개선 활동과 경영검토의 입력 사항으로 활용되어야 한다.

d) 기반 구조는 7.1.3항에서, 프로세스 운용 환경은 7.1.4항에서 다루었다. 제공된 기반 구조와 프로세스 운용 환경은 작업장, 자재 창고, 완제품 창고, 시험실, 클린룸, 인프라 시설(전기, 가스, 수도) 등 각 영역의 목적에 맞게 수립되어야 한다. 특히 작업자에게 의존하는 조립이나 가공 공정의 경우에는 작업자의 피로도를 고려해 작업 환경을 구축하길 바란다.

e) 7.1.2항 인원과 7.2항 적격성에 따라 생산과 서비스 활동을 적합하게 수행할 수 있는 인원이 선정되어야 한다. 인원의 숙련도는 Skill Matrix와 같은 평가 결과를 통해 실증된다.

f) 조직이 생산한 제품이 요구사항에 맞게 만들어졌는지 중간 또는 최종 검사 공정에서 검증할 수 없는 경우가 있다. 예를 들어 용접, 도장, 도금, 열처리와 같은 특수 공정을 지나 조립 공정으로 이어진 경우, 조립 공정에서 특수 공정에서 가공된 제품을 검증하기에는 어려움이 있다. 반제품 또는 제품을 파괴하여 용접의 품질을 검증할 수가 없기 때문에 보통 외부 인증기관을 통해 해당 품질을 검증한다. 검증 방법은 파괴 검사를 통해 샘플링 검증을 할 수 있지만, 승인된 장비가 사용되었는지, 인증된 용접공에 의해 작업 되었는지, 용접 절차(WPC, Welding Procedure Specification)는 준수했는지 등의 확인을 통해 그 실현성을 확인하고 있다. 만약 4M이 변경된 경우, 요구되는 용접 품질에 변동이 발생하기 때문에 주기적으로 그 실현성을 재확인해야 한다.

g) 생산과 서비스 활동 과정에서 사람의 실수로 인한 오류는 항상 존재한다. 그러나 예방 조치를 하면 그 발생 가능성과 피해 규모를 눈에 띄게 줄일 수 있다. 이러한 예방 조치에는 교육 훈련, 프로세스 이중화, 라벨이나 간판 등을 활용한 시각적 제어, 의사소통 체계화, 직무 순환이나 교차 교육, 피로도 관리 등이 있다. 이는 단조로운 작업으로 인해 발생하는 인적 오류의 위험을 줄이는 데 도움이 된다.

h) 조직은 제품과 서비스를 불출하기 전 합격 판정 기준에 대한 적합성을 검증해야 한다. 검증된 결과는 문서화된 정보로 보유되어야 하고, 내부 승인 절차에 따라 승인되어야 하며, 불출에 대한 추적성 또한 보장되어야 한다. 그리고 운송 중 파손이나, 오염되지 않도록 규정된 패키징과 라벨링 작업 후 고객에게 인도되어야 한다. 인도 중에는 송장 정보, 현 위치, 도착 일정 등의 정보가 제공되어야 하고, 인도 후에는 납품 확인증이 발급되고, 고객 피드백을 포함한 일련의 보증과 지원 활동이 실행되어야 한다.

8.5.1.1. 관리계획서

생산에서 가장 중요한 품질관리 문서는 '관리계획서(Control Plan)'이다. 관리계획서는 APQP(Advanced Product Quality Planning) 프로세스에 따라 개발된 제품의 품질 관리를 위한 최종 산출물이다. 관리계획서는 조직에서 생산되는 모든 제품, 하위 부품, 자재 수준에서 개발되어야 하는데, 여기에는 각 공정의 흐름(Process Flow)에 따른 관리항목, 특별 특성, 관리기준, 이상 발생 시 조치사항 등이 명기되어 있다. 만약 하나의 제품에 파생되는 제품(Variants)이 여러 개인 경우, 동일 계열(Family)의 관리계획서가 허용된다. 이는 동일한 공정과 관리 조건에서 제품이 생산되기 때문이다.

조직은 PFMEA를 통해 각 공정에서 발생할 수 있는 잠재적 고장형태와 원인, 그리고 영향을 도출했다. 이제 이를 어떻게 관리할지에 대한 아이디어(특성)를 모아 관리계획서에 구체적으로 기술해야 한다. 관리계획서는 상위 문서인 공정 흐름도(Process Flow)와 PFMEA, 하위 문서인 작업 지침서(Work Instruction)와 연계되어야 한다. 또 관리계획서에 정의된 기준에 따라 데이터를 측정하고, 측정한 결과의 정합성을 확인해야 한다. 이는 관리계획서 내 관리기준(방법) 항목을 참조하면 된다. 그럼 관리계획서에는 어떤 항목이 구체적으로 포함되어야 하는지 하나씩 살펴보자.

a) 작업 셋업(Job Set-up)의 검증을 포함하여 관리 항목과 기준이 정의되어야 한다. 작업 셋업의 검증을 위한 시점과 방법은 8.5.1.3항에서 다룰 것이다.

b) 초물(Initial Sample)과 종물(Last Sample)의 품질을 검증하기 위한 관리 항목과 기준이 정의되어야 한다. 검사 공정에서 제품 특성에 대한 검사 방법을 정의하면 된다.

c) 고객과 조직이 규정한 특별 특성 관리를 위한 관리 항목과 기준이 정의되어야 한다.

d) 만약 고객이 특별 특성, 규격, 주기, 관리 방안 등을 추가하거나 변경하고자 하는 경우, 이를 검토하여 반영해야 한다. (관리계획서를 고객에게 공유하는 경우에만 해당)

e) 특정 공정에서 부적합품이 검출되거나 통계적으로 불안정한 경우, 이에 대한 대응 계획이 정의되어야 한다. (Annex A Control Plan 참조)

관리 조건에서 제품이 생산되고 있더라도 어떠한 이상 원인으로 인해 부적합품이 발생될 수 있다. 이러한 경우, 공정이 불안정하다는 것을 의미하므로 조직은 상위 문서인 공정 흐름도와 PFMEA, 하위 문서인 작업 지침서와 연계하여 관리계획서를 갱신해야 한다. 특히 다음의 경우에 해당한다면 관리계획서를 검토하고 갱신해야 한다. (요구되는 경우, 고객 승인)

f) 고객에게 부적합품이 선적되었을 경우이다. 부적합품의 발생과 유출의 원인에 해당하는 공정의 관리 조건이 갱신되어야 한다. (검사 공정, 검출 공정 확인)

g) 제품, 공정, 측정, 물류, 공급처, 생산량, 리스크 분석에 영향을 미치는 어떤 변경이 발생한 경우이다. 상위 문서가 갱신되면 관련 하위 문서 또한 모두 갱신되어야 한다.

h) 고객 불만에 대한 시정조치 후 갱신되어야 한다.
i) 리스크 분석의 빈도에 따라 갱신되어야 한다.

8.5.1.2. 표준화된 작업 - 작업 지침서 및 시각적 표준

제조 공정의 다양한 작업 유형(조립, 가공, 연결, 검사, 분리 등)에 따라 그에 따른 작업 표준 또한 개발되어야 한다. 작업 표준은 작업의 품질을 보장하는 문서로 직업지침서(Work Instruction), 표준작업, 작업일보, 공정이동표, 공정점검표 등의 문서를 말한다. 그럼 이러한 문서가 왜 필요할까? 조직은 최적의 작업 조건에서 양질의 제품을 원하는 수량만큼 일일 생산해야 한다. 따라서 일관된 제품의 품질을 확보하고, 고객의 수요를 충족시키기 위해 Takt Time, Cycle Time, Lead Time을 보장하는 것이 주된 목적이라고 할 수 있다.

Takt Time은 고객의 수요에 따라 하나의 제품을 생산하는 데 필요한 시간을 말한다. 예를 들어 고객으로부터 2022년 1월 1일에 16개의 제품을 주문받았다고 하자. 하루 8시간 내 작업을 완료하려면 개당 0.5시간의 작업 시간이 필요할 것이다.

Cycle Time은 단위 공정에서 하나의 제품을 생산하는 데 걸리는 시간을 말한다. 예를 들어 한 명의 작업자가 원재료를 공정에 투입하고, 일련의 작업 공정을 걸쳐 하나의 제품을 만드는 데 걸리는 시간이 0.6시간이었다고 하자. 고객의 주문량은 16개이고, 이를 하루에 모두 생산하려면 개당 0.5시간이 필요한데, 현재의 공정 Capacity 수준은 0.6시간인 것이다. 다시 말해 Takt Time보다 Cycle Time이 큰 상황이다. 이러한 상황이라면 조직은 야근을 계획하거나 작업자 한 명을 추가하거나 공정을 심플하게 개선해야 할 것이다.

리드타임(Lead Time)은 고객으로부터 주문을 받고, 납기까지 걸리는 시간을 말한다. 만약 2022년 1월 1일에 16개의 제품 주문을 받았고, 2022년 1월 3일에 생산이 시작되어, 2022년 1월 4일에 납품되었다면 리드타임은 3일이다. 이처럼 작업 표준은 일관된 제품 품질을 보장하고, 고객의 수요를 충족시키기 위한 기본 프레임을 제공한다. 조직은 작업 표준을 작성할 때 다음 사항을 보장해야 한다.

a) 작업 표준은 실제 작업을 수행하는 작업자에게 필요한 것이다. 따라서 작업자가 규정된 반복 작업을 할 수 있도록 이해하기 쉽게 작성되어야 효과적이다. 순서도, 다이어그램, 이미지와 같은 시각적 자료를 통합해 작성하면 서면 지침서의 부족함을 보완할 수 있다.

b) 작업자가 쉽게 읽을 수 있도록 작성되어야 한다. 규정된 글꼴과 글꼴 크기, 행과 열의 간격, 기호 사용, 사진 배치, 특수 문자, 인쇄 사이즈 등의 규정화하여 작성하면 작업자 간의 명확한 의사소통과 이해를 촉진할 수 있다.

c) 만약 외국인 근로자가 제조 현장에 있는 경우, 이들 국가의 언어로 작성되어야 한다. 언어 장벽은 오해와 실수, 생산성 저하로 이어질 수 있다. 따라서 외국어와 한국어를 조합하여 작성하는 것이 좋고, 시각적 자료와 기호를 사용하는 것이 효과적이다.

d) 작업표준은 지정된 작업 구역(각 공정, 작업장)에서 식별되고, 접근할 수 있어야 한다. 만약 단일 작업 공간에서 서로 다른 제품이 조립 또는 가공된다면, 작업에 대한 기능이 동일할 경우 하나의 작업 지침서만 있으면 된다.

작업표준에는 작업자의 안전을 위한 기준도 포함되어야 한다. 위험이 따르는 공정이 있다면 취급, 화재, 멈춤, 끼임, 낙하 주의 등의 경고성 심볼(Warning Symbol)을 사용하여 작업자의 안전을 보장해야 한다. 또 작업 전 개인 보호 장비(PPE)를 사용하게 하고, 의료 사고 발생 시 후속 조치에 대한 단계별 지침도 제공해야 한다.

8.5.1.3. 작업 셋업의 검증

'작업 셋업의 검증'은 작업이 수행되기 전 제품 생산에 필요한 4M의 이상 유무를 확인하는 것이다. 8.5.1.1항 관리계획서에서 설명한 바와 같이 관리계획서에는 작업 셋업의 검증을 위한 관리 항목과 기준이 수립되어야 한다. 일반적으로 작업 전 설비 파라미터, 도구, 게이지, 자재, 초중종물의 이상 유무를 육안으로 검사하여 '일상점검시트'에 기록한다. 다음의 작업 셋업의 검증을 위한 시기, 문서화된 정보, 방법, 대상, 승인 기록에 대해 살펴보자.

a) 작업 셋업의 검증은 새로운 셋업이 요구되는 작업의 첫 가동 시, 자재 교체 시, 작업 변경 시 수행되어야 한다. (오전에 첫 가동 후 오후에 제품 모델이 변경되는 경우 재검증)

b) 작업 셋업을 수행하는 인원을 위한 문서화된 정보가 유지되어야 한다. 이는 셋업을 위한 단계적 지침을 제공하고, 셋업의 일관성, 정확성, 안전성, 그리고 효율성을 보장한다.

c) 해당되는 경우, 조직은 '통계적인 방법'을 사용하여 공정의 상태를 검증해야 한다. 따라서 OK 또는 NOK, O 또는 X보다는 계량치 데이터를 기록하고, 이를 관리도, 공정능력분석(Cpk, Ppk) 등의 방법론을 사용하여 공정의 안정 상태를 확인하는 것이 중요하다.

d) 초물은 공정 조건이 올바르게 셋업되었는지, 종물은 셋업 조건이 계속해서 유지되었는지를 검증(타당성 확인)하기 위한 것이다. 따라서 초물과 종물의 비교, 종물과 다음 초물과의 비교를 위해 해당 제품은 보존되어야 한다.

e) 작업 셋업, 초물과 종물의 타당성 확인에 대한 승인이 문서화된 정보로 유지되어야 한다. 보통 작업자가 확인, 기록 후 라인 리더나 감독관이 추가 확인하여 승인(서명)한다.

8.5.1.4. 생산가동 정지 후 검증

생산 라인은 계획에 따라 혹은 예상하지 못한 상황에서 중단될 수 있다. 제품을 생산하는 생산 라인이 재가동될 때 앞서 설명한 초물과 종물을 통해 제품과 공정의 품질을 검증(Validation) 할 수 있다. 그러나 생산 라인이 어떠한 원인으로 인해 장기 중단되거나 보전 활동, 자재 변경 등이 요구될 때 단순히 초물과 종물의 비교 검증만으로는 품질을 보장 할 수 없다.

생산 라인의 작업 환경이 변경되면 그에 따라 제품의 품질에도 변동이 발생하기 때문에 좀 더 추가적인 검증이 요구된다. 추가적인 검증 방법으로는 조직이 운영하는 별도의 시험실에서 초물과 종물의 치수를 재검증하거나 Pull Test, 기능, 성능 시험 등이 있을 수 있다. 본 조항은 6.1.2.3항 비상계획과 연계될 수 있고, 모든 시험 결과는 문서화된 정보로 보유되어야 한다.

Planned line interruptions	Un-planned line interruptions
Model change-over	Corrective maintenance
Planned maintenance	Line stop triggered by quality problems
Shift Change	Line stop triggered by lack of material
Sample builds and other trial runs	Sudden loss of electrical power
Long-term interruptions	Fire

생산가동 정지 후 검증

8.5.1.5. 총체적 예방보전

조직은 문서화된 TPMS(Total Productive Maintenance System)를 개발하고 실행, 그리고 유지해야 한다. TPMS는 5S를 포함한 설비에 대한 보전 활동으로 설비의 효율성을 극대화하여 지속적인 공정 능력과 연속 생산을 보장한다. TPMS를 운용하는 것은 과거 보전관리 부서의 고유 업무가 아니다. 종업원 전체가 보전 업무에 참여하여 불량과 재해 제로를 추구하고, 조직의 체질을 변화시키는 혁신 운동이다. 여기에는 최소 다음의 항목이 포함되어야 한다.

a) 생산에 필요한 설비가 파악되어야 한다. 설비의 사양, 용량, 능력(Capability), 교체할 수 있는 부품 또는 모듈, 제조사 등이 파악되어야 보전 프로세스를 최적화할 수 있다.

b) 생산 설비가 파악되었다면 다음은 설비에 필요한 부품을 구입하여 적절한 재고를 유지해야 한다. 적절한 재고를 유지하려면 설비의 고장 이력, 부품의 교체 이력, 그에 따른 설비 등급 등의 데이터가 있어야 한다. 고장 주기가 길면 교환 부품이 적게 필요할 것이고, 고장 주기가 짧으면 교환 부품이 많이 필요할 것이다. 교환 부품을 'Spare Part'라고 하는데, 설비 중단 시 빠른 수리를 위해 적절한 재고관리가 매우 중요하다.

c) 기계, 장비, 시설의 유지보수를 위한 자원이 확보되어야 한다. 여기에서 필요한 자원은 유

지 보수를 위한 도구, 예비 부품, 보전 요원, 보전 기술, 보전 정보, 일정 관리 등을 말한다. 특히 보전 업무에 필요한 인원은 자격 인증을 통해 검증되어야 한다.

d) 보전에 필요한 장비, 도구, 측정기기는 포장되고, 보존되어야 한다. (환경, 손상, 교정 등)
e) 고객지정 요구사항이 반영되어야 한다.

f) 보전 목표가 수립되고, 문서화된 정보로 보유되어야 한다.
> OEE(Overall Equipment Effectiveness, 설비 종합 효율)
> MTBF(Mean Time Between Failure, 고장 간 평균시간)
> MTTR(Mean Time To Repair, 평균 수리시간)
> 예방보전 준수 성과지표
> 9.3항 경영검토와 연계

g) 보전 계획과 목표는 정기적으로 검토되어야 한다. 보전 계획 대비 활동이 미흡하거나 보전 목표가 미 달성된 경우, 해당 영역을 개선하기 위한 조치 계획이 수립되어야 한다. 생산의 안정성을 보장하기 위해서는 검토 주기를 최소 월단위로 정하는 것이 좋다.

h) 예방보전(PM, Preventive Maintenance) 활동이 수행되어야 한다.
> TBM(Time Based Maintenance)

i) 예측보전(PM, Predictive Maintenance) 활동이 수행되어야 한다.
> CBM(Condition Based Maintenance)

j) 설비와 고정된 내부 부품을 정기적으로 해체(Overhaul) 정비하고, 기준 이하로 판명된 경우 모든 부품을 수리하거나 교체해야 한다. (새 것과 같은 설비 상태를 유지하기 위함)

예방보전(PM, Preventive Maintenance)은 정해진 시간에 따라 수리하는 TBM(Time Based Maintenance) 방식과 설비의 고장 상태에 따라 수리하는 CBM(Condition Based Maintenance) 방식으로 나뉜다. CBM은 예측보전(PM, Predictive Maintenance)이라고도 하는데, 설비의 파라미터(온도, 진동, 변위 등)가 변화함에 따라 열화 기준치와의 비교를 통해 보전 활동을 전개하는 것을 말한다. 즉, 조직이 주기적으로 수행해야 하는 일은 보전 활동이 아닌 가동 중인 설비의 상태를 주기적으로 모니터링하여 언제 보전 활동이 전개되어야 하는지 사전 예측하는 것이다.

사후보전(Breakdown Maintenance)은 용어에서도 알 수 있듯이 설비가 고장이 난 후에 수행하는 보전 활동을 말한다. 사후보전은 크게 두 가지로 나뉠 수 있는데, 계획된 사후보전(Planned Breakdown Maintenance)은 설비의 수명이 다하여 고장이 난 설비를 보전하는 것을 말하고, 돌발 고장수리(Emergency Breakdown Maintenance)는 운용 중인 설비가 갑자기 고장이 나서 보전하는 것을 말한다.

개량보전(Corrective Maintenance)은 설비 개선이라고도 한다. 설비의 수명연장(MTBF의 연장)이나, 고장이 난 경우 수리시간을 단축하는(MTTR 단축) 등 설비에 개량대책을 세우는 방법이다. 이것은 사후보전의 고장 횟수가 많은 것, 고장을 수리하는 데 비용이 큰 것 등에 대해 설비의 개량 개선을 실시하는 것이다.

보전예방(Maintenance Prevention)의 목표는 고장이 잘 나지 않거나 고장이 나더라도 수리하기가 쉽고, 동시에 사용하기 편리한 설비로 만드는 것이다. 이는 조직이 가장 지향해야 할 방향이기도 하다. 조직은 효율성 측면을 고려했을 때 적당한 보전 활동을 결정하면 된다.

8.5.1.6. 생산 치공구 및 제조, 시험, 검사 치공구와 장비의 관리

치공구란 지그(JIG)와 고정구(Fixture)가 결합된 용어로 작업의 능률을 높이고, 균일한 품질을 유지하기 위한 '맞춤형 공구'하고 생각하면 된다. 치구는 일본에서 건너온 말로, JIG를 한자어로 표현한 것이다. 지그는 공작물의 위치를 결정하고, 고정(Clamp)하여 작업 공구가 해당 공작물에 쉽게 안내될 수 있도록 하는 부시(Bush) 장치를 포함한다. 고정구는 지그와 기능적인 측면에서 동일하나 부시 장치가 없고, Set Block과 게이지 등의 공구 위치 장치를 포함한다. 지그와 고정구의 역할은 다르지만 산업 현장에서는 지그와 고정구의 기능을 모두 통일해서 지그라고 부른다.

산업에서 사용하는 치공구에는 생산, 제조, 시험, 검사용 치공구를 포함하여 무수히 많다. 따라서 조직은 생산과 제조에 필요한 치공구와 시험과 검사에 필요한 게이지의 설계와 제조를 위해 숙련된 인원, CAD/CAM과 같은 소프트웨어, 치공구의 정확도과 정밀도를 검증하기 위한 리소스를 제공해야 한다. 뿐만 아니라 인도 후 활동, 즉 서비스 활동에 필요한 치공구와 게이지를 설계하고, 제조, 그리고 검증하기 위한 리소스도 제공해야 한다.

조직은 다음 항목을 포함하여 생산 치공구를 관리하기 위한 시스템을 수립해야 한다.

a) 조직은 제조 현장에서 사용되는 모든 치공구의 성능을 최적화하고, 수명을 보장하기 위해 숙련된 인원뿐만 아니라 유지 보수를 위한 시설을 확보해야 한다. 인원과 시설의 능력은 예방 차원이나, 생산 중 예상치 못한 긴급한 상황에서 치공구를 유지 보수해야 하는 상황 모두를 감당할 수 있어야 한다.

b) 치공구는 보관과 복구가 보장되어야 한다. 대부분의 치공구는 금속으로 만들어졌기 때문에 녹을 방지하기 위한 온도, 습도 관리와 외부의 이물과 오염으로부터 보호되어야 한다. 치공구는 각 기능에서 얼마나 어떻게 사용했는가에 따라 마모 정도가 다르기 때문에 이를 신속하게 복구하기 위한 프로세스가 수립되어야 적시에 배포할 수 있다.

c) 생산에 필요한 적절한 치공구가 Set-up 되어야 한다. 불용 상태의 치공구를 사용하면 효율성이 떨어져 생산량이 감소할 뿐만 아니라 작업성이 떨어져 불량을 유발한다. 불량은 수율을 감소시키고, 폐기 비용을 늘리며, 자원의 낭비를 초래한다.

d) 슬래그 해머, 와이어 브러쉬, 절삭 공구, 인서트 등과 같은 소모성 치공구에 대해서는 치공구 교환 프로그램을 운용해야 안정적이고, 효율적인 제조 공정을 유지할 수 있다. 치공구 교환 프로그램은 무엇보다 생산 일정과 통합되어 작업 중단 없이 치공구를 교환할 수 있게 해주고, 더불어 생산성을 향상시킨다. (계획된 가동 중지 시간에 교환됨)

e) 제품의 엔지니어링 변경 수준에 따라 해당 치공구는 수정되어야 하고, 수정된 이력은 문서화된 정보로 보유되어야 한다. (치공구에 수정 이력을 포함한 라벨링 권고)

f) 치공구가 수정되면 모든 관련 문서화된 정보는 개정되어야 한다. 문서화된 정보를 통해 변경에 따른 버전, 사용, 대출, 보관, 폐기 등의 관련 정보가 확인되고, 무엇보다 기능 간 의사소통을 위한 도구로써 활용된다.

g) 조직에서 사용하는 모든 치공구에는 일련번호 또는 자산번호가 부여되어야 한다. 식별은 효과적인 치공구 관리를 지원한다. 예를 들어 치공구의 가용 또는 불용 상태, 소유권, 위치 추적, 유지 보수, 비용 관리, 기타 의사 결정을 하는 데 도움이 된다.

고객 소유의 치공구, 제조 장비, 시험과 검사 장비는 각 소유권과 치공구 항목의 적용이 쉽게 결정될 수 있도록 눈에 띄는 위치에 표시되어야 한다. 만약 이러한 관리 활동이 외주 처리되고 있다면 이를 모니터링하는 시스템이 실행되어야 한다.

8.5.1.7. 생산 일정 계획

조직은 '적시생산방식(JIT, Just In Time)' 시스템을 도입하여 고객의 주문이 들어오면 즉시 생산할 수 있도록 질적 능력과 양적 능력을 보장해야 한다. 적시생산방식은 적시에 필요한 물량을 적소에 공급하고, 생산 현장에서 발생될 수 있는 낭비(Waste) 요소를 줄일 수 있다. 흔히 생산 현장에서는 7대 낭비(운반, 재고, 동작, 대기, 과잉생산, 과잉처리, 불량) 요소를 줄이기 위한 분임조 활동을 한다. 이는 고객의 수요를 충족시키기 위해 불필요한 간섭을 줄이고, 최적의 작업 환경을 구축하기 위한 것이다.

최근에는 '비상대응시스템(JIC, Just In Case)'도 함께 고려된다. 혹시 일어날지 모르는 상황에 대비하기 위한 대응 관리 시스템을 구축하는 것이다. 최근 우크라이나와 러시아 간의 전쟁, 지속되는 팬데믹(Pandemic) 상황, 국제 유가 급증, 물가 상승 등으로 조직의 공급망에 문제가 발생되고 있다. 이러한 상황을 고려해 보면 낭비 요소를 줄여 비용을 절감하는 JIT 생산방식보다 고객과의 신뢰성을 더욱 강화하고, 유연성을 확보하는 JIC 생산 방식이 더 적합하다고 할 수 있다. 어떤 방식을 선택하든 조직은 효율적이고, 효과적인 제조 프로세스를 보장하기 위해, 즉 제조 활동을 위한 관리 조건을 최적화하고, 간섭을 최소화하기 위해, 생산 일정계획 수립 시 하기의 항목을 고려해야 한다.

> 고객 주문(Customer orders): 수량, 배송 일정, 기타 요구사항
> 공급자 적시 납기 성과(Supplier on-time delivery performance)
> 공정 생산 능력(Capacity): 고객의 수요를 충족시킬 수 있는 공정의 최대 생산 용량
> 리드 타임(Lead time): 시작부터 배송까지 생산 주문을 완료하는 데 걸리는 시간
> 재고 수준(Inventory level): 고객의 수요를 충족시킬 수 있는 현 재고 수준 고려
> 예방 보전(Preventive maintenance): 제조 공정의 생산 설비를 항상 가용 상태로 유지
> 교정(Calibration): 측정과 시험 장비의 정기적인 교정 활동(품질관리)

Just-In-Time	적시에 필요한 물량을 적소에 공급하고, 생산 현장에서 발생할 수 있는 낭비(Waste) 요소를 제거하는 것을 말한다. (재고 최소화)
Just-In-Case	비상 상황에 대비하기 위한 대응 관리 시스템으로 혹시 일어날지도 모르는 상황을 염두에 두고 일을 추진하는 것을 말한다. (Dual sourcing, Needs 이상의 자재 사용, 결함 자진 신고 등)

Just-In-Time과 Just-In-Case 정의

8.5.2. 식별과 추적성

조직은 제품 및 서비스의 적합성을 보장하기 위하여 필요한 경우, 출력을 식별하기 위하여 적절한 수단을 활용하여야 한다. 조직은 생산 및 서비스 제공 전체에 걸쳐 모니터링 및 측정 요구사항에 관한 출력의 상태를 식별하여야 한다. 추적성이 요구사항인 경우, 조직은 출력의 고유한 식별을 관리하여야 하며, 추적이 가능하기 위하여 필요한 문서화된 정보를 보유하여야 한다.

식별이란 제품과 서비스의 대상과 상태의 결과를 분별하는 것을 말한다. 예를 들어 완제품의 경우 제품명, 제조 일자, 포장 일자, 검사 유무, 검사 결과, 일련번호 등의 정보가 완제품과 함께 동봉되어야 누구나 완제품임을 알 수 있다. 부적합품의 경우 식별이 되어 있지 않으면 후공정으로 유출될 위험이 매우 크다. ISO 9000에서 추적성은 대상의 이력, 적용 또는 위치를 추적하는 능력이라고 정의했다. 따라서 추적성은 최소 다음의 항목이 보장되어야 한다.

> 소재와 부품의 출처
> 프로세싱 이력
> 인도 후 제품과 서비스의 유통 경로 그리고 위치

소재와 부품의 출처는 제품에 사용된 소재와 부품이 어느 국가와 협력사로부터 공급되어 제조되었는지 그 출처가 분명해야 한다는 것이다. 또 해당 제품이 어느 공장의 생산라인에서 제조되어 승인되었는지 프로세싱 이력 또한 추적될 수 있어야 한다. 마지막은 제품이 어느 경로를 통해 유통되었고, 현재 어느 위치해 있는지를 알 수 있어야 한다. 추적성은 앞으로 사용될 '순방향'과 과거에 사용된 '역방향' 프로세스 모두를 포함한다.

본론으로 들어가서 식별은 협력사로부터 공급받은 원자재에서 시작해 완제품이 출하되기까지 전 공정에서 이루어져야 한다. 이는 식별을 통해 제품과 서비스를 제공하는 프로세스 전반에 걸쳐 지정된 요구사항을 준수했는지 그 적합성을 추적하고 확인하는 데 도움이 되기 때문이다. 따라서 각 공정 별 출력(원자재, 반제품, 완제품, 부적합품 등)의 식별을 통해 제품과 서비스의 적합성을 보장하기 위해서는 적절한 '식별 수단'이 활용되어야 한다.

적절한 식별 수단으로는 바코드 부착, QR코드 부착, 레이저 Marking, Label 부착, 일련번호 부착, 꼬리표 부착, 공정 이동표 부착 등이 있고, 이를 통해 추적성에 필요한 생산 이력 정보를 확인할 수 있다. 만약 전산시스템이 구축되어 있지 않다면 앞서 설명한 제품명, 제조 일자, 포장 일자, 검사 유무, 검사 결과, 일련번호 등의 정보를 보장하고, 관리하기가 매우 어렵기 때문에 전산시스템 구축이 권고된다. 식별과 추적성은 한 몸처럼 움직이기 때문에 문서화된 정보의 보유를 통해 추적성이 보장되어야 한다.

8.5.2.1. 식별과 추적성 - 보충사항

내외부 고객에게 부적합품이 인도되었을 경우, 해당 LOT의 정확한 적용 시점과 종료 시점이 확인되어야 한다. 따라서 조직의 모든 제품은 어떠한 형태로든 식별되어야 추적성이 보장될 수 있다. 조직은 부적합품이 어디에서 얼마나 발생하든 전 공급망에서 리스크 수준과 심각도에 따라 즉시 대응할 수 있도록 '추적성 계획'을 개발해야 한다. 이를 위해서는 법적, 규제적, 소비자, 고객, 조직 내부의 추적성에 대한 요구사항이 분석되고, 추적성을 위한 시스템, 프로세스, 방법 등이 정의되어야 한다. 이는 제품, 공정, 제조 공장별로 추적성을 관리하는 시스템, 프로세스, 방법 등이 모두 다르기 때문에 각각에 대한 정의가 필요한 것이다. 식별과 추적성 프로세스(추적성 계획)에는 다음 사항이 고려되어야 한다.

a) 부적합품과 의심 제품이 식별되어야 한다. 부적합품과 의심 제품이 정의되고, 명확한 식별 방법이 수립되어야 적시적소에 시정 조치가 전개될 수 있다.

b) 부적합품과 의심 제품이 격리되어야 한다. 명확한 식별 방법이 수립되면 그에 따라 의도되지 않는 사용을 예방하기 위해 적절하게 격리되고 취급되어야 한다.

c) 조직은 법적, 규제적, 그리고 고객이 요구하는 대응 시간을 충족하기 위한 능력을 보장해야 한다. 즉 부적합품과 의심 제품 발생 시 요구되는 대응 시간 내 추적되어야 한다.

d) 조직은 대응 시간 내 추적할 수 있도록 문서화된 정보를 보유해야 한다.
> 제품명, 코드번호, 라벨, 바코드, 마킹 또는 각인
> 표지판, 입간판, 보관구역에 의한 표시
> 투입 대기품 보관구역, 검사 대기품 보관 구역

e) 개별 제품에 각 일련번호가 부여되어야 한다.

f) 외부에서 제공되는 제품에 중요한 법적, 규제적 특성이 있다면 이를 관리하기 위한 요구사항이 확대 정의되고, 관리되어야 한다. (특별특성 심볼 마킹 등)

8.5.3. 고객 또는 외부공급자의 재산

조직은 조직의 관리하에 있거나, 조직이 사용 중에 있는 고객 또는 외부공급자의 재산에 대하여 주의를 기울여야 한다. 조직은 제품 및 서비스에 사용되거나 포함되도록 제공된 고객 또는 외부공급자의 재산을 식별, 검증, 보호 및 안전하게 유지하여야 한다. 고객 또는 외부공급자의 재산이 분실, 손상 또는 사용하기에 부적절한 것으로 판명된 경우, 조직은 고객 또는 외부공급자에게 이를 통보하여야 하며, 발생한 사항에 대해 문서화된 정보를 보유하여야 한다.

비고: 고객 또는 외부공급자의 재산에는 자재, 부품, 공구 및 장비, 고객 부동산, 지적 소유권 및 개인 정보가 포함될 수 있다.

조직은 조직의 영역에 있는 모든 고객과 협력사의 재산을 관리해야 한다. 재산에는 자재, 부품, 공구과 장비, 부동산, 지적 소유권, 개인 정보 등이 있다. 이러한 재산은 조직의 재산이 아니기 때문에 고객과 협력사와의 협의를 통해 적절한 방법으로 식별되고, 요구사항과의 적합성이 보장될 수 있도록 주기적으로 검증되고, 확인되어야 한다. 뿐만 아니라 추가적인 파손, 오염, 부식, 열화 등이 발생되지 않도록 적절한 방법으로 보호되고, 안전하게 유지되어야 한다. 만약 이들의 재산에 문제가 발생했을 경우, 조직은 고객과 협력사에 이를 즉시 통보해야 하고 처리 결과는 문서화된 정보로 보유해야 한다. 고객과 협력사가 제공하는 재산 중에는 금형도 포함된다. 금형은 다음 항목을 포함하여 관리하는 것이 일반적이다.

> 금형 사용현황 식별(OK/NOK/수리 중)
> 금형 수리이력 카드
> 금형 수명관리: 한계수명에 다다를수록 점검 주기의 단축
> 금형 보관장소 관리
> 금형 소유권 표시
> 금형 스펙(도면)
> 외부 오염으로부터 보호

8.5.4. 보존

조직은 요구사항에 적합함을 보장하기 위해 필요한 정도까지, 생산 및 서비스를 제공하는 동안 출력을 보존하여야 한다.

비고: 보존에는 식별, 취급, 오염관리, 포장, 보관, 전달 또는 수송 및 보호가 포함될 수 있다.

보존이란 원상태를 유지하는 것을 말한다. 따라서 조직은 제품과 서비스가 고객에게 인도되기까지 원상태가 유지될 수 있도록 해야 한다. 보존을 위해서는 식별관리, 취급관리, 오염관리, 포장관리, 보관관리, 수송관리, 보호관리가 되어야 하고, 이를 위해 포장 개발의 일환인 PSDS(Packing Specification Data Sheet) 프로세스가 수립되어야 한다.

> 제품정보: 부품명, 도면번호, 부품번호 등
> 요구품질: 정전기 보호, 화학물질 보호, 습도 민감도, 충격 민감도, 부식 보호, 취급 방법 등

8.5.4. 보존 - 보충사항

보존에는 식별관리, 취급관리, 오염관리, 포장관리, 보관관리, 운송관리, 보호관리가 포함된다. 보존은 선적에서부터 고객에게 인도되어 합격 판정까지의 모든 자재와 구성품, 그리고 외부 또는 내부에서 공급되는 자재와 구성품 모두에 적용되어야 한다. 또 조직은 제품의 품질이 저하되었는지 확인하기 위해 주기적으로 재고상태, 창고상태, 관리 환경 등을 평가하고, 안전재고 최적화와 선입선출 관리를 위해 재고관리시스템을 운용해야 한다. 또 고객이 보존, 포장, 배송, 라벨에 대한 요구사항을 제공했을 경우, 조직은 이를 준수해야 한다.

선입선출은 먼저 입고된 제품을 먼저 출고하는 것으로 물류관리에 있어서 매우 중요하다. 특히 제품 수명 주기(Product Life Cycle)가 짧은 제품, 보관 시 열화되기 쉬운 제품, 재고 회전율이 낮은 제품의 경우, 더욱 관리가 요구된다.

선입선출의 목적은 품질관리의 관점에서 보면 부적합품 발생 시 추적성을 통해 부적합품의 원활한 처리를 보장하기 위함이다. 따라서 선입선출의 관리 기준은 입고 또는 출고 일자가 아닌 생산 일자가 되어야 한다. 만약 보존 중 부적합품이 발생했을 경우에는 부적합품 처리 프로세스에 따라 후속 조치를 해야 한다. (창고에도 부적합품 격리 구역 마련)

8.5.5. 인도 후 활동

조직은 제품 및 서비스에 연관된 인도 후 활동에 대한 요구사항을 충족하여야 한다. 조직은 요구되는 인도 후 활동에 관한 정도를 결정할 때, 다음 사항을 고려하여야 한다.

a) 법적 및 규제적 요구사항
b) 제품 및 서비스와 관련한 잠재적으로 원하지 않은 결과
c) 제품 및 서비스의 성질, 용도 및 계획수명
d) 고객 요구사항
e) 고객 피드백

비고: 인도 후 활동에는 보증규정에 따른 조치, 정비 서비스와 같은 계약상 의무사항, 그리고 재활용이나 최종 폐기와 같은 보충적인 서비스가 포함될 수 있다.

조직은 생산된 제품과 서비스가 고객에게 인도된 후에도 요구되는 기능과 성능이 보장될 수 있도록 인도 후 활동을 해야 한다. 즉 '보증관리' 활동이라고 할 수 있다. 이를 위해 조직은 고객과 품질보증 협정서(Warranty Agreement)를 체결해야 하는데, 여기에는 제품과 서비스의 보증기간에 따른 보증관리 활동이 포함된다. (인도 후 제품과 서비스에 대한 지원 활동)

자동차 산업에서는 제품과 서비스의 특성에 따라 차체 및 일반부품 또는 엔진 및 동력 전달 부품으로 구분하여 보증 서비스 기간을 결정한다. 그리고 필드에서 보증 서비스 기간 내 부적합품이 발생하면 그에 따른 보증 서비스 활동이 후속 전개된다. 조직은 보증 서비스 활동의 정도를 결정할 때 다음의 다섯 가지 사항을 고려해야 한다.

a) 인도 후 활동에 요구되는 대표적인 법적, 규제적 요구사항으로는 제조물 책임제도가 있다. 제조물 책임제도는 제조되거나 가공된 동산의 결함으로 인해 소비자가 생명, 신체 또는 재산에 손해를 입었을 경우, 제조업자가 이를 배상해야 하는 것을 말한다. 조직은 이런 의도되거나 의도되지 않은 문제점에 대비해 조치 사항을 결정해야 한다.

b) 제품과 서비스의 이용 중에 발생할 수 있는 잠재적인 고장이나 결함 등을 고려해 조치 계획을 결정해야 한다. 대표적으로 리콜 제도와 보증 서비스가 있다. 리콜제도는 결함이 있는 부적합품의 수거 등을 통해 소비자의 피해를 사전적으로 예방하는 것이다.

c) 제품과 서비스의 성질과 용도에 따라 수명 주기가 달라진다. 계획된 수명 주기의 경우 보증 서비스 활동으로 전개되나 고객이 제품을 개조하거나 특정 환경에서 사용할 경우

제품의 성질과 수명이 달라지기 때문에 조직은 보증 서비스 활동의 정도를 결정해야 한다. (제품의 복잡도, 변형, 열화, SW 오류, 소비자 과실 등에 따라 보증 서비스 활동 결정)

d) 고객의 요구사항이 고려되어야 한다. (AS 부품 적시 공급, 방문 서비스)

e) 고객으로부터 출시 전 또는 사용 중에 받은 피드백이 고려되어야 한다. 불편하게 여기는 내용, 사용법에 대한 내용, 예상되는 결함 등에 따라 조치 활동의 정도가 결정될 수 있다.

인도 후 활동에는 보증협정(Warranty Agreement)에 따른 조치, 정비 서비스와 같은 계약 의무 사항, 재활용이나 최종 폐기와 같은 서비스가 포함될 수 있다. 보통 조직에서는 필드 대응 서비스, 콜센터 운영, 부품 교환 또는 수리, 보증 활동 등을 정의하여 대응하는 것이 일반적이다. IATF 16949에서 Warranty와 관련된 요구사항은 다음과 같다.

> 8.5.5.2 Service agreement with customer
> 9.3.2.1 Management review inputs - supplemental
> 9.1.2.1 Customer Satisfaction - Supplemental
> 10.2.5 Warranty management systems

8.5.5.1. 서비스로부터의 정보 피드백

정비 서비스 센터, 고객사 생산라인, PDI(Pre Delivery Inspection), End User 등에서는 조직이 공급한 제품에 대해 교환, 수리, 재작업, 분석 등의 서비스 활동이 일어난다. 이러한 서비스 활동은 조직의 제조, 자재 취급, 물류, 엔지니어링, 설계 활동 등과 관련되어 있고, 항상 잠재적인 불량을 동반하기 때문에 표준에서는 이를 '서비스 우려사항(Service Concerns)'이라고 정의했다. 고객으로부터 접수된 서비스 우려사항은 조직의 모든 기능에 전달되어 효율적이고, 효과적으로 검토될 수 있도록 '의사소통 프로세스'가 수립되어야 한다.

> 조직이 필요로 하는 서비스 활동 정보, 데이터 형식, 양식
> 조직 내 의사소통, 검토, 활용 방법
> 부적합품의 경우, 시정조치 및 지속적 개선 활동에 활용
> 합동 분석에 필요한 정보
> 필드 고장 시험 분석의 결과

8.5.5.2. 고객과의 서비스 계약

자동차 산업에서는 보증협정(Warranty Agreement)이라는 것이 존재한다. 여기에는 제품별 보증기간, 변제 처리, 프로세스, 요구되는 서비스 활동, 보증 책임 등의 내용이 포함되어 있다. 표준에서는 이를 'Service Agreement'이라고 정의했는데 동의어로 생각해도 좋다.

서비스 센터(Service Center)에서는 부적합 현상에 대한 원인 부품이 즉시 확인된 경우, 관련 부품을 수리하거나 교환한다. 그러나 원인 부품을 즉시 확인할 수 없는 경우, 의심되는 부품부터 차례로 교환하며 부적합의 현상을 제거하는 데 집중한다. 이렇게 되면 조직의 제품이 원인 부품이 아님에도 교환될 수 있기 때문에 향후 금전적 손실을 안게 된다. (클레임 비용)

따라서 조직은 각각의 서비스 센터(고객)에서 합의된 서비스 협정에 따라 서비스 활동이 수행되고 있는지 추가적으로 검증해야 한다. 갑과 을의 관계가 분명한 국내 사회에서 본 조항을 준수하기가 어려울 수 있어 원활한 의사소통 능력이 요구된다. 표준에서 정의한 검증 활동에는 다음의 세 가지가 있는데 하나씩 살펴보자.

a) 조직은 서비스 센터가 서비스 협정의 요구사항을 준수하고 있는지 검증해야 한다. 보통 조직에서는 제품의 생산 법인, 소프트웨어 로직, 제품 외관 특성, 기능 진단 절차, 연락처 등의 내용을 포함하여 'Diagnostic Standard(진단 가이드)'를 서비스 센터에 배포한다. 이는 조직의 제품이 부적합 현상과는 별개로 교체될 가능성을 제거하기 위한 것이다.

b) 조직은 서비스 센터에서 사용되는 모든 치공구와 측정 장비의 효과성을 검증해야 한다. 사실 조직의 인원이 서비스 센터의 치공구와 측정 장비의 효과성을 검증하는 것은 어려울 수 있다. 서비스 센터(고객)의 자산을 검증하는 행위가 국내 사회에서는 아직 어렵기 때문이다. 그러나 조직의 제품이 무작위로 교체되고 있다면 해당 제품은 NTF(Not Trouble Found)로 결정되어 분류될 것이고, 조직에서는 역으로 NTF 결과를 서비스 센터에 공유하여 치공구와 측정 장비의 효과성에 대한 검증을 제안할 수 있다. 실제 조직의 제품이 NTF로 결정되어 폐기처리되는 양은 상당하다.

c) 조직은 앞서 설명한 Diagnostic Standard를 모든 서비스 센터의 인원이 숙지할 수 있도록 교육 훈련을 제공해야 한다. 직접 교육 훈련이 어려운 경우, 서비스 센터의 본사를 통해 해당 교육 자료를 배포하거나 판촉물 등을 제작하여 홍보할 수 있다.

8.5.6. 변경관리

조직은 생산 또는 서비스 제공에 대한 변경을, 요구사항과의 지속적인 적합성을 보장하기 위하여 필요한 정도까지 검토하고 관리하여야 한다. 조직은 변경에 대한 검토의 결과, 변경 승인자 및 검토 결과 도출된 필요한 모든 조치사항을 기술한 문서화된 정보를 보유하여야 한다.

앞서 설명한 8.3.6항은 설계 변경관리를 의미하고, 본 조항은 생산과 서비스 활동에서의 4M 변경관리를 의미한다. 생산과 서비스 활동에서 발생한 부적합품은 공정의 변동(Variance)에 의한 것이다. 공정의 변동은 다시 이상원인(Special Cause)과 우연원인(Common Cause)으로 나뉠 수 있는데, 이상원인은 공정 내 4M(Man, Machine, Material, Method) 항목이 변경되어 발생되는 경우가 대부분이다.

조직은 평소 변경의 기회, 누락, 반영 여부를 검토하고, 변경 시에는 시험 또는 Trial Run을 통해 제품과 서비스에 대한 요구사항과의 적합성을 보장해야 한다. 조직의 생산과 서비스 활동은 하루에도 여러 차례 변경된다. 변경의 이유는 여러 가지가 있겠지만 중요한 것은 고객이나 조직이 결정한 요구사항과의 적합성이 보장되고 있는가에 있다. 예를 들어 생산 공정에서의 변경이라고 하면 파라미터, 작업 순서, 작업자 등이 있는데, 이러한 비공식적인 자체 변경이 제품의 적합성에 큰 영향을 미치기 때문에 변경 시에는 충분한 검토, 검증, 관리 활동이 요구된다.

변경관리의 책임자는 검토 결과(시험 또는 Trial Run)의 합부 여부를 판정하고, 요구사항과의 Deviation이 확인되면 즉시 조치 사항을 결정하고, 실행해야 한다. 변경관리에 필요한 모든 활동은 문서화된 정보로 보유되어야 하고, 여기에는 다음과 같은 항목이 포함되어야 한다.

> 변경 식별, 변경 요청서 제출
> CCB(Change Control Board) 검토 및 평가, 위험 분석, 타당성 확인
> 변경 승인, 교육훈련, 적용 시점, 모니터링, 정기 검토, 문서화

8.5.6. 변경관리 - 보충사항

조직은 먼저 변경관리를 위한 문서화된 프로세스를 수립해야 한다. 앞서 설명한 바와 같이 조직의 생산과 서비스 활동은 하루에도 여러 차례 변경된다. 변경은 조직, 고객, 협력사에 의해 다양하게 요청될 수 있기 때문에 조직간 유기적으로 수행하지 않으면 관리 측면에서 어려움에

부딪힐 수 있다. 변경 활동은 항상 잠재적인 리스크를 동반한다. 따라서 조직은 변경 전과 변경 후의 리스크 분석을 통해 그 영향 정도를 평가해야 한다.

> 7.5.3.2.2 엔지니어링 시방서
> 8.3.6 설계 및 개발 변경
> 8.5.1.1 관리계획서
> 9.1.1.1 제조 공정의 모니터링 및 측정

a) 조직은 고객의 요구사항을 준수하는 모든 검증(Verification)과 타당성 확인(Validation) 활동을 정의해야 한다. (개발자 입장과 사용자 입장을 모두 고려)
> Change Verification: 변경관리 프로세스 정의
> Change Validation: Trial Run, Functional Test 등 정의

b) 조직은 생산에 들어가기 전 변경에 대한 타당성 확인을 해야 한다. 즉 Trial Run을 통해 제품의 기능, 성능, 외관 등을 확인한 후 생산 활동으로 후속 전개되어야 한다.

c) 조직은 잠재적인 리스크를 분석하고 문서화해야 한다. 변경관리 프로세스에서 잠재적 리스크를 분석하기 위한 평가 항목을 수립하고, High, Middle, Low로 평가할 수 있다.

d) 조직은 검증과 타당성 확인의 결과를 문서화된 정보로 보유해야 한다. 조직은 협력사에서 만들어진 부품 변경(설계, 제조 장소, 제조 공정 등)에 대해 조직의 제조 공정에 부정적인 영향이 없는지 'Production Trial Run'을 실시하여 확인(Validation)해야 한다. Production Trial Run은 '양산시험가동'이라고도 하며 양산 조건과 동일한 설비, 금형, 지그, 작업자 등을 사용하여 최소 8시간 이상, 300개 이상을 연속 생산할 수 있어야 한다. 그리고 고객이 요구하는 Capacity와 Capability에 문제가 없어야 변경 승인이 가능하다. 만약 고객이 요구하는 경우, 조직은 다음 항목을 보장해야 한다.

e) 조직은 최초 제품을 승인한 후 변경이 계획되어 있다면 고객에게 이를 통보해야 한다.
f) 조직은 변경 전 승인된 문서화된 정보를 보유해야 한다.

g) 조직은 신제품 또는 변경품에 대한 Production Trial Run 후 추가적으로 식별하거나 검증이 필요한 경우, 이를 충족시켜야 한다. 보통 변경품에 '변경 적용품'이라는 물리적인 식별을 통해 고객에게 통보한다.

8.5.6.1. 프로세스 관리의 임시 변경

생산 공정에서는 설비고장, 품질 문제, 자재결품 등의 문제로 정상적인 생산 활동이 어려울 수 있다. 조직은 이러한 문제로 라인 정지가 발생되기 전 PFMEA 활동을 통해 해당 리스크를 확인하고, 리스크의 수준에 따라 유사한 제조 공정에서 제품 생산이 가능하도록 비즈니스의 연속성을 보장해야 한다. 예를 들어 A 제품을 생산하는 연속 공정에서 검사설비의 가동율이 떨어진다면 이에 대한 리스크는 PFMEA에서 식별되어야 한다. 그리고 B 제품을 생산하는 공정에서 검사 활동이 즉시 연속 진행될 수 있도록 문서화된 프로세스가 수립되어야 한다. 이를 'Bypass 공정'이라고 한다. 즉 정상적으로 생산을 할 수 없는 상황 발생 시 원인이 되는 설비나 절차를 대체하여 생산이 가능한 공정을 말한다. 다음의 경우에 대비하여 대체 공정이 관리된다.

> 생산 설비 고장으로 인해 정상 공정 가동이 불가능한 경우
> 테스트, 측정 장비 고장으로 인해 정상 공정 가동이 불가능한 경우
> PokaYoke 장치의 고장으로 인해 정상 공정 가동이 불가능한 경우

만약 Bypass 공정에서 생산된 제품이 고객에게 인도될 경우, 조직은 고객으로부터 별도의 승인을 받아야 한다. 조직은 PFMEA의 리스크에 따라 관리계획서에 언급된 Bypass 공정의 관리 방법을 주기적으로 검토하고, 유지해야 한다. 관리계획서에 따라 작업표준서 또한 해당 공정에서 이용할 수 있어야 한다. 조직은 가능한 빨리 본래의 공정으로 복귀하기 위한 목표를 수립하고, 지속적으로 모니터링, 그리고 검토해야 한다.

a) 일일 품질 심사(Layered Process Audit 등)
b) 일일 리더십 회의(Daily Gemba walk 등)

조직은 Bypass 될 수 있는 제조 공정과 Error proofing 장치를 파악해야 한다. 모든 승인된 Bypass 공정에 대한 RPN(Risk Priority Number)이 평가되어야 하고 그 리스크가 검토되어야 한다. 그리고 Bypass 공정에 대한 작업표준(Work Instruction)이 있어야 한다. 적용된 Bypass는 Bypass 공정을 없애거나 줄일 목적으로 매일 리더십 미팅에서 검토되어야 한다. Bypass가 진행 중인 프로세스 및 장비는 품질에 중점을 둔 Audit이 이루어져야 한다.

Bypass가 있는 Supplier 지역은 매일 LPA(Layered Process Audit)에서 검토되어야 한다. Restart Verification 방법 및 기간은 문서화되어야 한다.

GM BIQS 5 Bypass Management Requirement

8.6. 제품 및 서비스의 불출

조직은 제품 및 서비스 요구사항이 충족되었는지 검증하기 위하여, 적절한 단계에서 계획된 결정사항을 실행하여야 한다. 계획된 결정사항이 만족스럽게 완료될 때까지, 제품 및 서비스는 고객에게 불출 되지 않아야 한다. 다만, 관련 권한을 가진 자가 승인하고, 고객이 승인한 때(해당되는 경우)에는 불출할 수 있다. 조직은 제품 및 서비스의 불출에 관련된 문서화된 정보를 보유하여야 한다. 문서화된 정보에는 다음 사항이 포함되어야 한다.

a) 합격 판정기준에 적합하다는 증거
b) 불출을 승인한 인원에 대한 추적성

조직은 제품과 서비스를 고객에게 인도하기 전 모든 요구사항이 충족되었는지 '적절한 단계에서' 계획된 결정 사항을 검증해야 한다. 계획된 결정 사항은 관리계획서 내 공정별 규격을 검증하기 위한 활동을 말한다. 본 조항을 완제품에 국한하여 '최종 검사 공정'으로 이해하는 사람도 있지만 필자는 반제품과 완제품 모두를 포함한 검사 활동으로 이해한다. 이러한 활동은 뒤에서 살펴볼 9.1.1.1항 제조 공정의 모니터링 및 측정과 연계되어야 한다.

a) 측정 기법(확인 방법): 육안, 압력계, 온도계, 버니어 캘리퍼스 등
b) 샘플링 계획(크기/주기): n=5, 4회/1일, 전수 등
c) 합격 판정 기준: 1.23~1.30mm, 50~75cmHg, 주름 없을 것 등
d) 측정값 기록(관리방안): 별도의 조건 관리 시트, 초중종물 체크 시트, Xbar-R 관리도 등
e) 대응 계획 및 에스컬레이션 프로세스(이상 발생 시 조치 사항): 폐기, 재작업, 수리 등

관리계획서에는 상기와 같은 항목이 정의되어 있다. 여기서 샘플 측정 결과를 정의된 합격 판정 기준과 비교하여 합격 또는 불합격을 판정한다. 이를 '검사(Inspection)'라고 하며, 규정된 요구사항에 대한 적합 여부를 판단하는 것이다. 또 검사의 결과가 적합함을 보여주면 그것은 검증(Verification)의 목적으로 사용될 수 있다. 제품과 서비스를 고객에게 인도하기 전 이상 유무를 검사하고, 검사 결과 합격 판정된 제품과 서비스만 고객에게 인도해야 하는 것은 당연하다. 검사 후 불합격 판정된 제품과 서비스는 재작업이나 수리하여 문제점을 해결한 후 고객에게 인도되어야 한다.

그러나 때로는 규격이 충족되지 않는 경우에도 권한을 가진 자가 승인한 경우에는 불출 될 수 있다. 승인권자는 조직 내의 최고경영자나 품질책임자가 될 수 있고, 고객이 될 수도 있다. 그 권한은 사전에 규정되어야 한다. 이는 8.7.1.1 특채를 위한 고객 승인에서 다룬다.

이렇게 불출과 관련된 문서화된 정보는 반드시 보유되어야 한다. 합격된 경우의 불출이든 불합격되었으나 권한을 가진 자의 승인에 의한 불출이든 모든 경우에 해당한다. 그리고 문서화된 정보에는 다음의 2가지 사항이 반드시 포함되어야 한다.

a) 합격 판정기준에 적합하다는 증거로는 일반적으로 고객과 협정된 검사협정서, 검사기준서, 검사성적서, 출하성적서(COA) 등이 있다. 그러나 고객과 협정된 합격 판정기준은 최종 완제품에 대한 것으로 '생산 과정에 대한 합격 판정기준'이 아니다. 이러한 경우, 고객과 협정된 검사항목 외의 영역에서 예상치 못한 불량이 나올 수 있기 때문에 조직은 관리계획서 내 정의된 모든 '관리항목의 적합함'을 검증해야 한다. 관리항목의 적합함을 검증하려면 검사 행위에서 발생할 수 있는 변동을 최소화해야 한다. 따라서 검사 포인트, 검사조건, 검사환경, 검사순서, 검사방법 등이 정의된 매우 상세한 '검사기준서'가 필요하다. 또 검사기준서는 검사자가 쉽게 이해할 수 있도록 작성되어야 한다.

b) 불출을 승인한 인원에 대한 '추적성'이 보장되어야 한다. 고객과 협정된 검사협정서, 검사기준서, 검사성적서, 출하성적서 등에는 담당자(검사자, 승인자)의 서명이 포함되어야 하는데, 이를 통해 불출을 승인한 인원에 대한 추적성이 보장될 수 있다. 또 관리계획서 내 관리항목에 대해서는 별도의 검사 시트를 통해 확인이 가능하다.

8.6.1. 제품 및 서비스의 불출/출시 - 보충사항

제품과 서비스의 요구사항이 관리계획서의 각 공정에 정의되어야 하고, 이를 검증하기 위한 검사 활동이 수행되어야 한다. 제품과 서비스가 최초 출시되거나 변경 출시되는 경우, 조직이 결정한 검사 활동에 '초도품 불출 승인' 활동이 포함되어야 한다.

8.6.2. 정밀 검사 및 기능 시험

국내의 IATF 16949 전문가들은 Layout inspection을 '정밀 검사'로 번역했다. 제품의 품질은 기능, 성능, 외관, 치수, 자재에 따라 결정된다. Layout inspection은 도면에 명기된 제품의 '전 치수'에 대한 적합성을 검증하는 것이다. 각각의 제품에 대해 수행되어야 하고, 그 측정 빈도는 보통 고객에 의해 결정된다. 그리고 'Product inspection'이라는 용어가 있는데, 이는 시방서에 명기된 치수 특성을 포함하여 제품의 특성에 대한 적합성을 검증하는 것이다.

조직은 관리계획서에 명시된 제품의 기능, 성능, 외관, 치수, 자재를 계획된 주기와 방법에 따라 검증해야 한다. 정밀 검사와 기능시험은 신제품의 경우, 초기 검증을 위해 반드시 수행되어야 하고, 양산품의 경우, 고객의 요청에 따라 또는 조직이 결정한 계획에 따라 수행되어야 한다. 보통 정기 신뢰성 시험과 연계하여 수행되는 것이 일반적이다.

8.6.3. 외관 품목

외관 품목이란 '외부에 노출되는 제품'을 말한다. 이는 고객에 의해 사전 정의되는 것이 일반적이다. 조직의 제품이 고객의 최종 제품에 조립되었을 때 외부에 노출되지 않는다면 해당사항이 없을 수 있다. 일부 고객의 경우, 외관 품목을 관리하기 위한 별도의 요구사항을 제공하니 이를 확인하길 바란다. 조직의 제품이 외관 품목으로 지정된 경우, 제품의 외관을 평가하고 관리하기 위한 내부 작업 환경이 조성되어야 한다.

a) 제품의 외관을 평가하기 위한 조명이나 확대경과 같은 물적 자원이 제공되어야 한다. 조명은 일관된 평가가 가능하도록 특정 조명 부스에 설치되어야 하고, 검사 중 외관 품질에 영향을 줄 수 있는 오염 물질이 없어야 한다.

b) 조직은 외관 품목의 품질 일관성을 보장하고, 고객의 기대치를 충족시키기 위해 제품의 색상, 입자, 광택, 광도, 조직, 이미지 구별(DOI), 촉각 등을 위한 표본을 제공해야 한다.

c) 외관 표본과 평가 장비는 유지보수가 요구된다. 외관 표본은 추가 파손되지 않도록 별도의 지정된 장소(가능한 투명 캐비닛)에 식별표를 포함하여 보관되어야 한다.

d) 평가 인원의 자격을 검증하는 것은 외관 품목의 품질 일관성을 보장하기 위함이다. 조직은 이들에게 검사 기술, 결함 식별, 검사 표준 등의 내용이 포함된 교육 훈련을 제공하고, 계수형 GRR을 통해 측정자의 변동을 확인한 후 자격 인증을 부여해야 한다.

8.6.4. 외부에서 제공된 제품과 서비스의 적합성 검증 및 수용

본 조항에서는 '수입검사'에 대한 내용을 설명한다. 조직에서 설계를 했든 협력사에서 설계를 했든 해당 도면을 바탕으로 조직의 공정 또는 협력사의 공정에서 특정 가공 또는 조립이 이루어진 경우 수입검사를 통해 해당 제품과 서비스의 적합성이 검증되어야 한다. 따라서 조직은 외부에서 제공되는 프로세스, 제품과 서비스의 품질을 보장하기 위해 수입검사 프로세스를 수립해야 한다. 협력사와의 계약 조건에 따라 반제품이 되기도 하고, 완제품이 되기도 한다. 이를 위해 특정 고객사에서는 'CoA(Certificate of Analysis)'와 같은 출하검사성적서를 요구하기도 한다. 수입검사 프로세스에는 다음과 같은 활동이 포함되어야 한다.

a) 조직은 협력사로부터 통계적 데이터를 접수하고, 이를 평가해야 한다. 보통 협력사에서는 제품 출하 시 LOT별 최종검사성적서를 첨부한다. 조직은 최종검사성적서에 명기된 치수 측정 결과를 샘플을 통해 직접 재측정하여 추가 검증해야 한다.

b) 조직은 AQL과 같은 샘플링 방법론 사용하여 수입검사나 추가적인 시험을 통해 제품의 모든 특성을 추가 검증해야 한다. (KS Q ISO 2859 series)

c) 제품의 적합성을 확인하기 위해 협력사에서 2자 또는 3자 심사가 수행될 수 있다.
d) 지정된 시험실에서 부품이 평가되어야 한다.
e) 고객과 합의된 다른 방법이 사용될 수 있다.

8.6.5. 법적 및 규제적 적합성

8.4.2.2항에서 외부에서 제공되는 프로세스, 제품과 서비스에 대한 법적, 규제적 요구사항의 적합성을 보장하기 위해 해당 프로세스를 수립해야 한다고 했다. 본 조항은 8.4.4.2항 수립에 대한 '실행' 조항이다. 조직은 외부에서 제공되는 제품을 불출하기 전 고객이 정한 국가의 도착지 또는 해당 제조국가의 법적, 규제적, 기타 요구사항에 적합함을 확인하고 이에 대한 증빙을 제공할 수 있어야 한다. 증빙 서류로는 해당 국가의 법적, 규제적 요구사항의 적합성을 보장하는 CoC(Certificate of Compliance/Conformance)나 검사 또는 시험 성적서인 CoA(Certificate of Analysis) 등이 있다. 협력사나 조직이 생산한 제품 모두 이를 공급받는 지역의 법적, 규제적 요구사항을 충족시켜야 한다.

AQL(합격품질수준, Acceptance Quality Level)은 특정 수준의 부적합은 수용하고, 임의의 샘플링 시험으로 전체 로트의 합격 여부를 결정하는 하나의 샘플링 검사 방법론이다. 검사의 종류로는 수월한 검사, 보통 검사, 까다로운 검사가 있으며 검사 수준에 따라 샘플링 방식을 결정한다.

AQL(Acceptance Quality Level) 정의

8.6.6. 합격판정 기준

8.6항 제품과 서비스의 불출에 대한 요구사항이 구체화되었다. 이 중 합격 판정기준은 조직에 의해 정의되어야 하고, 해당되는 경우, 고객의 승인을 받아야 한다. 고객과 협정된 검사협정서와 검사기준서로 이해하면 된다. 합격판정 기준은 제품과 서비스에 영향을 주는 모든 법적, 규제적, 고객, 산업 표준, 제품과 서비스 등의 요구사항이 측정 가능한 기술적 특성으로 변환되어 수립되어야 한다. 그리고 조직은 해당 특성을 검사하고, 시험하는 방법을 정의하고, 종속변수에 영향을 주는 모든 공정의 독립변수를 모니터링해야 한다. 또 조직이 설정한 품질 목표와의 달성 여부를 주기적으로 검토하고, 목표 미달 시 지속적 개선 프로세스로 전개해야 한다.

계수치 데이터 샘플링에 대한 합격 수준은 '무결점'이어야 한다. 합격 판정기준은 도면, 엔지니어링 시방서, 자재 시방서를 참조하여 관리계획서에 반영되어야 하고, 협력사의 경우에도 동일하나 Supplier Standards로 별도로 관리하는 조직도 있다. 이는 조직의 비즈니스 구조에 따라 다르다.

8.7. 부적합 출력/산출물의 관리

8.7.1.

조직은 의도하지 않은 사용 또는 인도를 방지하기 위하여, 제품 요구사항에 적합하지 않은 출력이 식별되고 관리됨을 보장하여야 한다. 조직은 부적합 성질에, 그리고 제품 및 서비스의 적합성에 대하여 부적합이 미치는 영향에 따라 적절한 조치를 취하여야 한다. 이것은 제품의 인도 후, 그리고 서비스의 제공 중 또는 제공 후에 발견된 제품 및 서비스의 부적합에도 적용된다. 조직은 부적합 출력을 다음의 하나 또는 그 이상의 방법으로 처리하여야 한다.

a) 시정
b) 제품 및 서비스 제공의 격리, 봉쇄/억제, 반품 또는 정지
c) 고객에게 통지
d) 특채에 의해 인수를 위한 승인의 획득

부적합 출력이 조치되는 경우, 요구사항에 대한 적합성이 검증되어야 한다.

부적합(Nonconformity)이란 '요구사항의 불충족'을 말한다. 오늘 조직의 생산라인에 할당된 생산량이 100개라고 하자. 100개를 생산한 후 전수 검사를 했을 때 100개 모두 양품으로 판정되면 좋겠지만, 어떠한 이상 원인으로 인해 10개의 부적합이 발생되었다면 이는 규정된 처리 '절차'에 따라 후속 조치되어야 한다.

본 조항에서는 '부적합 출력의 관리'라는 제목에서 알 수 있듯이 요구사항에 적합하지 않은 제품과 서비스에 대한 후속 조치에 대해 살펴볼 것이다. 본 조항은 10.2항 부적합 및 시정조치와 연계되는 조항이다. 10.2항에서는 부적합 발생 시 '문제 해결(Problem Solving)을 위한 일련의 절차에 대해 다룰 것이다. 흔히 '8D 보고서'에 대한 조항으로 이해하면 된다.

먼저 조직은 부적합이 발생하면 의도되지 않은 사용을 방지하거나 또는 고객으로의 인도를 방지하기 위해 '식별'을 해야 한다. 보통 세부 분석에 들어가기 전 생산 현장에서 적합인지 또는 부적합인지 판정할 수 없다. 따라서 일단 의심 제품으로 판정되면, 조직의 생산 라인에 투입되지 않도록 조직에서 정한 식별 태그를 의심 제품에 부착해야 한다. 식별 태그는 조직에서 결정할 수 있지만 식별 색상, 식별 내용, 태그 재질, 부착 방법 등을 표준화하여 관리하는 것이 일반적이다. 부적합의 성질과 영향에 따라 조치 사항이 달라질 수 있다. 예를 들어 경미한 부적합일 경우, 재작업, 수리, 재가공, 특채 등의 후속조치로 이어질 수 있다. 또 부적합이 고객 인도 전에 발생한 경우, 또는 고객 인도 후에 발생한 경우 모두 상황에 맞는 적절한 조치를

취해야 한다. 고객 인도 후에 발생한 경우, 고객의 생산 라인에 투입되기 전 고객의 요구사항에 따라 선별, 회수, 교환 등의 추가적인 서비스 활동이 전개되어야 한다. 부적합을 처리하는 방법에는 다음의 4가지가 있으며 이 중 하나 이상의 방법으로 처리되어야 한다.

a) 시정이란 품질 문제의 해결 또는 제거를 말한다. 다시 말해 부적합의 '현상'을 제거하는 것이다. 왜 부적합이 발생했고, 또 그 원인이 무엇인지는 10.2항 부적합 및 시정조치에서 다룬다. 시정의 일환으로 고객의 요구사항에 따라 전 공급망에서 식별, 선별, 격리, 봉쇄, 회수, 교환, 재작업 등이 수행되어야 한다.

b) 부적합품은 지정된 장소에 격리되어야 하고, 후 공정으로 유출되지 않도록 전산 또는 물적인 방법으로 봉쇄되어야 한다. 또 해당 부적합품은 반송 처리되어 고품 분석 프로세스로 전개되어야 한다. (반송품 처리, 고품 분석, Returned Part Analysis 용어로 사용)

c) 고객 인도 후에 발생한 부적합에 대해서는 고객에게 즉시 통보되어야 하고, 조직이 제공하는 서비스나 요구사항에 따라 후속 조치를 해야 한다.

d) 제품, 원자재, 부품의 부적합에 대해 고객 또는 조직 내에서 권한을 가진 자가 사용 승인을 하여 제조나 서비스 활동에 투입될 수 있다. 이를 특채 승인(Deviation Approval)이라고 한다.

8.7.1.1. 특채를 위한 고객 승인

특채(Deviation, Concession, Waiver)란 규정된 요구사항에 적합하지 않은 제품 또는 서비스를 사용하거나 불출하는 것에 대한 허가를 말한다. 그럼 고객으로부터 특채 승인은 언제 받아야 할까? 고객으로부터 최초 승인된 제품 또는 공정에서 변경 사항이 발생할 경우, 변경 프로세스에 따라 처리하는 것이 원칙이다. 그러나 변경 후 품질 검증까지의 다소 복잡한 프로세스와 시간적 여유가 없다면 고객의 승인하에 한정적으로 특채 승인을 통해 변경 생산이 가능하다. 또 부적합품의 재작업, 수리, 부적합품의 USE AS IS(현재 상태 그대로 사용)의 경우에도 고객으로부터 특채 승인을 받아야 한다. 특채 승인하에 생산된 협력사의 원자재, 부품, 조직의 제품 그리고 특채 승인된 부적합품과 재작업품은 생산일자와 수량의 추적성이 보장되어야 한다. 또 선적된 컨테이너나 Pallet, 포장 박스 등에 특채품임을 식별해야 한다. 특채 승인 이후의 제품에 대해서는 요구사항의 적합성이 보장되어야 하는 것은 당연하다.

8.7.1.2. 부적합 제품의 관리 - 고객 지정 프로세스

조직은 부적합품의 관리에 대한 고객 요구사항을 파악하고, 조직의 관련 규정(부적합품 처리 프로세스, 절차서, 지침서)에 이를 포함해야 한다. 대부분의 고객은 본 조항의 요구사항과 더불어 부적합품의 관리 항목을 추가로 요구하고 있다. 여기에는 부적합품의 식별 방법, 격리 방법, 봉쇄 방법, 통보 방법 등과 같은 요구사항이 포함된다. 예를 들어 현대기아자동차의 CSR(Customer Specific Requirement)인 Quality Five Star 인증 매뉴얼을 살펴보자. 5.2항에 보면 다음과 같은 요구사항을 확인할 수 있다.

> 부적합품에 대한 개선대책 추진, 효과성 검증 및 수평전개
> 특이사항 발생 시 현대기아자동차에 통보하는 절차 수립

여기에서 '특이사항 발생 시'라고 하는 것은 제조 공정에 예상치 못한 변동이 발생했거나 요구사항에 부합하지 않은 부적합품이 발생했을 경우를 말한다. 이러한 경우, 현대기아자동차에 국한된 통보 절차에 따라 해당 내용을 통보해야 한다.

또 부적합품이 발생했을 경우, 식별, 격리, 봉쇄, 통보 등의 각 처리 단계에 따른 구체적인 처리 방법과 시간을 요구하기도 한다. 이는 고객의 계획된 생산 일정에 차질이 발생하지 않도록 문제 해결에 집중하기 위해서다. 국내외 자동차 기업들은 왜 부적합품이 발생했고, 또 유출되었는지에 대한 관심도가 높기 때문에 고객 요구사항을 잘 정리하여 관리하는 노력이 필요하다.

8.7.1.3. 의심 제품의 관리

의심 제품이란 부적합품으로 판정하기 전 부적합품일 가능성이 있는 제품을 말한다. 조직은 의심 제품도 부적합품으로 간주하여 처리해야 하고, 모든 관련 인원이 의심 제품에 대한 교육을 받았음을 보장해야 한다. 조직은 부적합 제품 식별표를 2단계에 걸쳐 부착해야 하는데, 먼저 1) 부적합 제품으로 최종 판단하기 전까지는 의심 제품으로 간주하여 '노란색' 식별표를 부착하고, 2) 불량 분석 완료 후 부적합 제품으로 최종 판정한 후에는 '빨간색' 식별표를 부착해야 한다. 그러나 부착된 식별표를 떼었다 다시 붙이는 번거로움이 있기 때문에 우선 노란색 식별표를 부착하고, 부적합 제품으로 판정되면 노란색 식별표에 빨간색 식별표를 덧대어 붙이는 방법을 사용한다. 이렇게 분석 전과 후를 식별함으로써 관리 프로세스를 강화할 수 있다.

8.7.1.4. 재작업 제품의 관리

먼저 ISO 9000에서 정의한 재작업(Rework)의 의미에 대해 살펴보자. 재작업은 '부적합한 제품 또는 서비스에 대해 요구사항에 적합하도록 하는 조치'라고 되어 있다. 이는 부적합품을 재작업한 후 시방서와의 적합성을 보장하기 위한 활동으로 이해하면 된다. 재작업은 별도의 공간에서 진행되어야 하고, 재작업을 위한 제품과 재사용이 가능한 부품 또한 정의되어야 한다.

재작업은 뒤에서 설명할 수리(Repair)보다는 낮은 리스크를 갖는다. 그러나 재작업 전 재작업에 대한 리스크 분석(FMEA)을 시행하고 필요시 고객 승인을 받아야 한다. 재작업이 완료된 제품에 대해서도 별도의 고객 승인(특채)을 받아야 한다. 재작업 활동은 부적합품 처리 방법의 하나로 관리계획서와 조직이 보유한 절차서, 지침서 등에 명기되어 있어야 한다. 또 재작업 후 시방서나 도면과의 적합성을 보장하기 위한 문서화된 프로세스가 수립되어야 한다.

분해, 수리, 재검사, 추적성에 대한 지침은 적절한 인원에 의해 이용할 수 있어야 하고, 재작업된 제품을 처분할 경우, 수량, 일자 등 추적성이 보장되도록 문서화된 정보를 보유해야 한다. 적절한 인원이라는 것은 자격이 인증된 인원을 말한다.

8.7.1.5. 수리된 제품의 관리

먼저 ISO 9000에서 정의한 수리(Repair)의 의미에 대해 살펴보자. 수리는 '부적합한 제품 또는 서비스에 대해 의도된 용도대로 쓰일 수 있도록 하는 조치'라고 되어 있다. 즉 제품 수리 후 시방서나 도면과는 일치하지 않지만 기능적인 사용에는 문제가 없음을 의미한다.

수리는 앞서 설명한 재작업(Rework)보다는 더 큰 리스크를 갖는다. 따라서 조직은 제품 수리 전 수리에 대한 리스크 분석(FMEA)을 해야 하고, 별도의 고객 승인(특채)을 받아야 한다. 수리는 부적합품 처리 방법의 하나로 관리계획서와 조직이 보유한 절차서, 지침서 등에 명기되어 있어야 한다. 또 수리 후 시방서나 도면과의 적합성을 보장하기 위한 문서화된 프로세스가 수립되어야 한다.

분해, 수리, 재검사, 추적성에 대한 지침은 적절한 인원에 의해 이용할 수 있어야 하고, 재작업된 제품을 처분할 경우, 수량, 일자 등 추적성이 보장되도록 문서화된 정보를 보유해야 한다.

8.7.1.6. 고객통지

부적합품 또는 의심 제품이 고객에게 출하되었을 경우, 조직은 즉시 이를 고객에게 통보해야 한다. 그리고 고객의 요청사항에 따라 후속 조치가 진행되어야 한다. 초기 통보 시 구두보다는 해당 부적합품에 대한 상세한 내용(부적합품의 유형, 제품명, 현상, LOT, 장소, 일자, 수량 등)을 포함하여 사진과 함께 제공(통보)하는 것이 의사소통에 도움이 된다. 보통 기업에서는 'CQN(Customer Quality Notification)', 'QN(Quality Notification)'이라는 양식을 사용하며 여기에는 앞서 설명한 내용이 포함되어 있다. 하나의 QN은 하나의 품질 이슈와 정렬되어야 한다.

8.7.1.7. 부적합품 제품의 처분

조직은 부적합품에 대해 고객 또는 조직의 의사결정에 따라 재작업, 수리, 특채 등의 후속 처리를 해야 한다. 그러나 부적합품의 적합성이 보장될 수 없는 경우에는 '폐기(Scrap)' 처분을 해야 하는데, 이때 문서화된 폐기 프로세스에 따라 진행해야 한다. 별도의 고객 승인 없이 부적합품을 다른 용도(분해 후 부품 재사용, 암시장 거래, 중고 거래 등)로 사용해서는 안 되기 때문이다.

폐기 프로세스에는 폐기 제품, 중량, 날짜, 책임자 등을 기술한 폐기 이력이 포함되어야 한다. 또 제품에 적용된 기술 또한 유출될 위험(역설계, 스캔, 복제품 개발 등)이 있기 때문에 처분 전 일차 파괴가 권고된다. 보통 조직에서 해머 등으로 일차적으로 파괴하고 계약된 외주 업체에서 완전 파괴를 하거나 용광로 등에 투입하여 최종 처분한다.

8.7.2.

조직은 다음의 문서화된 정보를 보유하여야 한다.

a) 부적합에 대한 기술
b) 취해진 조치에 대한 기술
c) 승인된 특채에 대한 기술
d) 부적합에 관한 활동을 결정하는 책임의 식별

조직은 모든 부적합의 처리 과정에 대한 문서화된 정보를 보유해야 한다. 대부분의 조직에서는 부적합이 발생되면 그 처리 과정을 엑셀 파일이나 기타 데이터 베이스에 기록한다. 자동차 산업에서는 Problem Solving, 8D 보고서, Fast Tracking Board 등의 문제해결 방법론을 사용하며 이를 통해 다음의 요구사항을 보장하고 있다. 앞서 설명한 바와 같이 본 조항은 10.2항과 연계되어 있다.

a) 발생한 부적합품에 대한 '실제 데이터'가 상세히 기록되어야 한다. 여기에는 부적합품의 유형(제품 및 서비스에서 발생할 수 있는 부적합 유형을 사전 정의), 제품명, 현상, LOT, 장소, 일자, 수량, 비용, 사진 등의 내용이 충분하게 포함되어야 한다. 이는 후속 처리(원인 분석 등) 활동을 전개하는 데 도움이 되기 때문이다.

b) 취해진 조치 사항에 대해 상세히 기술되어야 한다. 원인을 분석하기 전 발생된 부적합품을 어떻게 처리할 것인지 내외부적으로 논의되어야 한다. 여기에는 부적합품 발생 후 선별, 식별, 격리, 봉쇄, 교환, 수리, 환불, 의사결정, 담당자, 조치 일자 등의 처리 내용이 포함된다.

c) 만약 부적합품에 대해 특채 처리가 결정되었다면 특채 사유, 범위, 리스크 분석, LOT, 수량 등의 내용이 상세히 기술되어야 한다. 특채에 대한 의사결정은 조직이 하나 여기에는 고객 승인 프로세스가 포함되어야 하고, 특채 승인된 부적합품에 대해서는 별도의 위험 분석과 식별, 공급 이력이 보유되어야 한다. (8.7.1.1항)

d) 조직은 부적합품 발생 시 일련의 부적합품 처리 절차에 따라 후속 조치를 수행해야 하며 여기에는 조치별 책임 담당자가 식별되어야 한다. 보통 Problem Solving, 8D 보고서, Fast Tracking Board 수립 시 문제 해결을 위한 관련 인원이 참여하기 때문에 이를 참고하면 될 것이다.

생각해 보기

FMEA는 살아있는 문서이다? FMEA는 제품과 공정의 설계 및 개발 단계에서 개발되어 양산 이관 후에도 계속해서 업데이트되고, 하위 표준류을 리딩하는 매우 유용한 정성적 방법론이다. FMEA를 포함한 표준류를 운용하는 이유 중 하나는 제품과 서비스의 관리 규격을 정의하고, 정의된 관리 규격 내에서 제품과 서비스가 안정적으로 생산되어 공급되고 있음을 실증하기 위함이다. 따라서 제품과 서비스에 발생하는 모든 부적합에 따른 개선이나 변경 이슈는 관련 표준류에 업데이트되어야 한다. 그래서 우리는 이를 '살아있는 문서'라고 부른다.

일부 조직은 FMEA를 형식에 가까운 문서로 인식한다. 그러다 보니 제품과 공정의 설계 및 개발 단계에서 최초 수립한 후 양산 종료 시점까지 그대로 방치하는 경우가 부지기수로 많다. AIAG FMEA 매뉴얼에 따라 잘 작성하는 건 둘째 치고, FMEA의 목적과 용도조차 모르고 있는 것이 더 심각한 문제이다. 내외부 심사에서 FMEA와 관련된 부적합 사항은 단골로 발견된다. FMEA 교육훈련을 했음에도 왜 발견 사항이 계속해서 나오냐는 경영진의 질책은 무책임한 발언이다. 이를 단순히 한 두번의 교육훈련으로 해결할 수 있을까? 왜 해야 하는지에 대한 '관심'을 가지는 것이 먼저가 아닐까? 모든 것을 담당자 선에서 해결할 수 있을 거라는 기대와 욕심은 버려야 한다. FMEA는 혼자 고민한다고 해서 운용할 수 있는 업무가 아니다. 그래서 IATF에서도 MDT라는 용어가 생겨난 것이다.

Chapter 09

QUALITY MANAGEMENT SYSTEM

성과평가

품질경영시스템의 과정과 결과
모두가 평가되어야 한다.

9. 성과 평가

9.1. 모니터링, 측정, 분석 및 평가

9.1.1. 일반사항

조직은 다음 사항을 결정하여야 한다.

a) 모니터링 및 측정의 대상
b) 유효한 결과를 보장하기 위하여, 필요한 모니터링, 측정, 분석 및 평가에 대한 방법
c) 모니터링 및 측정 수행 시기
d) 모니터링 및 측정의 결과에 대한 분석 및 평가 시기

조직은 품질경영시스템의 성과 및 효과성을 평가하여야 한다. 조직은 결과의 증거로, 적절한 문서화된 정보를 보유하여야 한다.

9항은 성과 평가에 대한 내용이다. 고객은 조직의 프로세스, 제품과 서비스의 품질과 납기 성과 등을 정기적으로 평가하여 고객의 포털을 통해 해당 정보를 제공한다. 조직은 고객이 조직의 프로세스, 제품과 서비스에 대해 어떻게 인식하고 있는지를 지속적으로 모니터링하여, 미흡한 영역을 찾아 개선해야 한다. 또 조직은 '내부심사'를 정기적으로 계획하고 수행하여 품질경영시스템의 적합성과 효과성을 보장해야 하고, '경영검토'를 통해 품질경영시스템의 적절성, 충족성, 효과성, 정렬성을 보장해야 한다. 이러한 일련의 요구사항을 9항에서 다룬다.

먼저 조직은 모니터링, 측정, 분석 그리고 평가라는 용어를 이해해야 한다. 모니터링은 사물이나 현상을 자세히 관찰하는 행위이고, 측정은 사물의 양을 확인하기 위해 데이터를 얻는 행위이다. 분석은 데이터를 유효한 정보로 변환하기 위한 행위이고, 평가는 정보의 수준을 평하는 행위라고 할 수 있다. 정리하면 '사물이나 현상을 관찰하고, 데이터를 얻어 이를 유효한 정보로 변환하고, 정보의 수준을 평하는 행위'라고 이해하면 된다.

조직은 품질경영시스템의 성과와 효과성을 확인하기 위해 조직이 수립한 품질경영시스템을 지속적으로 모니터링하고, 측정, 분석 그리고 평가해야 한다. 이를 위해 조직은 무엇을 모니터링하고, 측정해야 하는지, 그 시기는 언제이고, 또 어떤 방법을 사용해야 하는지를 결정해야 한다. 즉 9.1.1항의 목적은 ISO 9001과 IATF 16949 표준 기반의 품질경영시스템이 제대로 운용되고, 또 관리되고 있는지를 '과정 측면(프로세스 성과지표)'과 '결과 측면(제품과 서비스, 관련 이해관계자의 만족도)'에서 모니터링하고, 측정, 분석 그리고 평가하는 것이다.

a) 먼저 품질경영시스템의 성과를 평가하기 위한 '대상'이 결정되어야 한다. 평가 대상에는 조직이 수립한 프로세스의 성과지표, 제품과 서비스 제공에 필요한 모든 비용(설계, 양산, 품질 등), 제품과 서비스의 적합성, 고객을 포함한 모든 이해관계자의 만족도 등이 있다. 조직의 프로세스에는 각 영역에 따라 핵심성공요인(Critical Sucess Factor)과 주요성과지표(Key Performance Indicator)가 정의되어야 한다. 예를 들어 품질관리 프로세스에는 NCC(Non-Conformance Cost), PPM, 수율 등이 정의되어야 하고, 보전관리 프로세스에는 MTTR(Mean Time To Repair), MTBF(Mean Time Between Failure), OEE(Overall Equipment Effectiveness), 설비 등급 등이 정의되어야 한다. 이를 위해 조직의 주요 성과를 전반적으로 확인할 수 있는 Balance Score Card, Bowling Chart와 같은 Table을 수립하여 관리하면 편리하다.

b) 다음은 각 대상별 모니터링, 측정, 분석 그리고 평가를 위한 '방법'이 결정되어야 한다. 예를 들어 품질관리 프로세스의 성과지표 중 NCC는 특정 모델의 '매출액 대비 클레임 비용'으로 모니터링과 측정 방법이 결정될 수 있다. 그리고 통계적 기법을 통한 분석과 등급, 달성률, 점수 등의 평가 방법이 결정될 수 있다. 또 제품과 서비스의 적합성을 위한 모니터링과 측정 방법은 육안, 설비, 측정기기, 마스터 샘플, 한도 견본, 청각 등으로 결정될 수 있고, 각 데이터는 MES(Manufacturing Execution System)에 입력되고 통계적으로 분석되어 이상 발생 시 라인이 정지되는 등의 평가 방법이 결정될 수 있다. 뒤에서 살펴볼 내부심사 또한 조직의 품질경영시스템을 평가하기 위한 하나의 방법이다.

c) 다음은 모니터링과 측정을 언제 수행해야 하는지 그 '시기'가 결정되어야 한다. 조직의 프로세스, 제품과 서비스의 우선순위를 고려하여 프로세스는 주, 월, 분기, 반기, 연 단위로, 제품과 서비스의 적합성은 실시간 또는 일 단위로 모니터링되고, 측정되어야 한다.

d) 측정한 데이터를 유효한 정보로 변환하지 않으면 조직은 개선을 위한 의사결정을 하지 못한다. 따라서 측정한 데이터를 정보로 변환하는 과정인 분석과 분석 결과를 평가하는 '시기'가 결정되어야 한다. c) 항목과 연계하여 분석과 평가하는 것이 관리 측면에서 효율적이고, 지체없이 시정 조치와 개선의 기회를 도출할 수 있다.

조직의 모든 프로세스, 제품과 서비스에 대한 성과 평가 활동은 문서화된 정보로 보유되어야 한다. 대부분의 조직은 BSC와 Bowling Chart와 같은 Table을 통해 조직의 성과를 실시간으로 모니터링하고 측정, 분석 그리고 평가한다. 품질경영시스템 인증 심사 시 성과가 미흡한 프로세스를 찾아 역추적하여 개선 여부를 확인하므로 성과 평가는 철저한 관리가 요구된다.

더 나아가 통계적 분석이 실시간으로 이루어지는 빅데이터 기반의 성과 평가 시스템을 개발하여 운용하는 조직도 있다. 이는 신속한 의사결정을 가능하게 하여 지연된 의사결정으로 인한 위험을 최소화할 수 있다.

프로세스		성과지표	방법	시기
CP	Project Management	...	...	...
	Engineering	...	...	...
	Operations	...	...	...
	Supplier Management	> 협력사 개발 > 자재 비용 > 협력사 품질 > 자재 납기	> 협력사 개발 수 > 자재 비용/제품 비용 > PPM > 불만 건수	매월
	Customer Management	...	...	...
SP	Continuous Improvement	...	...	...
MP	Business Strategy	...	...	...

프로세스의 모니터링, 측정, 분석 및 평가 예시

9.1.1.1. 제조 공정의 모니터링 및 측정

조직은 수립된 품질경영시스템의 성과와 효과성을 확인하기 위해 품질경영시스템을 지속적으로 모니터링하고, 측정, 분석 그리고 평가해야 한다. 본 조항에서는 조직의 생산 프로세스에서 '제조 공정'이라는 특정 대상에 대해 모니터링과 측정 활동을 강화해줄 것을 요구하고 있다. 따라서 조직은 제조 공정을 모니터링하고, 측정 활동의 일환인 '공정 조사(Process Study)'를 수행해야 한다. (품질경영시스템 > 생산 프로세스 > 제조 공정)

제조 공정이라는 것은 프로세스 다이어그램 내 생산 프로세스의 일부가 될 것이다. 신규나 변경된 제조 공정에서 양질의 제품을 생산하기 위해 정의된 특별 특성은 생산된 제품의 '공정 능력 조사(Process Capability Study)'를 통해 반드시 검증되어야 한다. 공정 능력 조사(Cpk, Ppk)는 기본적으로 수치적 자료(Numerical Data)인 연속적 자료(Continuous Data)를 가지고 계산한다. 그러나 연속적 자료의 출력이 어려운 경우, 예를 들어, 결점 수, 불량 수와 같은 이산적 자료(Discrete Data)가 출력될 때는 Batch 별 불량률(%), PPM, AQL(Acceptance Quality Level) 등으로 제품의 적합성을 평가할 수 있다.

조직은 고객과 협의된 PPAP 요구사항에 따라 공정 능력 조사를 통해 제품의 적합성을 보장해야 한다. PPAP 요구사항에는 공정 흐름도, FMEA, 관리계획서가 포함된다. 따라서, FMEA에는 잠재적 고장형태에 대한 현 공정의 관리 방법이 예방과 검출 측면에서 정의되어야 하고, 이와 연계된 관리계획서에는 규격, 측정 기법, 크기와 주기, 관리 방안, 이상 발생 시 조치 사항 등이 정의되어 실행되고 있음을 보장해야 한다.

a) 측정 기법: 육안, 압력계, 온도계, 버니어 캘리퍼스
b) 샘플링 계획(크기/주기): n=5, 4회/1일, 전수
c) 합격 판정 기준: 1.23~1.30mm, 50~75cmHg, 주름 없을 것
d) 측정 값 기록(관리방안): 별도의 체크 시트, Xbar-R 관리도
e) 대응 계획 및 에스컬레이션 프로세스: 격리, 폐기 등

만약 제조 공정에 지그, 용접 팁, 금형 등이 교체되거나 제조 설비가 수리될 때는 일련의 작업 활동이 문서화된 정보로 보유되어야 한다. 본 조항에서는 'e) reaction plans and escalation process when acceptance criteria are not met'의 요구사항을 좀 더 구체적으로 설명하고 있다. 평소 Xbar-R 관리도를 통해 공정이 관리되고 있다고 하자. 어느 날 갑자기 군간 변동(Black Noise)이 통계적으로 불안정한 경향(Trend, 연속 7점이 계속해서 증가)을 보일 경우, 또는 규격 상하한선이 벗어날 경우 조직은 관리계획서 상의 대응 계획에 따라 후처리 작업을 진행해야 한다. 여기서 후처리 작업은 격리, 폐기, 재작업 등을 말하며 여기에는 100% 전수 검사도 포함된다. Statistic Process Control은 문제를 해결하기 위한 방법론이 아닌 문제를 예방하기 위한 방법론이다. 따라서 조직은 불안정한 경향이 검출된 해당 공정에서 우연 원인(Common cause)이나 이상 원인(Special cause)을 찾아 공정 개선에 집중해야 한다. 공정을 개선하기 위해서는 Problem Solving 보고서에 조치 사항, 완료일, 담당자 등이 포함되어야 하고, 공정의 4M이 변경된다면 적용일자, LOT에 대한 기록이 유지되어야 한다. 만약 PPAP 서류를 위해 고객이 참여하게 된다면 고객으로부터 추가적인 검토와 승인을 받아야 한다.

9.1.1.2. 통계적 도구의 파악

본 조항에서 말하는 통계적 도구는 모니터링과 측정된 데이터를 분석하기 위한 툴을 말한다. 통계적 도구는 제조 공정과 프로세스 다이어그램에 정의된 모든 성과 지표를 대상으로 해야 한다. 하나의 프로젝트를 개발하는 데 필요한 방법론인 APQP(Advance Product Quality Planning)는 전 조직의 참여가 요구된다. 따라서 프로세스 다이어그램에 정의된 모든 성과 지표를 대상으로 하는 것은 어찌 보면 당연하다.

조직은 APQP 2/3단계의 산출물인 Design FMEA(Failure Mode and Effect Analysis)와 Process FMEA(Failure Mode and Effect Analysis), APQP 4단계의 산출물인 관리계획서(양산)에 통계적 도구가 활용되었음을 보장해야 한다.

조직의 관리계획서에는 합격 판정 기준, 측정 기법, 샘플링 계획, 측정값 기록(관리 방안), 대응 계획 및 에스컬레이션 프로세스(이상 발생 시 조치 사항)가 정의되어야 한다. 여기에서 '측정값 기록(관리 방안)'란에 통계적 도구가 표기되어야 한다. 통계적 도구는 SPC(Statistic Process Control), ANOVA(ANalysis Of Variance), DOE(Design Of Experiment) 등을 말하는데, 관리계획서에는 좀 더 구체적으로 표본의 크기에 따라 Xbar-R 또는 Xbar-s 등으로 표기하는 것이 일반적이다.

9.1.1.3. 통계적 개념의 적용

자료를 수집하고, 분석 업무를 수행하는 작업자나 엔지니어는 통계적 개념을 이해하고, 분석 업무를 수행해야 한다. '통계'를 이해하고 업무에 적용하는 것은 쉬운 일이 아니다. 그러다 보니 상위 관리자는 이 모두를 작업자나 엔지니어의 역할로 돌리는 경우가 많다. 문제는 상위 관리자가 분석 결과를 그대로 믿고 의사결정을 내린다는 것이다. 통계는 어느 정도의 불확실성을 항상 내재하고 있기 때문에 상위 관리자는 데이터의 샘플링이 잘 되었는지, 올바른 분석 방법이 사용되었는지를 이해하고 검증할 수 있어야 올바른 의사결정을 내릴 수 있다.

통계적 개념에는 변동(Variation), 관리(안정성), 공정능력(Process Capability), 과잉조정(Over-adjustment)의 결과 등이 있다. 이러한 통계적 개념을 이해하고, 역량과 적격성이 보장된 후에 해당 업무를 수행하는 방식으로 프로세스가 전개되어야 한다.

9.1.2. 고객만족

조직은 고객의 니즈 및 기대가 어느 정도 충족되었는지에 대한 고객의 인식을 모니터링 하여야 한다. 조직은 이 정보를 수집, 모니터링 및 검토하기 위한 방법을 결정하여야 한다.

비고: 고객인식에 대한 모니터링의 사례에는 고객 설문조사, 인도된 제품 또는 서비스에 대한 고객피드백, 고객과의 미팅, 시장점유율 분석, 고객의 칭찬, 보증 클레임, 판매업자 보고서가 포함될 수 있다.

조직은 고객만족과 관련된 성과지표를 모니터링해야 한다. 4.2항에서 우리는 이해관계자의 니즈와 기대에 대해 자세히 살펴보았다. 앞에서 정의한 많은 이해관계자 중에서 고객은 기업의 생존을 보장하는 데 절대적인 역할을 하므로 없어서는 안 될 존재이다. 그러므로 조직은 조직에서 공급하는 제품과 서비스가 어느 정도로 고객을 만족시키고 있는지 그 인식 정도를 지속해서 모니터링해야 한다. 모니터링의 결과는 지속적인 개선을 유도하고, 제품과 서비스의 품질을 강화하는 데 사용될 수 있다. 모니터링 방법에는 여러 가지가 있지만 다음과 같은 사례를 제시하고 있다.

a) 고객 설문 조사
b) 고객의 포털을 통한 제품 및 서비스의 주요 성과 지표를 제공
c) 연간 협력사 실적 발표, Worst 5 협력사 공지
d) 추가적인 비즈니스 기회 제공
e) 우수 협력사 상패, 품질, 납기, 기술 인증패 제공
f) 필드 보증 클레임 분석, PPM, 품질 비용, 보증 활동 만족도
g) 대리점을 통한 고객 피드백 분석, 불량 정보

9.1.2.1. 고객만족 - 보충사항

본 조항에서는 고객만족과 관련된 주요성과지표가 좀 더 구체화되었고, 조직은 이를 모니터링해야 한다. 먼저, 본 요구사항을 살펴보기 전 한 가지 용어를 이해해야 한다. 'Continual'과 'Continuous'라는 용어가 있다. 사전적 의미로는 둘 다 '지속되는'이지만 그 쓰임은 매우 다르다. Continual은 'Occuring at regular interval' 즉 규칙적인 간격으로 어떠한 활동을 하거나 결과, 현상 등이 발생함을 의미한다. Continuous는 'Continuing without interruption' 즉 중단 없이 계속해서 어떠한 활동을 하거나 결과, 현상 등이 발생됨을 의미한

다. 따라서 본 조항에서 말하는 'Continual evalution'은 정기적으로 내외부 성과지표를 평가하라는 말이다. 성과지표는 개인, 집단, 그리고 조직 수준에서 직감과 주관적인 판단으로 작성하는 것이 아니다. 이는 객관적, 사실적, 과학적 증거를 기반으로 작성되어야 한다. 다음과 같은 고객만족과 관련된 성과지표가 있으나 이제 한정하지는 않는다.

a) 고객 생산 라인 불량 현황(In-line PPM), 필드 불량 현황
b) 품질, 납기 문제로 인한 고객 생산 라인 중단(횟수)
c) 필드 불량 현황(Field PPM, Claim), 품질 사고(리콜, Incident)
d) 이종품 혼입, On Time Delivery, Delivery Lead Time
e) 이외 다른 부품 품질과 납기에 관련된 고객 통보

고객지정 요구사항(CSRs)에는 제품 품질과 프로세스의 효율성과 관련된 내용이 포함될 수 있다. 제품 품질에는 특별 특성(Special Characteristics) 항목과 출하 시 전수 검사, 포장 방법 등이 있고, 프로세스 효율성은 제품 생산을 위해 필요한 최소한의 인적 자원과 물적 자원 그리고 설비종합효율 등이 있다. 따라서 조직은 고객의 요구사항을 준수하여 제조 공정이 모니터링되고 있음을 성과지표를 통해 실증할 수 있어야 한다. 또 고객은 조직의 성과지표를 관리 포털을 통해 제공하는 경우도 있고, 그렇지 않은 경우도 있다. 조직은 고객이 제공하는 조직의 성과지표를 지속해서 모니터링하고 검토해야 한다.

> JD Power 초기품질(IQS) 공지
> JD Power 내구품질(VDS) 공지
> Best and Worst Supplier 공지
> 이달의 품질 사고 공지
> 품질기초질서 7대 항목 위반 행위 공지

9.1.3. 분석 및 평가

조직은 모니터링 및 측정에서 나온 적절한 데이터와 정보를 분석하고, 평가하여야 한다. 분석의 결과는 다음 사항의 평가를 위하여 사용되어야 한다.

a) 제품 및 서비스의 적합성
b) 고객 만족도
c) 품질경영시스템의 성과 및 효과성
d) 기획의 효과적인 실행 여부
e) 리스크와 기회를 다루기 위하여 취해진 조치의 효과성
f) 외부공급자의 성과
g) 품질경영시스템의 개선 필요성

비고: 데이터 분석 방법에는 통계적인 기법이 포함될 수 있다.

앞서 모니터링과 측정을 통해 데이터가 수집되었다면 이를 유효한 정보로 변환하는 과정인 통계적 분석이 후속 전개되어야 한다. 통계적 분석이 수행되려면 다양한 통계적 기법이 사용되어야 한다. 분석을 통해 얻은 정보는 다음의 사항을 '평가'하기 위해 사용될 수 있다.

a) 조직은 제품과 서비스의 특별 특성을 모니터링하고, 측정한 후 Cpk, Ppk를 산출하여 제품과 서비스의 적합성을 평가(규격 Ppk 1.67 이상)해야 한다. 이러한 행위는 보통 제조 공정과 출하 검사 공정에서 진행된다. (도면과 스펙 - 제품 일치성 평가)

b) 고객 만족도를 확인하는 데 사용될 수 있다. 예를 들어 조직은 필드와 고객의 생산 라인에서 발생되는 품질 문제를 일일 단위로 모니터링하고, 문제 발생 시 이를 측정, 분석(발생 장소, 발생 환경, 사용자 부주의 등)하여 그 평가 결과를 고객에게 피드백해야 한다.

c) 조직은 프로세스 다이어그램에 정의된 주요성과지표를 월, 분기, 반기, 연 단위로 모니터링하고, 측정, 분석 그리고 평가해야 한다. (모니터링, 측정 항목과 연계)

d) 조직은 6.1항 리스크와 기회를 다루는 조치, 6.2항 품질목표와 품질목표 달성 기획, 6.3항 변경의 기획을 모니터링하고, 측정, 분석 그리고 평가해야 한다.

e) 조직은 6.1항 리스크와 기회를 다루는 조치를 모니터링하고 측정, 분석 그리고 평가해야 한다. (리스크와 기회의 결정, 그리고 조치에 대한 효과성)

f) 조직은 협력사의 납기율, 불량율, 변경 프로세스의 준수율 등을 모니터링하고, 최소 월 단위로 측정해야 한다. 그리고 어떤 원인으로 동일 문제가 재발하고 있는지를 통계적으로 분석하고, 평가 결과를 협력사에게 전달해야 한다.

g) 만약 프로세스 다이어그램에 정의된 성과지표가 미달성된 경우, 분석 결과는 개선의 목적으로 활용되어야 한다. 미달성된 원인에 따른 개선 조치가 요구된다.

9.1.3.1. 우선순위의 지정

앞서 조직은 연초 설정한 품질목표를 두고, 그 달성 여부를 월, 분기, 반기, 연 단위로 모니터링하고, 측정, 분석 그리고 평가해야 한다고 했다. 만약 연말 협력사의 품질 이슈로 인해 결품이 발생하여 조직의 생산 라인이 중단되는 상황이 발생했다면 조직은 연초 설정한 목표 달성을 위해 이를 최우선으로 해결하고자 노력할 것이다. 이것이 본 조항에서 강조하는 부분이다. 따라서 조직은 조직의 상황과 내외부 이슈(법규, 안전, 인사, 개발, 생산성, 불량률, 납기준수률, 노사관계 등)를 지속해서 모니터링하고 측정, 분석 그리고 평가하여 그 우선순위에 따라 문제를 해결함으로써 고객만족을 보장해야 한다.

9.2. 내부심사

9.2.1.

조직은 품질경영시스템이 다음 사항에 대한 정보를 제공하기 위하여, 계획된 주기로 내부심사를 수행하여야 한다.

a) 다음 사항에 대한 적합성 여부
1) 품질경영시스템에 대한 조직 자체 요구사항
2) 이 표준의 요구사항
b) 품질경영시스템이 효과적으로 실행되고 유지되는지 여부

성과 평가의 또 다른 방법으로는 '내부심사'가 있다. 심사의 종류로는 다음과 같이 구분할 수 있는데, 본 조항에서 요구하는 심사는 1자 심사인 내부심사를 말한다.

> 1자 심사: 조직 자체적으로 수행
> 2자 심사: 고객사 주관 수행
> 3자 심사: 인증기관 주관 수행

심사의 목적은 1자 심사, 2자 심사, 3자 심사 모두 동일하다. 단지 누구에 의해 심사가 수행되느냐의 차이이다. 필자의 경험으로는 조직 자체적으로 수행하는 1자 심사 즉 내부심사가 가장 어렵다고 할 수 있다. 조직 내 한 단위 조직이 다른 단위 조직을 평가한다는 것이 연공서열 문화의 대한민국 정서상 아직은 쉽지 않기 때문이다. 쉬운 설명을 위해 내부 조직을 평가한다고 하였지만 사실 조직에서 운용하는 프로세스를 평가하는 것이다. 하나의 프로세스를 평가하기 위해서는 모든 관련 조직의 참여가 요구된다.

국제 표준인 ISO 9001, 단체 표준인 IATF 16949, 그리고 고객과 조직이 결정한 요구사항을 기반으로 조직의 품질경영시스템이 구축되었을 것이다. 조직은 조직의 품질경영시스템이 제대로 구축(수립)되었는지 그 적합성과 또 제대로 운용, 관리가 되고 있는지 그 효과성을 주기적으로 평가해야 한다.

일반적으로 사내에 구축된 모든 품질경영시스템의 메가 프로세스는 3년 안에 평가가 마무리되어야 한다. 제조 공정도 동일하다. 수십 개, 수백개의 생산 라인은 고객이 요구하는 방법에 따라 3년 안에 평가가 완료되어야 한다.

9.2.2.

조직은 다음 사항을 실행하여야 한다.

a) 주기, 방법, 책임, 요구사항의 기획 및 보고를 포함하는, 심사 프로그램의 계획, 수립, 실행 및 유지, 그리고 심사프로그램에는 관련 프로세스의 중요성, 조직에 영향을 미치는 변경, 그리고 이전 심사 결과가 고려되어야 한다
b) 심사기준 및 개별 심사의 적용 범위에 대한 규정
c) 심사 프로세스의 객관성 및 공평성을 보장하기 위한 심사원 선정 및 심사 수행
d) 심사결과가 관련 경영자에게 보고됨을 보장
e) 과도한 지연 없이 적절한 시정 및 시정조치 실행
f) 심사 프로그램의 실행 및 심사결과의 증거로 문서화된 정보의 보유

비고: 가이던스로서 KS Q ISO 19011 참조

조직이 내부심사를 수행하기 위해 고려해야 하는 것은 여러 가지가 있을 것이다. 누구를 내부심사원으로 선정할 것인가? 어떤 주기로 내부심사를 수행할 것인가? 평가 시트는 어떻게 개발할 것인가? 이러한 고려 사항은 '심사 프로그램'이라고 하는 일종의 간트 차트에 모두 포함되어야 한다.

a) 심사 프로그램은 '단일 심사 계획의 집합'으로 정의한다. 조직은 심사 주기, 심사 방법, 심사팀의 구성과 책임 등을 포함하는 심사 프로그램을 계획하고 실행해야 한다. 그리고 심사 프로그램 작성 시 프로세스의 중요도, 조직에 영향을 미치는 변경, 그리고 이전 심사의 결과 등이 고려되어야 한다.

b) 조직은 사전에 기준, 즉 '체크리스트'를 개발하여 심사의 객관성을 보장해야 한다. 내부심사의 적용 범위(수행범위)는 일반적으로 3년 이내 '전 프로세스'를 대상으로 한다.

c) 내부심사는 자격이 인증된 내부심사원에 의해 수행되어야 한다. 내부심사는 두 개 이상의 부서에서 두 명 이상의 내부심사원에 의해 서로 교차 수행되어야 한다. 예를 들어 생산기술팀에 속한 내부심사원은 설계팀을 심사하고, 설계팀에 속한 내부심사원은 생산기술팀을 심사해야 한다. 사실 이것도 좋은 방법은 아니다. 서로 간 합의로 심사가 진행될 가능성이 높기 때문이다.

d) 심사 결과는 최고경영자와 관련 경영진에게 보고되어야 한다.

e) 내부심사 결과 부적합으로 지적된 사항은 반드시 시정조치되어 재발되지 않도록 해야 한다. 그리고 해당 시정조치는 과도하게 지체되지 않고, 이른 시일 안에 유효성 검증이 완료되어야 한다. VDA6.3 기준으로는 14일 이내 Action Plan이 수립되고, 90일 이내 실행과 유효성 점검이 완료되어야 한다.

f) 모든 내부심사 수행 문서는 문서화된 정보로 보유되어야 한다. 중요한 것은 내부심사 프로그램과 내부심사 보고서의 내용 모두가 상호 일치해야 한다.

KS Q ISO 19011: 2018 표준에서는 심사 프로그램, 심사 수행, 심사원 자격 요구사항 등에 대해 정의하고 있다. 본 조항의 이해를 위해 해당 표준을 참조하는 것을 권고한다.

9.2.2.1. 내부심사 프로그램

조직은 문서화된 내부심사 프로세스를 보유해야 한다. 내부심사 프로세스에는 '내부심사 프로그램'이 반드시 포함되어야 하는데, 여기에는 품질경영시스템 심사, 제조공정 심사, 제품 심사가 계획된 주기에 따라 수행될 수 있도록 구분되어야 한다.

조직은 내부심사 프로그램을 내외부에서 발생한 리스크와 프로세스의 성과, 그리고 프로세스의 중요도 등을 고려하여 우선순위에 따라 운용해야 한다. 만약 조직은 어떤 제조 공정에서 품질 문제가 대량으로 발생하고 있거나 4M 관리가 제대로 안 되고 있다면 이를 참조하여 내부심사의 주기나 범위 등을 결정해야 한다. 따라서 심사의 빈도 또한 내외부의 각종 이슈 사항에 따라 결정되어야 하고, 심사 프로그램의 효과성은 경영검토 회의에서 검토되어야 한다.

또 조직이 소프트웨어 개발에 책임이 있는 경우, 심사 프로그램에 이를 반영해야 한다. 소프트웨어의 심사는 CMMI, ISO 26262, ASPICE 등의 방법론을 이용하여 수행할 수 있다.

9.2.2.2. 품질경영시스템 심사

조직은 품질경영시스템 표준에 대한 준수성을 검증하기 위해 프로세스 접근법을 사용하여 조직의 모든 품질경영시스템을 심사해야 한다. 이는 연간 내부심사 프로그램에 따라 3년 주기로 심사가 완료되어야 한다. 만약 고객이 제공한 고객지정 요구사항이 있다면 이 또한 참조하여 그 효과성을 확인해야 한다. 품질경영시스템 심사 시 본 표준의 요구사항과 고객지정 요구사항을 질문지로 변환하여 사용하는 것이 효과적이다. 심사의 객관성을 유지할 수 있고, 어느 영역이 미흡한지 쉽게 파악이 가능하기 때문이다.

9.2.2.3. 제조 프로세스 심사

프로세스 심사는 조직이 수립한 특정 프로세스, 예를 들면 설계 프로세스, 생산 프로세스, 협력사 관리 프로세스 등의 기능과 활동을 해당 요구사항과 비교하며 심사하는 것을 말한다. 그러나 본 조항은 '제조 프로세스'에 국한되어 있다. 조직은 고객이 지정한 심사 방식을 적용하여 3년 주기로 모든 제조 프로세스를 심사해야 한다. 고객에 의해 특별히 규정되지 않은 경우 조직은 심사 방식을 결정해야 한다. 각각의 개별 심사 계획서에는 제조 프로세스의 교대 조 인계 과정과 PFMEA, 관리계획서, 작업지침서 등의 문서 심사가 포함되어야 한다.

VDA6.3 Process Audit
> P2(Project Management)
> P3(Planning the product and process development)
> P4(Implementation of the product and process development)
> P5(Supplier Management)
> P6(Process analysis / production)
> P7(Customer care / customer satisfaction / service)

9.2.2.4. 제품 심사

조직은 제품과 서비스가 규격과 일치하는지 그 적합성을 검증하기 위해 생산과 인도의 적절한 단계에서 제품심사를 해야 한다. 일부 조직에서는 제품 심사를 검사 또는 신뢰성 시험과 혼동하는 경우가 있는데, 검사는 보통 양산 단계에서, 신뢰성 시험은 제품과 공정의 설계 및 개발 단계에서 제품의 적합성을 확인하는 하나의 절차이다. 제품 심사는 이와 별개로 조직이 생산하는 제품을 샘플링하여 해당 제품의 외관, 기능, 성능, 치수, 자재, 포장(라벨) 등을 요구사항인 규격과 비교하며 심사하는 것을 말한다. 고객에 의해 특별히 규정되지 않은 경우, 조직은 제품심사 방식을 규정해야 한다. 유럽계 자동차 산업에서는 'VDA6.5 Product Audit'을 채택하고 있으므로 이를 참조하길 바란다.

9.3. 경영검토/경영평가

9.3.1. 일반사항

최고경영자는 조직의 전략적 방향에 대한 품질경영시스템의 지속적인 적절성, 충족성, 효과성 및 정렬성을 보장하기 위하여 계획된 주기로 조직의 품질경영시스템을 검토하여야 한다.

경영검토란 조직의 전략적 방향에 대한 품질경영시스템의 적절성, 충족성, 효과성, 정렬성을 보장하기 위해 계획된 주기로 품질경영시스템을 검토하는 것을 말한다. 여기서 말하는 적절성, 충족성, 효과성, 정렬성을 품질경영시스템의 4대 검토 사항이라고 정의하겠다.

경영검토는 보통 주, 월, 분기, 반기, 연간 계획된 주기로 실시되어야 하나 최고경영자의 판단에 따라 다르다. 중요한 것은 품질경영시스템의 적절성, 충족성, 효과성, 정렬성 검토를 위해 구체적으로 어떤 항목을 어느 주기에 따라 점검할지 내부 결정이 선행되어야 한다는 것이다.

적절성(Suitability)	비즈니스 목적에 부합하는 품질경영시스템의 능력 > 비즈니스 실정에 맞는 절차서가 수립되어 있는가?
충족성(Adequacy)	ISO 9001표준의 전 요구사항을 충족하는 품질경영시스템의 능력 > ISO 9001 전 요구사항을 만족하고 있는가? 모자람이 없는가?
효과성(Effectiveness)	계획된 활동이 실현되어 계획된 결과가 달성되는 정도
정렬성(Alignment)	조직의 전략적 방향과 부합하는 정도 > 조직의 전략적 방향이 '최고 품질'라면 품질관리 중심의 프로세스 수립

적절성, 충족성, 효과성, 정렬성 비교

9.3.1.1. 일반사항 - 보충사항

경영검토는 최소 '매년' 실시되어야 한다. 경영검토의 빈도는 품질경영시스템의 성과와 위험에 따라 다르게 결정되어야 한다. 만약 조직의 품질경영시스템에 부적절한 변경이 발생하여 고객 불만족으로 이어진 경우나, 또 신제품 출시를 앞두고 있거나, 이미 출시되어 초기 품질을 모니터링하는 경우라면 경영검토의 빈도는 증가되어야 한다. 앞서 설명한 바와 같이 경영검토는 주, 월, 분기, 반기, 연간 계획된 주기로 실시되어야 하나 최고경영자의 판단에 따라 다르다.

9.3.2. 경영검토 입력

경영검토는 다음 사항을 고려하여 계획되고 수행되어야 한다.

a) 이전 경영검토에 따른 조치의 상태
b) 품질경영시스템과 관련된 외부 및 내부 이슈의 변경

c) 다음의 경향을 포함한 품질경영시스템의 성과 및 효과성에 대한 정보
1) 고객만족 및 관련 이해관계자로부터의 피드백
2) 품질목표의 달성 정도
3) 프로세스 성과, 그리고 제품 및 서비스의 적합성
4) 부적합 및 시정조치
5) 모니터링 및 측정 결과
6) 심사결과
7) 외부공급자의 성과

d) 자원의 충족성
e) 리스크와 기회를 다루기 위하여 취해진 조치의 효과성(6.1 참조)
f) 개선 기회

경영검토 입력이란 경영검토 회의에서 검토해야 할 '대상'을 말한다. 최고경영자의 성격과 가치관, 경영관에 따라 검토해야 할 항목이 다르지만 ISO 9001을 인증받은 조직이라면 최소 다음의 항목이 검토되어야 한다. 참고로 조직의 전략적 방향과 부합하는지, 수립된 목표가 달성되고 있는지, 그 정도를 쉽게 확인하기 위해서는 검토 항목에 가능한 정성적인 항목보다는 정량적인 항목을 포함하는 것이 좋다.

a) 경영검토 회의가 끝나면 각 항목별 개선 과제가 도출되어야 한다. 조직은 경영검토 회의에서 이전의 경영검토 회의에서 도출된 개선 과제의 실행 여부를 검토해야 한다. 이는 식별된 문제와 개선 과제의 진행 상황을 추적하는 데 도움이 된다.

b) 하루가 다르게 변화하는 비즈니스 환경에서는 다양한 내외부 이슈가 추가로 발생하거나 변경된다. 내외부 이슈가 조직의 품질경영시스템과 관련되어 있다면 이 또한 경영검토 회의에서 검토되어야 한다. 외부 이슈로는 시장의 동향과 고객 선호도, 경쟁 환경의 변화 등이 있고, 내부 이슈로는 조직 개편, 예산, 기술, 품질의 변화 등이 있다.

c) 품질경영시스템의 성과와 효과성은 최소 다음의 경향을 통해 검토되어야 한다. 조직의 주요성과지표에 다음의 항목이 효과성 지표로 수립되어 있는지 확인하길 바란다.

1) 이해관계자로부터 접수된 긍정적, 부정적 의견, 해당 내용과 정도
2) 조직이 수립한 품질목표의 달성 정도
3) 수립된 프로세스의 운용 성과와 제품과 서비스의 적합성
4) 발생한 부적합품과 그에 따른 시정조치
5) 품질경영시스템의 모니터링과 측정 결과
6) 내외부 심사 결과
7) 외부공급자의 주요성과지표

d) 품질경영시스템을 운용하기 위한 자원(인원, 인프라, 기술, 재정 등)이 충분한지 검토되어야 한다. 특히 신제품을 개발하고 있거나 향후 계획하고 있다면 현 자원의 양적 능력과 질적 능력을 분석하여 조직의 비즈니스 전략에 따라 투자를 결정해야 한다.

e) 6.1항에서 내외부 이슈와 이해관계자의 니즈와 기대를 고려하여 리스크와 기회를 파악하고, 그에 따른 조치를 결정한 후 실행했다. 경영검토에서 그 조치의 효과성을 검토하는 것은 품질경영시스템의 대응력과 복원력, 그리고 지속적 개선을 촉진하기 때문이다.

f) 개선의 기회가 검토되어야 한다.

9.3.2.1. 경영검토 입력 - 보충사항

앞서 살펴본 경영검토 입력 항목 외 검토 항목이 추가되었다. 품질경영시스템을 주관하는 부서나 경영검토를 주관하는 품질기획 부서는 경영검토 회의에서 검토해야 할 '전 항목'을 기반으로 관련 자료를 준비하는 것이 좋다. 그렇지 않으면 경영검토 입력 항목과 별개로 회의가 진행되어 향후 품질경영시스템 인증 심사 시 좋지 못한 결과를 얻을 수 있다.

a) 내외부 부적합 비용이 검토되어야 한다. 보통 품질 비용(Quality Cost)이라고 한다. 품질 비용은 내외부로 구분할 수 있다. 1) 내부 비용(Internal Quality Cost)은 제품 생산 과정에서 부적합품이 발생하여 폐기, 재작업, 수리, 재시험 등에 드는 비용을 말하고, 2) 외부 비용(External Quality Cost)은 보증 기간 내 또는 이후에 부적합품이 발생하여 고객으로부터 청구되는 비용을 말한다. 추가로 3) 평가 비용(Appraisal Cost)은 검사, 시험, 심사, 교정 등의 활동에서 발생하는 비용을 말하고, 4) 예방 비용(Prevention Cost)는 품질 기획, 공정 개선, 교육 훈련 등의 활동에서 발생하는 비용을 말한다. 조직은 상기의 4가지 품질 비용을 구분하여 경영검토 회의에서 검토해야 한다.

b) 조직의 핵심성과지표를 기반으로 프로세스의 효과성이 검토되어야 한다. 이는 최고경영자를 포함한 경영진이 조직의 프로세스가 얼마나 잘 작동하는지, 수립한 목표를 달성하고 있는지, 개선이 필요한 부분이 있는지를 이해하는 데 도움이 준다.

> 비즈니스 전략 및 기획 프로세스: 매출 달성율

> 공급망 관리 프로세스: 고객 납기율

> 엔지니어링 프로세스: 개발 일정 준수율

> 생산 프로세스: 생산량 달성율, 수율

> 구매: 자재 입고율

c) 조직의 핵심성과지표를 기반으로 프로세스의 효율성이 검토되어야 한다. 조직의 자원(시간, 인력, 자재, 장비 등)이 얼마나 사용되고 있는지, 설비 가동률은 좋은지, 재작업이나 대기, 중복 활동과 같은 기타 낭비 요인은 없는 지에 대한 검토가 되어야 한다.

d) 제품이 해당 최신 규격에 맞게 생산되고 있는지 제품의 적합성이 검토되어야 한다. 제품이 양산된 후 고객의 요구사항에 따라 수많은 변경 사항이 발생될 수 있는데 통상 제품 변경 전 규격이 먼저 변경된다. 그러나 원활하지 못한 업무 흐름과 의사소통으로 인해 제품과 규격이 불일치하는 경우가 발생한다. 따라서 현시점에서 생산되는 제품이 실제 최신 규격과 일치하는지 정기적인 검토가 요구된다. (규격 부품 일치성 검토)

e) 신제품, 신규 설비, 기존 운용의 변경에 대한 제조 타당성 평가가 검토되어야 한다. 변경 사항이 발생하면 그에 따른 리스크가 동반된다. 따라서 변경 전 Feasibility Study와 같은 타당성 평가가 선행되어야 한다. (7.1.3.1항 참조)

f) 9.1.2항에서 살펴보았듯이 다음 항목에 대해 검토되어야 한다.

> 고객 설문조사

> 인도된 제품 또는 서비스에 대한 고객 피드백

> 고객과의 미팅, 시장점유율 분석

> 고객의 칭찬, 보증 클레임

> 판매업자 보고서

g) 보전 일정, OEE, MTBF, MTTR, 설비 등급, Spare part 등을 포함하여 다음 항목이 검토되어야 한다. 이는 경영진이 중요 자산의 신뢰성과 가용성, 그리고 운영의 연속성을 평가하고, 유지 보수를 위한 자원(인원, 비용, 부품 등)을 할당하는데 도움이 준다.

> 예방보전(Preventive Maintenance): TBM, CBM
> 사후보전(Breakdown Maintenance): PBM, EBM
> 개량개선(Corrective Maintenance)
> 보전예방(Maintenance Prevention)

h) 제품 보증 성과가 검토되어야 한다. 이는 조직의 제품이 고객의 기대치를 얼마나 충족하는지에 대한 통찰력을 제공하고, 고객 만족과 신뢰를 유지하는 데 중요한 역할을 한다.
> 초기품질 PPM: 인도 후 3개월 이내 발생된 부적합품 비율
> 내구품질 PPM: 인도 후 12개월 이내 발생된 부적합품 비율
> 월별 매출 대비 변제된 보증 클레임 비용

i) 고객 스코어카드가 검토되어야 한다. 고객 스코어카드는 조직이 공급한 제품의 품질, 납기 등의 성과를 기록한 문서라고 이해하면 된다. 이는 고객이 제공하는 경우도 있고, 제공하지 않는 경우도 있다. 일반적으로 고객의 포털에서 확인이 가능하다.

j) 필드에서 발생할 수 있는 잠재적 고장모드가 FMEA와 같은 리스크 분석 방법론을 통해 파악되고 있음을 검토해야 한다. (필드 고장 분석과 FMEA 연계 반영)

k) 필드에서 발생한 부적합이 안전이나 환경에 영향이 없는지 검토되어야 한다. 안전과 관련되어 있다면 특별 특성으로 지정하고, 환경과 관련되어 있다면 시스템을 개선하거나 재질이 변경되어야 한다. (법적, 규제적 요구사항)

9.3.3. 경영검토 출력

경영검토의 출력사항에는 다음 사항과 관련된 결정과 조치가 포함되어야 한다.

a) 개선 기회
b) 품질경영시스템 변경에 대한 모든 필요성
c) 자원의 필요성

조직은 경영검토 결과의 증거로, 문서화된 정보를 보유하여야 한다.

경영검토의 출력은 입력 사항 검토 후 품질경영시스템의 효과성을 높이기 위해 추가 필요한 조치를 결정하는 것이다. 경영검토 회의에서 최고경영자나 임원진의 경영검토 입력 사항에

대한 피드백이라고 할 수 있다. 부족한 부분이 있으면 개선에 대한 피드백이 있을 것이고, 잘한 부분이 있으면 수평 전개나 더 발전하기 위한 피드백이 있을 것이다. 어떤 피드백이든 조직이 수립한 품질경영시스템의 적절성, 충족성, 효과성, 정렬성을 보장하기 위한 것이어야 한다.

만약 조직이 비즈니스의 전략과 관련이 없는 회의를 하고 있거나, 입력물의 진행 현황을 단순히 형식적인 선에서 검토나 피드백하는 회의를 하고 있다면 즉시 멈추어야 한다. 앞에서는 밤새워 준비한 자료를 발표하고, 뒤에서는 팔짱을 끼고 앉아 자료의 질이나 평가하는 행위는 비즈니스에 아무런 도움이 되지 않는다. 피드백은 수행의 질을 평가하고 충고하기 위한 수단이 아니기 때문이다. 진정한 피드백은 "우리가 어떻게 개선할 수 있는가? 제약 사항은 무엇인가?"에 관한 것이다. 그럼 무엇을 결정하고 개선해야 하는지 알아보자.

a) 경영검토 입력 검토 후 각 항목에 따라 개선의 기회가 도출되어야 한다. 모든 입력 사항이 원활하게 진행되어 100% 이상의 성과를 달성하고 있다면 150%, 200%를 향한 개선의 기회가 도출되어야 하고, 100% 미만의 저조한 성과를 내고 있다면 100%를 향한 개선의 기회가 도출되어야 한다. (개선을 위한 우선순위, 책임, 자원, 일정 등 할당)

b) 조직의 더 나은 성과를 위해 품질경영시스템을 변경해야 한다면 이를 결정해야 한다. 예를 들어 필드에서 발생한 부적합품의 처리 기간이 너무 길어 지속적으로 고객 불만이 야기되고 있다면 간소화 방안이 결정되어야 한다. (품질경영시스템 측면 고려)

c) 9.3.2항 경영검토 입력 사항의 d)에서 자원의 충족성에 대해 검토했다. 필요에 따라 인원의 충원, 추가 설비 투자, 추가 교육 훈련, 예산 할당 등의 조치가 이루어져야 한다.

주관 부서는 경영검토 회의를 시작하기 전 검토 항목이 포함된 의제와 회의록을 비롯한 문서화된 정보를 준비해야 한다. 경영검토가 수행되었다는 증거로 참석자 명단, 검토의 입력 사항와 출력 사항 등의 문서화된 정보가 보유되어야 한다.

9.3.3.1. 경영검토 출력 - 보충사항

최고경영자는 고객이 제공한 성과지표가 충족되지 않은 경우, 개선을 위한 조치 계획을 문서화하고 실행해야 한다. 고객의 성과지표는 조직에 의해 결정될 수도 있고, 고객이 고객지정 요구사항(CSR, Customer Specific Requirement)에 포함하여 제공될 수도 있다. (특히 제품과 서비스와 관련된 성과지표)

생각해 보기

내부심사, 십수년 간 내부심사를 해왔고, 또 타 조직의 내부심사 결과를 봐왔다. 대기업이든 중소기업이든 조직의 규모를 막론하고 대부분이 형식에 가까운 내부심사를 하고 있었다. 내부심사의 목적을 들여다보면 그 중요성이 보인다. 내부심사는 조직의 품질경영시스템을 평가하는 하나의 방법론이다. 따라서 수면위로 드러나지 않는 문제점을 드러내면 드러낼수록 조직의 품질경영시스템은 더욱 개선될 수 있다. 그러나 현실은 그 반대로 되어가고 있다. 조직은 내부심사의 중요성을 알면서도 왜 형식적이고, 무의미한 내부심사를 하는 것일까?

a) 첫째는 최고경영자를 포함한 경영진과 팀 리더의 관심 부재 때문이다. 경영진에서 관심이 없으니 하위 팀에서 관심이 없는 것은 상하 구조의 조직 사회에서 당연한 현상이다. 내부심사를 위한 시작회의에서 최고경영자나 경영진 또는 팀 리더가 참여하는 것을 얼마나 보았는가? 대부분이 실무자 선에서 진행된다.

b) 둘째는 공과 사의 구분이 어렵다. 본문에서 설명했지만, 조직 내 한 단위 조직이 다른 단위 조직을 평가한다는 것이 연공서열 문화의 대한민국 정서상 쉽지 않다. 직장이나 학교 선배가 내부심사를 대응하는 경우 여러 불편함이 있는 건 사실이다. 개선되어야 할 문제점보다 피심사자에게 유리한 한두 건의 문제점을 도출하는 것은 오히려 낭비다.

형식적인 내부심사가 아닌 조직의 품질경영시스템 개선에 도움이 될 수 있는 내부심사가 되어야 한다. 최고경영자를 포함한 경영진과 팀 리더, 그리고 모든 구성원이 내부심사의 중요성을 인식하고, 품질 기반의 조직 문화를 형성해야 가능한 일이 아닐까?

개선

개선은 KANO 모델의
'필수적 품질'에서 시작되어야 한다.

10. 일반사항

10.1. 일반사항

조직은 개선 기회를 결정, 선택하여야 하며, 고객 요구사항을 충족시키고 고객만족을 증진시키기 위하여 필요한 모든 조치를 실행하여야 한다. 조치에는 다음 사항이 포함되어야 한다.

a) 요구사항의 충족뿐만 아니라, 미래의 니즈와 기대를 다루기 위한 제품 및 서비스의 개선
b) 시정, 예방 또는 바람직하지 않는 영향의 감소
c) 품질경영시스템의 성과 및 효과성 개선

비고: 개선에는 시정, 시정조치, 지속적 개선, 획기적인 변화, 혁신 및 조직 개편이 포함될 수 있다.

개선(Improvemet)이란 무엇인가? ISO 9000에서는 성과를 향상시키기 위한 활동이라고 정의했다. 따라서 조직은 현재의 성과에 만족하지 않고 고객만족(Customer Satisfaction)을 증진하기 위한 추가적인 개선 활동을 해야 한다. 그럼 조직은 어느 정도까지 고객만족을 증진해야 할까? 이를 위해서는 1980년대 카노 노리아키 교수에 의해 개발된 '카노 모델(Kano Model)'을 이해해야 한다. 카노 모델은 상품 기획을 위한 이론이다. 카노 모델에 의하면 고객이 인식하는 품질은 5가지로 나뉜다.

첫 번째는 '필수적 품질(Must-be Quality)'이다. 고객은 제품과 서비스가 본래의 기능을 구현하지 못하면 불만을 제기한다. 그러나 본래의 기능이 구현된다고 해서 만족하지는 않는다. 말 그대로 제품과 서비스에 반드시 포함되어야 하는 필수적 기능이기 때문이다. 예를 들면 자동차 브레이크의 제동 기능, 썬팅 필름의 자외선 차단 기능, 테이프의 접착 기능, 냉장고의 냉장 기능 등이 있다.

두 번째는 '일원적 품질(One-dimentional Quality)'이다. 고객은 제품과 서비스가 본래의 기능을 구현하면 만족한다. 그러나 본래의 기능이 구현되지 못하면 불만을 제기한다. 이는 고객과의 약속, 신뢰 문제와 직결된다. 예를 들면 자동차 정비 항목에 따른 정비 시간 준수, 정품 휘발유 공급, 원산지 표기에 맞는 제품 공급 등이 있다.

세 번째는 '매력적 품질(Attractive Quality)'이다. 제품과 서비스가 일원적 품질 수준을 능가하면 고객만족은 더욱 보장된다. 그러나 이를 충족하지 못하더라도 고객 불만은 제기되지 않는다. 예를 들면 타이어 수명의 연장, 배터리의 잔량 표시 등이 해당한다.

네 번째는 '무관심 품질(Indifferent Quality)'이다. 이는 품질 요소가 좋은 것도 나쁜 것도 아닌 것을 말한다. 경쟁사의 제품과 서비스보다 더 나은 품질 요소가 없기 때문에 비즈니스의 연속성을 보장하기 어렵다.

마지막은 '역 품질(Reverse Quality)'이다. 고객은 제품과 서비스가 본래의 기능을 구현하면 불만을 제기하고, 본래의 기능을 구현하지 못하면 만족한다. 과연 이러한 경우가 있을까 생각하겠지만 최근 자동차 산업의 급격한 변화에서 찾아볼 수 있다. 자동차 내부의 Dashboard에서는 더 이상 다이얼 방식이나 버튼 방식의 컨트롤러를 찾아보기 힘들다. 클러스터, 온도 조절 장치, 오디오, 네비게이션 모두 하나의 디스플레이 패널에서 구현되기 때문이다. 이는 오늘날 최첨단 디지털 시대에 부합하는 차량 시스템이지만 기성세대의 경우에는 사용의 불편함으로 불만을 제기할 수 있다. 반대로 기존 다이얼 방식이나 버튼 방식을 유지한다면 제품의 경쟁력을 확보할 수 없다. 그렇게 되면 현세대의 경우에는 타사의 최첨단 제품을 찾아 나설 것이다.

개선하는 방법에는 여러 가지가 있다. 현상(부적합)을 제거하는 시정, 원인을 제거하는 시정조치, 지속적인 개선, 획기적인 변화, 혁신과 조직 개편 등을 통해 개선이 이루어질 수 있다. 중요한 것은 모두 카노 모델의 필수적 품질을 '능가'하는 것이야 한다.

여기에서 우리는 'Continual Improvement'와 'Continuous Improvement'의 차이를 이해해야 한다. 두 용어 모두 지속적 개선으로 풀이되지만 약간의 의미 차이가 있다. 둘의 가장 큰 차이는 개선의 '방법'이라고 할 수 있다. 먼저 Continual Improvement는 W. Edwards Deming이 처음 도입한 개념으로 'Go...Stop...Go...Stop...'과 같은 개선이다. 보통 기존의 안정적인 시스템을 변경하고 개선하는 데 사용된다. 예를 들면 어떤 제품의 공정능력이 1.67 이상(고객의 요구사항을 만족하는 수준)이라면 추가 개선의 선택은 조직의 몫이다. 이것이 Continual Improvement이다.

Continuous Improvement는 기존의 제품과 서비스에서 선형적이고 점진적인 개선에 중점을 둔다. 'Go...Go...Go...'와 같은 끊임없는 선형적 개선을 말하고, Kaizen, 5S, Lean, 6 Sigma 등이 모두 여기에 해당한다. 10항에서 말하는 개선은 개선 대책과 같은 Continual Improvement에 가깝다. 개선에는 다음 항목이 포함되어야 한다.

a) 제품과 서비스의 스펙을 충족하기 위한 개선이 요구된다. 여기에 더하여 고객이 요구할 수 있는 니즈와 기대에 부합하기 위한 선제적 개선이 이루어져야 한다. (선제적 개선은 자동차 산업에서 매우 강조함)

b) 조직은 발생한 부적합품에 대해 시정해야 하고, 부적합품이 발생되지 않도록 예방해야 한다. 바람직하지 않은 영향은 발생할 수 있는 리스크를 말하며, 리스크를 줄이기 위한 FMEA와 같은 활동이 요구된다.

c) 조직은 제품과 서비스의 개선뿐만 아니라 품질경영시스템의 성과와 효과성을 개선해야 한다. 따라서 조직은 더 나은 방법, 예를 들면 프로세스의 순서, 상호작용, 입력항목, 출력항목, 방법, 환경, 자원, 리스크와 기회, 주요성과지표 등을 끊임없이 연구하고 개선해 나아가야 한다.

10.2. 부적합 및 시정조치

10.2.1.

불만족에서 야기된 것을 포함하여 부적합이 발생하였을 때, 조직은 다음 사항을 실행하여야 한다.

a) 부적합에 대처하여야 하며 해당되는 경우, 다음 사항이 포함되어야 한다.
1) 부적합을 관리하고 시정하기 위한 조치를 취함
2) 결과를 처리함

b) 부적합이 재발하거나 다른 곳에서 발생하지 않게 하기 위해서, 부적합의 원인을 제거하기 위한 조치의 필요성을 다음 사항에 의하여 평가하여야 한다.
1) 부적합의 검토와 분석
2) 부적합 원인의 결정
3) 유사한 부적합의 존재 여부 또는 잠재적인 발생 여부 결정

c) 필요한 모든 조치의 실행
d) 취해진 모든 시정조치의 효과성 검토
e) 필요한 경우, 기획 시 결정된 리스크와 기회의 갱신
f) 필요한 경우, 품질경영시스템의 변경

시정조치는 직면한 부적합의 영향에 적절하여야 한다.

우리는 8.7항에서 부적합 출력의 관리에 대해 살펴봤다. 8.7항은 부적합 출력의 의도되지 않은 사용이나 인도를 예방하기 위한 것이었다. 본 조항은 8.7항의 연장선으로 부적합 출력이 발생했을 경우, 향후 재발하지 않도록 그 원인을 제거하기 위한 것이다. 먼저 우리는 본 요구사항을 이해하기 위해 제품과 서비스에 대한 '부적합(Nonconformity)', '시정(Correction)', 그리고 '시정조치(Corrective action)'의 용어에 대해 이해해야 한다.

3.6.9 부적합	요구사항의 불충족
3.12.3 시정	발견된 부적합을 제거하기 위한 행위 비고 1: 시정은 시정조치 전에, 시정조치와 연계하거나 그 이후에 수행될 수 있다. 비고 2: 시정은 예를 들면, 재작업 또는 재등급이 될 수 있다.
3.12.2 시정조치	부적합의 원인을 제거하고 재발을 방지하기 위한 조치 비고 1: 부적합의 원인에는 하나 이상의 원인이 있을 수 있다. 비고 2: 시정조치는 재발을 방지하기 위해 취해지는 반면, 예방조치는 발생을 방지하기 위하여 취해진다.

a) 부적합 발생 시 다음 사항을 포함하여 시정해야 한다.

1) 조직은 제품과 서비스에 부적합이 발생하면 시정 계획을 수립해야 한다. 부적합 현상의 심각도, 비용, 일정, 인원, 장소 등을 고려하여 구체적인 시정 계획을 수립하고, 수립한 시정 계획에 따라 부적합의 '현상'을 제거하기 위한 후속 조치를 전개해야 한다. 부적합의 시정 계획에는 선별, 식별, 격리, 봉쇄 등의 활동이 포함된다.

2) 부적합이 제대로 시정되었다면 부적합의 '현상'은 더 이상 눈에 보이지 않아야 한다. 현상이 제거되었기 때문이다. 이후 조직의 제품과 서비스에 긍정적인 평판이 유지될 수 있도록 보상이나 환불을 통해 부적합의 결과가 해결되어야 한다. 만약 부적합으로 인해 고객 만족도가 떨어졌다면 관계 복구를 위한 홍보 활동이나 무상 제품 불출 등의 기타 서비스 활동이 수행되어야 한다.

b) 조직은 부적합이 재발되지 않도록 부적합의 '원인'을 파악하고 분석하여 이를 제거하기 위한 조치의 필요성을 검토해야 한다. 그리고 부적합이 발생된 LOT, 시기, 장소, 시험과 같은 모든 관련 데이터를 수집하는 것으로 프로세스를 시작해야 한다. 이는 부적합의 범위를 명확하게 이해하는 데 도움을 준다. 부적합의 발생 원인은 모든 4M(Man, Machine, Method, Material) 측면에서 파악되어야 한다. 그리고 가장 영향력이 있는 원인 인자가 결정되어야 한다. 원인 인자가 결정되면 다음은 왜 발생했고, 또 유출되었는지를 꼬리에 꼬리를 물어가며 근본 원인을 찾는 데 집중해야 한다. 조직에서는 보통 Fishbone Diagram을 사용하여 원인 인자를 파악하고, Voting을 통해 가장 영향력 있는 원인 인자를 선별하여 5Why로 근본 원인을 찾는 데 집중한다. 또 유사한 부적합이 다른 영역에는 존재하지 않는지 그 잠재적인 발생 가능성이 결정되어야 한다.

1) 부적합을 면밀히 검토하고 분석
2) 검토, 분석 후 부적합의 원인 결정(제거하기 위한 원인)
3) 유사한 부적합의 존재 여부 또는 잠재적 발생 가능성을 결정

c) 이제 본격적으로 원인을 제거하기 위한 개선 대책이 수립되어야 한다. 다시 한번 말하지만 본 단계에서는 시정이 아닌 시정조치가 수립되어야 한다. 개선 대책은 발생과 유출 관점에서 수립되어야 한다. 발생과 유출 관점 모두 향후에 재발되지 않도록 '시스템적'으로 개선하는 것이 핵심이다. 예를 들어 발생에 대한 개선 대책에는 규격 강화, 설비 개선, 작업자 교육, 5M1E 강화 등이 있고, 유출에 대한 개선 대책에는 시험 조건 변경, 원부자재 검사, 공정 검사, 최종 검사 강화 등이 있다. 검사에 대한 강화 활동에는 200% 검사, 전수 검사, 비전 검사 등이 있다.

d) 수립한 개선 대책의 효과성이 검토되어야 한다. (일정 기간 재발 여부 확인)
e) 발생한 부적합이 리스크 또는 기회와 관련되어 있다면 이를 갱신해야 한다.
f) 필요한 경우, 품질경영시스템이 변경되어야 한다.

10.2.2.

조직은 다음 사항의 증거로, 문서화된 정보를 보유하여야 한다.

a) 부적합의 성질 및 취해진 모든 후속조치
b) 모든 시정조치의 결과

조직은 발생한 모든 부적합에 대해 시정조치 결과를 문서화된 정보로 보유해야 한다. 문서화된 정보의 데이터가 많아지면 신규 설계 및 개발 시 이를 유용하게 활용할 수 있다. 조직은 재정적 여건이 된다면 부적합 관리를 위한 데이터베이스를 구축하는 것이 좋다. 데이터베이스를 활용하면 제품과 서비스, 내부심사, 2자 심사, 3자 심사 등에서 발생하는 모든 부적합에 대한 관리가 용이해진다.

a) 부적합에 대한 모든 시정과 시정조치
b) 모든 시정조치의 결과
  > 개선 유효성 확인
  > 관련 표준류 반영

10.2.3. 문제 해결

본 조항은 10.2.1항의 연장선이다. 발생한 부적합의 문제 해결을 위해 각 단계별 요구사항에 대해 좀 더 구체적으로 살펴볼 것이다. 특히 자동차 산업에서 주로 사용하는 8D 보고서와 A3 보고서라고 하는 문제 해결 방법론에 대해 설명하고자 한다. 사실 8D 보고서는 이제 자동차 산업뿐만 아니라 일반 제조업에서도 흔하게 쓰이는 방법론이다. 조직은 다음 사항을 포함하여 문제 해결을 위한 문서화된 프로세스를 수립해야 한다.

a) 발생한 부적합의 영역이나 정도에 따라 문제 해결을 위한 접근 방법이 다르다. 부적합은 신제품 개발, 제조 공정, 필드, 심사 등에서 발견될 수 있는데, 각 영역별로 문제 해결 방법론이 다르게 쓰일 수 있다는 말이다. 조직의 비즈니스 전략과 목적에 큰 위험이 없는 경우, 간단히 AS IS - TO BE 모델로 문제를 해결할 수 있다. 반면 심각한 품질 사고가 발생했을 경우, 8D 보고서와 같은 방법론을 사용하여 문제를 해결해야 한다. 어떤 문제 해결 방법론을 사용해야 한다는 절대적인 규정은 없다. 고객의 요구사항과 조직의 효율성과 효과성을 고려하여 조직이 선택하면 된다.

b) 10.2.1항에서는 부적합 발생 시 시정 활동에 대해 설명했다. 시정 활동을 임시 조치 또는 Containment Action이라고도 하는데, 부적합의 시정 활동에는 선별, 식별, 격리, 봉쇄 등의 활동이 포함된다.

선별(Sorting)	합격품과 의심 또는 부적합품을 물리적으로 분리하는 활동
식별(Identification)	합격품과 의심 또는 부적합품이 시각적으로 분별될 수 있도록 가시화하는 활동(태그 꼬리표 부착, 마킹 등)
격리(Segregation)	의심 또는 부적합품이 의도되지 않은 용도로의 사용을 방지하는 활동 (특정 구역에 의심 또는 부적합품을 보관)
봉쇄(Containment)	후속 공정으로 유출되는 것을 막기 위한 활동 (물리적인 잠금장치, 전산 봉쇄 등)

선별, 식별, 격리, 봉쇄의 정의

c) 원인을 분석하기 위한 특정 방법론이 사용되어야 하고, 분석 결과는 기록되어야 한다. 앞서 설명한 바와 같이 특정 방법론은 발생과 유출 관점에서 Fishbone Diagram과 5Why가 일반적으로 사용된다. Fishbone Diagram은 생긴 모양이 생선뼈처럼

생겼다고 해서 붙여진 이름이다. 일본의 통계학 박사 카오루 이시카와가 발명했다고 해서 'Ishikawa Diagram'이라고도 부른다. 5Why는 자동차 산업뿐만 아니라 전 산업군에서 사용하는 원인 분석 방법론이다. 첫 번째 Why를 시작으로 마지막 Why까지 근본 원인을 찾은 후 이를 제거하기 위한 개선점을 도출하는 데 매우 유용한 방법론이다.

d) 개선대책 또한 발생과 유출 관점에서 수립되어야 하고 시스템적인 개선이 요구된다. 발생에 대한 개선 대책에는 규격 강화, 설비 개선, 작업자 교육, 5M1E 강화 등이 있고, 유출에 대한 개선 대책에는 시험 조건 변경, 원부자재 검사, 공정 검사, 최종 검사 강화 등이 있다. 이러한 개선 활동을 위해 Brainstorming, 5S, PokaYoke, Simulation, Benchmarking, DMAIC, Lean Six Sigma 등의 방법론이 사용될 수 있다.

e) 시행된 시정조치의 효과성이 검증되어야 한다. 검증 방법에는 부적합품의 경우, 해당 공정에서 생산된 제품 LOT를 일정기간 샘플링하고 검증하여 Trend Chart에 기록하는 방법이 있다. 기업에서는 보통 3개월 또는 3 LOT를 모니터링한다. (유효성)

f) 시정조치의 유효성이 검증되었다면 품질경영시스템의 모든 관련 문서가 갱신되어야 한다. 설계, 제조 공정과 관련이 되어 있다면 DFMEA, PFMEA, Control Plan, 작업 표준서, 검사 표준서 등이 갱신되어야 하고, 필요시 관리자와 작업자를 위한 교육훈련이 시행되어야 한다.

고객이 문제 해결을 위해 제공한 프로세스, 도구, 시스템이 있다면 조직은 이를 사용해야 한다. 보통 고객이 제공하는 개선대책서 양식이 있는데, 해당하는 경우, 고객의 요청사항에 따라 진행하면 된다. (General Motors: 8D Report)

10.2.4. 실수방지

조직은 적절한 실수 방지 방법론을 사용하기 위한 문서화된 프로세스를 수립해야 한다. 실수 방지란 'PokaYoke'라고 하는 일본식 용어로 'Mistake Proofing'이라고도 하며, 특히 설비 운용 시 의도하지 않은 부적합 발생을 예방하도록 돕는 하나의 메커니즘이다.

> Poka: The unintended failure
> Yoke: To avoid or to prevent

기업마다 정의하는 PokaYoke 방법론이 조금씩 다르지만 필자는 크게 3가지 유형의 PokaYoke가 있다고 생각한다. 먼저 '제품 PokaYoke'는 서로 다른 제품 설계의 상호 작용을 말한다. USB나 SIM 카드와 같은 서로 다른 구성 요소 간의 오장착을 예방하기 위한 것이다.

'공정 PokaYoke'는 제품과 공정 설계의 상호 작용을 말한다. 어느 한 부품을 특정 공정에서 조립한다고 했을 때 오조립이나 역 조립을 할 수 있는 리스크를 사전에 예방하기 위한 것이다. 제조 공정에서 사용하는 조립용 지그나 고정구가 공정 PokaYoke의 일부로 생각할 수 있다.

마지막으로 '사전 점검 PokaYoke'가 있다. 부적합품이 특정 생산라인에 존재한다고 했을 때 후속 공정으로 가기 전 사전에 차단(중지)해야 한다. 해당 생산라인의 센서 시스템을 이용하여 사전에 차단하는 것을 말한다.

주의할 것은 EOL(End Of Line)의 Vision Test와 같은 검출과는 다른 개념이다. 검출은 이미 조립된 상태의 제품이 적합한지를 탐지하는 것을 말한다. 검출의 경우, 이미 해당 공정을 지나 조립이 완료된 상태이기 때문에 비용(Cost)이 발생한다. 제품, 공정, 사전 점검 PokaYoke는 모두 '사전 예방 활동'이다. PokaYoke는 PFMEA와 Control Plan에 문서화되어야 하고, 주기적으로 고장 여부를 점검하고 기록해야 한다.

PokaYoke가 정상적으로 작동하는지를 점검하기 위한 방법으로 OK/NG Master Sample이 사용되는 경우가 있다. 이런 경우, Master Sample은 식별되어야 하고, 주기적인 유효기간 관리와 검증, 교정 활동이 요구된다. 만약 PokaYoke 시스템에 문제가 발생했을 경우, Control Plan의 대응 계획에 따라 후속 처리되어야 하고, 대응 계획의 일환으로 '우회 공정'으로 전환될 수 있다. (8.5.6.1.1 공정관리의 임시 변경)

10.2.5. 보증 관리 시스템

조직의 제품이 품질 보증 정책에 적용되는 경우, 조직은 '보증 관리 프로세스'를 실행해야 한다. 보증 기간 내에 부적합품이 발생했다는 것은 제품의 초기 품질이나 내구 품질이 다소 떨어진다는 말이다. 따라서 조직은 조직이 수립한 보증 관리 프로세스에 따라 해당 부적합품의 현상이 재현될 때까지 모든 '방법론'을 동원하여 분석하려고 노력해야 한다. 만약 모든 방법론을 동원했음에도 부적합품의 현상을 재현할 수 없거나 원인을 찾을 수 없는 경우 'NTF(No Trouble Found)'로 분류한다. 만약 고객이 특정 보증 관리 프로세스를 제공했다면, 고객의 기대에 부응하고, 선호도에 부합하려는 노력으로 이를 따라야 한다. (필드 클레임 관리)

10.2.6. 고객 불만과 필드 고장 시험 분석

본 조항에서는 보증 기간 이후 또는 양산이 중단된 이후 발생한 부적합품을 포함한다. 조직은 고객이 참여하는 개발 단계에서 부적합품이 발생했을 경우, 성공적인 양산 이관을 위해 적극적으로 문제 해결에 집중한다. 그러나 양산이 종료된 AS 제품에서 부적합품이 발생했을 경우, 이를 대수롭지 않게 여기는 경향이 있다. 1) 조직은 '모든' 반송된 제품을 포함하여 고객 불만과 필드 고장 시험 결과를 분석해야 하고, 2) 앞에서 설명한 문제 해결과 동일하게 재발 방지를 위한 시정조치를 해야 한다. 3) 여기에는 고객의 시스템에 장착된 조직의 제품 소프트웨어의 상호작용에 대한 분석도 포함되어야 한다. 4) 그리고 분석된 결과는 관련 이해관계자에게 공유되고, 의사소통에 활용되어야 한다. (필드 고장 분석)

10.3. 지속적 개선

조직은 품질경영시스템의 적절성, 충족성 및 효과성을 지속적으로 개선하여야 한다. 조직은 지속적 개선의 일부로서 다루어야 할 니즈 또는 기회가 있는지를 결정하기 위하여, 분석 및 평가의 결과, 그리고 경영검토의 출력사항을 고려하여야 한다.

조직은 품질경영시스템의 적절성(Suitability), 충족성(Adequacy) 그리고 효과성(Effectiveness)을 지속적으로 개선해야 한다. 필자는 2016년 Jaroslav Nenadal의 논문, 'Adequacy, Suitability, Effectiveness and Efficiency of Quality Management Systems: How to Perceive and Assess them?'을 참고했다.

적절성 개선은 '어울리는 정도'로 조직의 품질경영시스템이 조직이 지향하는 목적과 얼마나 부합하는지 그 정도를 개선하는 것이다. 예를 들어, 조직이 수립한 프로세스를 운용하기 위해 정의된 자원이 제공되어야 하나 다른 자원이 제공되었다면 적절하다고 볼 수 없다. 충족성 개선은 '모자람이 없는 정도'로 조직이 수립한 품질경영시스템이 법규, 국제 표준, 산업 표준, 고객지정 요구사항, 절차서 등을 얼마나 충족하는지 그 정도를 개선하는 것이다. 이를 충족하면 적합성(Conformity)이 보장되었다고 한다.

조직은 분석과 평가 결과 그리고 경영검토의 출력을 토대로 추가 해결해야 할 니즈나 기회가 있는지를 파악해야 한다. 데이터 분석 시 특이 패턴이나 이상점이 관찰되면, 제품과 서비스의 품질, 프로세스의 효율성과 효과성, 고객 만족, 프로세스 준수 등으로 개선 영역을 분류한다. 그리고 우선순위를 지정하여 자원을 할당받아 실행 계획을 수립하고, 수없는 의사소통과 피드백의 반복으로 지속적 개선을 실현해야 한다. 경영검토의 출력 또한 체계적으로 고려하여 개선의 노력을 전략적 우선순위에 맞춰야 한다.

10.3.1. 지속적 개선 - 보충사항

조직은 지속적 개선을 위한 '문서화된 프로세스'를 수립해야 한다. 이는 조직의 효율성을 극대화하여 비용을 절감하고, 가동률을 높이며, 일관성 있는 제품과 서비스의 품질을 보장한다. 이러한 체계적인 접근은 품질 기반의 지속적 개선 문화를 조성하여 궁극적으로 조직의 성장과 경쟁력 향상으로 이어진다. 그러면 기존의 안정적인 시스템을 개선하는 데 무엇이 필요할까?

a) 지속적 개선을 위한 방법론, 개선 목표, 측정 방법, 효과성, 문서화된 정보
b) 제조 공정의 변동과 낭비를 줄일 수 있는 개선 계획
c) FMEA와 같은 잠재적 고장 모드를 사전에 파악하고, 제거, 그리고 관리하는 리스크 분석

지속적 개선은 제조 공정이 통계적으로 안정적이거나 제품 특성을 예측할 수 있고, 고객의 요구사항을 만족할 때 시행되어야 한다. 즉 제조 공정이 필수적 요구사항을 충족하고, 어느 정도 안정된 후에 지속적 개선이 필요한 것이다. 이러한 지속적 개선을 위한 조직의 노력을 보여주는 모든 문서화된 정보가 보유되어야 한다. 이는 지속적 개선에 대한 조직의 노력을 입증하고, 시간의 경과에 따른 개선의 효과를 추적하는 데 도움이 된다.

집필을 마치며

필자는 전문 작가가 아니다. 그럼에도 본 책을 구입하여 끝까지 완독해준 독자 여러분께 진심으로 고마움을 표한다. 십수 년간 품질관리 엔지니어로 일하면서 품질경영시스템 표준을 접하게 되었다. 그러나 많은 기업에서 부자연스러운 번역본을 이해하는 데 어려움이 있다는 것을 알게 되었다. 이후 상당한 시간을 투자하여 국내외의 다양한 운용 사례를 수집하였고, 독자 여러분들의 보편적인 눈높이에 맞춰 집필을 시작했다. 한 달, 두 달 시간이 흐르고 집필 초기의 열정을 유지하기 힘든 시기가 찾아왔다. 집필을 포기하고 싶었지만 마지막 페이지를 쓰는 지금을 보면 잘 참아낸듯 하다.

한계점도 있었다. 독자 여러분께 요구사항 하나하나를 사례 중심으로 설명하려고 노력했다. 그러나 기업의 영업 비밀과 저작권 등의 문제로 많은 내용을 담을 수 없었다. 그래서 필자가 판단할 때 본 책은 아직 50점짜리 '표준 해설서'에 불과하다. 아직 국내에서는 품질경영시스템과 관련된 '해설'이나 '적용 사례' 등의 내용이 담긴 책을 서점에서 쉽게 찾아볼 수 없다. 그런 의미에서 본 책이 전국의 품질관리 엔지니어에게 조금이나마 도움이 되길 기대한다.

더 많은 사례를 찾아보고, 국내외 전문가로부터 조언을 얻어 본 책의 완성도를 높여 갈 것이다. 만약 본 책의 완성도에 기여하고 싶다면 언제든지 필자의 이메일로 연락해 주길 바란다. 추가해야 할 내용, 수정해야 할 내용, 삭제해야 할 내용 그 어떤 것도 필자는 환영한다. 그리고 본 책이 국내 품질경영시스템의 교육 자료로 활용되길 기대해 본다.

출처

1) 한국문화원, '세계속의 한국 경제 - 한강의 기적'

2) 한국 © OECD 2020(2020), 2020 OECD 한국경제보고서

3) 산업표준심의회(2015), 「품질경영시스템 - 기본사항과 용어, KS Q ISO 9000: 2015」

4) 산업표준심의회(2015), 「품질경영시스템 - 요구사항, KS Q ISO 9001: 2015」

5) 한국표준협회(2015), 'ISO9001 & ISO14001: 2015 주요 개정 내용 및 대응 방안'

6) IATF(2016), 「IATF16949, Quality Management System Requirements for Automotive Production and relevant service parts organizations」

7) 박영택(2021), 「품질경영론」, 한국표준협회

8) Robert H. ALLEN and RAM D. SRIRAM(1999), 'The Role of Standards in Innovation'

9) 한국표준협회, 「표준의 분류」

10) 2016년 Jaroslav Nenadal의 논문, 'Adequacy, Suitability, Effectiveness and Efficiency of Quality Management Systems: How to Perceive and Assess them?'

11) AIAG(2008), 「사전제품 품질기획 및 관리계획서 제 2판」

12) AIAG(2008), 「잠재적 고장형태 및 영향분석 제 4판」

13) AIAG VDA(2019), 「잠재적 고장형태 및 영향분석 제 1판」

14) AIAG(2002), 「측정시스템분석 제 3판

15) AIAG(2006), 「양산부품 승인절차 제 4판」

16) AIAG(2005), 「통계적 공정관리 제 2판」

17) ISO, 「Guidance on the requirements for Documented Information of ISO 9001:2015」

18) 수원시의사회 공지사항 '폐기물관리법 하위법령 개정 및 업무처리 지침 안내'